D0065672

DISCARDED

BLOCS ERRATIQUES

textes (1948-1977)
rassemblés et présentés par René Lapierre

collection "Prose entière"
dirigée par François Hébert et François Ricard

Quinze

LES EDITIONS QUINZE
Président : Pierre Turgeon
3465 Côte-des-Neiges, Montréal
Tél. : 933-6841

Distributeur exclusif pour le Canada :
LES NOUVELLES MESSAGERIES INTERNATIONALES DU LIVRE INC.
4435 boulevard des Grandes-Prairies
Saint-Léonard, P. Québec

Maquette de la couverture :
Roland Giguère

Maquette de la jaquette :
Jacques Robert

Dépôt légal : 2e trimestre 1977, Bibliothèque nationale du Québec
ISBN : 0-88565-111-1

PRÉSENTATION

Ces blocs erratiques ne trouveront pas en eux-mêmes de définition précise; car plutôt que leur existence incernable, c'est la mobilité de leur disposition qui les détermine. Fragmentaire et déconstruit, ce livre n'a du reste aucune ambition du type anthologique. De tous les écrits d'Hubert Aquin, publiés depuis 1948 jusqu'à maintenant, nous n'avons en effet retenu que ceux qui, en plus bien sûr d'offrir un intérêt autonome, n'avaient encore connu qu'une faible diffusion. Il entre même une part de mise en scène dans la disposition de ces articles, pour lesquels l'ordre chronologique n'a pas toujours été respecté. Ces textes inattendus — parfois même inédits — pourront ainsi surprendre.

C'est d'abord le cas de quelques articles du Quartier latin *(1948-1951) : bien qu'inspirée par la critique d'une certaine réalité sociale, la réflexion d'Aquin, qui appelle ici une mystique, retrouve difficilement le chemin du réel. Elle semble voiler ses origines, les disposer au coeur du texte comme en abîme, et se défier assez d'elle-même, défier Dieu.*

Il en est ainsi pour plusieurs articles, publiés dans la revue Liberté *entre 1961 et 1971 : l'examen des contextes politique, religieux et professionnel conduit Aquin à nous divulguer les termes d'un dépaysement global. Ces textes manifestent l'éclatement consenti de précaires convergences culturelles, comme autant d'expressions où se trament les complots d'un silence épisodique. Cette écriture, en effet, conserve bien des réticences. Elle ne passe pour ainsi dire jamais aux aveux complets, tout en dénonçant malgré elle le supplice de sa question. Et lorsqu'elle passe trop près de la révélation, elle se tourne brusquement vers la ressource de son immunité artistique; immunité — si l'on peut dire : car plusieurs textes ainsi dédoublés nous dévoilent une pensée de plus en plus construite et polarisée. Il arrive cependant que cette écriture transgresse bruyamment, et sans avertissement, ses interdits. Comme au* Quartier latin, *et jusqu'à sa démission de* Liberté, *Aquin accumule indéniablement les tensions d'une histoire qui devra se répéter...*

Ce livre réunit enfin plusieurs inclassables, pour lesquels il n'est pas d'époque particulière, mais qui de plusieurs façons contribuent à la cohérence et à l'éclatement de cette écriture en même temps engagée et désintéressée. Parmi eux quelques inédits, des textes politiques, des textes de création, et certaines lettres aux journaux contribuent à charger cet assemblage d'éléments interchangeables de tout le poids de ses déportements erratiques. Mais comment concevoir le sens de cette dérive ?

René Lapierre
(14 mars 1977)

NOTE :

Je veux seulement prévenir ceux qui seraient tentés de nous confondre avec des vautours : l'idée de ce recueil nous était venue bien avant le 15 mars 1977; l'auteur y avait consenti et le livre devait être publié, sauf imprévu, au mois de mai; Hubert Aquin nous a reçus chez lui, généreusement, René Lapierre et moi, le 9 mars, pendant plusieurs heures au cours desquelles, en riant de tout et de rien, et notamment de ce que nous faisions (il nous a demandé : "Etes-vous sûrs que vous n'êtes pas des agents du Parti québécois ?" Avons-nous répondu oui ? avons-nous répondu non ? avions-nous compris la question ?), nous nous sommes entendus sur la forme et sur le contenu de ce qui (il le savait; pas nous) devenait son dernier livre; quant au titre, c'est lui qui l'a trouvé, oui, c'est lui; lui, dans l'ombre de ces rocs irradiants, que d'obscurs glaciers charrièrent jusqu'à nous, ses enfants posthumes, et nous laissèrent.

François Hébert
(21 mars 1977)

P.-S. Merci à Andrée Yanacopoulo, qui nous aida.

I

Les premiers textes que nous présentons, tirés du journal le Quartier latin, *constituent les plus anciennes publications d'Hubert Aquin, et les plus méconnues. Ces articles reflètent un conditionnement tout spécial : on peut par exemple y voir comment Aquin, alors étudiant au département de philosophie de l'Université de Montréal, pouvait s'acquitter des droits de la censure officielle exercée à l'époque par le journal.*

R.L.

LE DERNIER MOT

Je connais un homme dangereux. Il ne demeure pas loin de ma grotte; je remarquai souvent l'intermittence de son comportement avec moi. Je sais bien que certains soirs ma présence lui était pénible, je devais sans doute lui rappeler quelque souvenir affreux. Il fermait les yeux douloureusement quand je passais devant lui.

D'autres fois, il me parlait. Mais déjà sa condescendance cachait un secret ressentiment. Il me regardait comme un juge en mal de condamner. Je ne parvenais pas à me débarrasser de ce sentiment d'infériorité auprès de lui. Il m'écrasait de sa dureté; son regard me réduisait à peu... Je pensai un instant que je pouvais lui nuire. Je devins humble, je me recroquevillai sur un minimum d'importance.

Je pris l'habitude d'éviter cet homme, et, chaque matin, je marchais seul dans mon désert. Mon ami continuait de souffrir : je vis par moments son visage se transformer, devenir violet comme une peau de cadavre. D'autres fois que je l'observai (car je devenais curieux) il se prêtait à des expériences de légèreté. Il tentait de marcher sans même effleurer le sol. Puis, peu après, je le vis devenir tout mauve, le visage tendu, brisé. J'eus l'impression qu'il voulait anéantir toute sensation corporelle, que sa chair lui était un empêchement de spiritualité.

Oui, j'ai compris ce jour que cet homme voulait s'exiler de notre condition animale, que son âme était dans la plus grande impatience de s'évaporer de toute charnellité. C'est déjà beau que j'aie compris cela, car, à ce moment de mon existence, je ne séparais presque rien, et j'avais une seule réponse à l'appel de la chair et à l'appel de l'esprit. Mais j'ai compris quand même que mon ami était gêné d'être animal, et que cette chair qui m'était légère lui paraissait une terrible infirmité.

Charnel que j'étais, je me sentis honteux, coupable, auprès de cet ami intransigeant. Chaque jour, son horreur de moi devint plus dangereuse, car j'étais la pire incongruité dans sa vie, j'étais une rupture vivante et ignominieuse de son désert; mais, chaque jour, je crois, il avait plus de pitié pour la pauvre bête que j'étais. Je devais le fuir, car sa pitié m'aurait tué; le désert n'était pas assez vaste pour ma crainte. Un soir je me trouvai un petit espace d'où l'observer sans qu'il me voie; ce soir-là il se montra fort.

Jamais je n'eus telle émotion dans ma vie. Le soir ne respirait pas comme d'habitude, le firmament tremblait. Mon ami était parvenu à la limite de la désincarnation : sa chair n'était guère plus qu'un masque éthéré, un voile qui persistait faiblement. Puis je vis cet homme s'évaporer, chaque particule de sa chair se volatiliser en encens. L'intensité, la surpuissance de sa spiritualité anéantissait tout ce qui pèse, tout ce qui est opaque; la matière se désagrégeait sous la pression de son âme. Il y eut un moment d'hésitation, une suspension douloureuse entre l'homme et l'ange. Et alors, avant l'assomption totale, j'aperçus son visage illuminé d'un sourire. Quel départ déchirant !

* * *

Le sourire, c'est le dernier mot de l'âme. Depuis ce jour, je ne sais rien de plus beau que le sourire de mon amie.

[1950]

LES FIANCÉS ENNUYÉS

L'amour c'est très bien, mais il ne faut pas s'y ennuyer. Il advint qu'un soir ils n'échangèrent pas une parole. Ils se risquèrent une autre fois le lendemain, mais sans succès : ils n'avaient plus rien à se dire. Quand il fut seul, le fiancé pensa longtemps au silence effarant qui prenait les proportions d'un fiasco; après cette méditation, il se dit : "Créons-la à mon image et à ma ressemblance." La fiancée, elle, découragée de leur amour qui allait échouer dans le silence, comme une barque qui s'engourdit dans les sables, pleura quelques larmes; mais l'espoir lui revint et elle se dit : "Créons-le à mon image et à ma ressemblance." Le fiancé pensa qu'il n'avait jamais rien fait pour leur amour avant cette décision profonde; la fiancée aussi.

Quand ils se revirent, ils parlaient tous deux ensemble, tout haut, et avec une incontinence qu'ils ne se connaissaient pas. Peu à peu ils s'aperçurent de cette conversation parallèle, et bientôt reprirent un langage baroque où l'un parlait à la suite de l'autre. Le fiancé n'acceptait qu'elle lui prît les mains que d'une certaine façon : en retour elle lui demandait de ne la désirer qu'à certains moments où elle le désirait. Elle lui apprit à l'embrasser comme elle le souhaitait; tandis que le fiancé explicita sa conception de la caresse telle qu'adaptée à son caractère. Il préférait les anémones; il aima les roses, elle aima les anémones. Les fiancés pratiquaient l'échange avec naïveté, avec ardeur. Il lui dit : "Sois moi." Elle l'exhorta : "Deviens moi." Dans l'enthousiasme de leur désir, elle devint lui, lui, elle.

Cette transfusion des amants n'allait pas sans un charme excessif. Connaître l'autre pour le vrai, leur donnait l'impression que jamais avant ils n'avaient pris la peine de se regarder. On n'a qu'effleuré l'amour si on ne s'est pas revêtu de la peau de l'être aimé, si on n'a pas respiré de ses poumons, regardé de ses yeux, pensé avec son âme. La transsubstantiation consacre l'amour. Nos deux fiancés avaient commencé d'exporter réciproquement leurs paroles, leurs désirs, eux-mêmes : ils trinquèrent, à la fin, chacun buvant une coupe remplie du sang de l'autre. La fiancée prévenait les attentes de son fiancé; ce dernier pouvait capter enfin les caprices subtils de son amie, faire coïncider ses consolations avec les peines qu'elle éprouvait. La permutation des coeurs fut si complète que la fiancée, non seulement était son fiancé, mais ne devint que lui; et le fiancé que sa fiancée. Si bien qu'en peu de temps ils oublièrent leur identité primitive; leur union par un cruel sortilège était redevenue ces monologues séparés de deux êtres qui ne connaissent qu'eux-mêmes tristement. Bientôt quelques travers surgirent : la fiancée fut blâmée des défauts qu'elle avait légués à son fiancé; par contre, elle se fâcha d'être égoïste et accusa son fiancé. Chacun accusait l'autre de ses propres défauts : et cela vaut bien la façon habituelle qu'ont les amoureux de ne pointer que les défauts adverses. Ainsi la transsubstantiation des fiancés, après avoir atteint sa perfection, commençait de cahoter à nouveau. Ils s'en tirèrent avec un minimum de quatre ou cinq querelles douces.

Mais il advint qu'un beau soir ils ne parlèrent pas un mot. Le lendemain non plus : ils n'avaient plus rien à se dire. Après six jours de ce silence sublime ils décidèrent de reprendre leur moi respectif. La première transfusion s'était opérée au sommet de la joie : le second passage du toi au moi se fit en silence, dans l'atmosphère même de leur ennui.

Le silence continuait de paralyser leur amour : le septième jour, pris d'angoisse, les fiancés se dirent : "Qu'allons-nous faire ?" Mais le silence continuait de les écraser froidement : il gagnait du terrain chaque fois qu'un des deux fiancés se demandait : "Qu'allons-nous faire ?", et qu'il n'y avait pas de réponse. Chaque jour il avançait lentement, sans bruit, et les fiancés s'enfonçaient dans la torpeur : à chaque instant qu'il gagnait sur leurs paroles, il s'aggravait. Bientôt les fiancés ne fixaient plus que cet empire tout-puissant du silence, plus fort que toute parole : le silence les avait ensevelis. "Qu'allons-nous faire ?", même plus cette question. Toutes les portes du coeur étaient barricadées, toutes les voies de l'un à l'autre anéanties. Il en fut ainsi pendant des années et des années. Assis l'un en face de l'autre, les fiancés se regardaient en silence avec une douceur épouvantable. Les siècles passaient, amplifiant la détresse de leur impuissance : irrémédiablement ils avaient perdu les amoureux de jadis. La résignation arriva pour momifier leur supplice.

Mais un jour le fiancé se réveilla brusquement au milieu de ce long enterrement : il lui vint à l'idée de faire renaître leur amour qui moisissait. Il partit donc en fermant la porte avec un vacarme bien calculé, ce qui ne manqua pas de stupéfier sa compagne. Malgré sa longue expérience d'une vie paisible, elle s'alarma. Pendant ce temps le fiancé courut chez un armurier acheter une dague turque, et revint. Décidé à rompre la monotonie de leur amour, il poignarda sa compagne. Elle fut quitte de cet assaut pour trois égratignures profondes sur le corps. Mais un miracle venait d'être accompli : leur amour renaquit de sa pourriture, ils trouvaient enfin quelque chose à dire.

Après cette mer immobile du silence, les fiancés abordaient une île perdue retrouvée, quelque part au milieu des eaux. Après une navigation désespérée et avant de sombrer à jamais, ils eurent quelques paroles sans contexte.

* * *

Quand on n'a plus rien à dire, on n'a qu'à s'étrangler : pour rire ou pour vrai, cela fournit toujours une bonne réserve de conversation. Sinon vous agoniserez d'ennui, amours.

[1948]

PÈLERINAGE À L'ENVERS

Comme je n'avais pu trouver aucun endroit pour coucher dans tout Jérusalem, et qu'il se faisait tard, je me rendis au tombeau du Christ. Le soir était frais; j'entrai sous la crypte de Joseph d'Arimathie et refermai la pierre sur l'entrée. Les murs nous perçaient les yeux de leur blancheur; mais pas un fauteuil qui trainât, aucun coin où me blottir pour la nuit. Il restait la fosse : elle paraissait assez bien modulée pour le corps, et pas trop froide d'ailleurs. J'étendis ma mante dans le fond.

On ne croirait pas si bien dormir dans le tombeau du Christ. D'abord on pense un peu à Jésus : je commençais même de m'émouvoir à son souvenir. Je me sentais des penchants de rédempteur, et, couché dans cette ambiance évangélique, il me semblait que je venais de mourir pour les péchés des hommes. Je fermai l'oeil en Dieu.

Je n'ai pas l'habitude de m'éveiller au son des prières. Ce matin-là, j'entendis des foules marmonner leur amour de Dieu. Je n'espérais tout de même pas me rencontrer seul au tombeau du Christ : je compris qu'on y venait en pèlerinage, comme moi. J'enfilai ma mante arabe sur le dos; de l'extérieur de la crypte je percevais les mugissements religieux de la foule. Sortir immédiatement devant tout le monde, me dis-je, manquerait de décence. J'erre autour de ma place; je fais les cent pas; je m'assois; du dehors j'entends toujours des oraisons jaculatoires. Il me semble maintenant entendre un sermon. J'attends encore, je n'en peux plus : la nausée me prend de cette chambre mortuaire, n'y mourons pas, me dis-je.

Je déplaçai la pierre légèrement, presque sans bruit, juste assez pour apercevoir une immense foule qui encerclait la crypte. Le prédicateur se tenait à quelques pieds de là. Comme je poussais encore la pierre, le prêtre entendit le frottement, et s'arrêta de parler. Moi je me ramassai dans un bon effort, et la pierre bascula complètement.

Je sentis la foule s'énerver lorsque je parus, pèlerin vêtu de blanc, à la poterne du tombeau divin. Déjà les petits enfants grimpaient sur leurs papas pour voir, j'apercevais des yeux et des yeux se braquer sur moi. Le silence venait de se creuser dans la foule. Alors le prêtre, comme un halluciné, cria ces paroles : "Mes frères, Jésus roi des Juifs est parmi nous !"

A ce moment je sentis la foule mugir, elle s'affolait. Mais comment pouvait-on me prendre pour Jésus ? En rien je ne lui ressemblais, je n'avais même pas sa barbiche. Le prêtre avait entamé un cantique qui avait plus ou moins l'air du *Te Deum*, car tout le monde ne chantait pas la même chanson. L'énervement mystique grandissait de façon épouvantable. J'avais beau dire à pleine gorge n'être pas le Christ, personne n'écoutait rien. On chantait des louanges à Dieu en contemplant ma face de clown. Après un certain temps on s'est aperçu que je désirais parler, la fièvre se calma. Le silence arriva : je le tins en suspens l'espace d'une bonne minute, puis je me suis élancé pour que tous entendent : "Ce n'est pas moi le Christ. Je ne suis pas celui que vous croyez."

A peine ai-je eu le temps de finir ma phrase qu'on criait de toutes parts. "Non, Seigneur, me disait-on, vous voulez nous éprouver." La foule se gonflait de folie : pas moyen de les convaincre que je suis le faux Christ. On me prenait pour le ressuscité. On se traînait à mes pieds, on implorait pardon. Le prêtre fit approcher de moi les malades. Il y en avait pour tous les médecins du monde, mais c'est à moi qu'on exhibait cette vermine pour que j'y trempe la main. Un homme se cramponnait à ma mante et me baisait les pieds comme on doit baiser une statue, j'imagine.

— Sauvez ma jambe, sauvez ma jambe, Seigneur... et il ne cessait de se crisper après moi.

— Qui croyez-vous que je suis ? lui lançai-je. Ne viens pas me demander ce que je ne ferais même pas pour ma mère. Va, ne sois pas dupe.

— Mais, Seigneur, remettez mes péchés, au moins.

— Prendriez-vous donc la responsabilité des miens si je vous le demandais ? Non, allez infirme. On vous a triché.

On m'assaillait frénétiquement de tous côtés; chacun pensait à faire guérir son mal, à faire tâter sa plaie par une main illusoire. Les gens en santé s'éloignent de Jésus; la maladie les ramène. Une lépreuse vint à moi, elle voulait que je pose la main sur les taches gluantes qui lui mangeaient le visage. Je dis que moi aussi j'aurais la lèpre dans ce cas-là.

— Vous vous trompez, je ne guéris pas les ulcérés...

— Ne nous faites pas languir, Jésus, me dit tout le monde qui attendait un miracle de moi. Ne faites pas le cruel.

J'aurais voulu me sauver de cet endroit à toutes jambes : ces espérances vaines qui étaient suspendues à moi m'exaspéraient, m'oppressaient. J'assumais la responsabilité de leurs illusions à mon égard, et cela est terrible. Même en répétant que je n'étais pas le Christ, je ne brisais pas leur entêtement. Déjà la foule s'augmentait : on était allé chercher toute la ville pour voir l'apparition. A ce moment un petit enfant parut, mal vêtu, pauvre, il boitait tristement. Il me dit :

— C'est toi Jésus ?

Cette voix trop pure demandait au moins le silence de la mienne : hélas, je fabriquai quelques paroles.

— Qu'est-ce que tu veux, enfant ?

— C'est vous qui êtes venu chercher maman ?

— Pourquoi voudrais-tu que ce soit moi ?

— Eh bien quand vous retournerez la voir là-bas, vous lui donnerez cette fleur.

Et il mit une anémone dans ma main... je la laissai tomber dans le sable.

Quand d'autres malades vinrent à moi, je refusai de me prêter à leur duperie. "Allez-vous en, leur dis-je. Je ne suis pas thaumaturge. Je ne puis rien pour vos pourritures; moi aussi j'ai mes rhumatismes, mes symptômes de cancer, moi aussi j'entretiens ma vermine. Et qui vous a dit que j'étais le Christ, que je guérissais votre usure, que je ressuscitais les êtres en décomposition ?"

— Pitié, Seigneur, pitié pour nos péchés, me disait-on alentour de moi.

La foule se pressait sur les lieux : j'avais senti l'anxiété monter sur les visages à mes paroles. On m'avait demandé des miracles à moi, imparfait comme eux : je les voyais maintenant retomber de leurs illusions. Soudain, une voix forte cria :

— Cet homme-là n'est pas le Christ !

— Ne le saviez-vous pas ? lui dis-je. Je n'ai pas triché avec vous; je ne pouvais pas donner plus que ma sympathie, vous vouliez des miracles.

Comme je parlais nerveusement à ces yeux prêts à me

fusiller, une confuse rumeur naissait dans mon auditoire. Déjà ma voix était résorbée dans la montée de ce murmure.

— C'est un imposteur, criait-on.

— Il s'est moqué de nous.

— C'est un maniaque.

La rumeur gonflait de façon inquiétante : quelques vieux fous me crachaient à la face. Des imbéciles vociféraient sur mon blasphème. On me traita d'antéchrist, de monstre. Puis des enfants m'arrosèrent de sable, ce qui déclencha la frénésie des hommes. On se mit à me lancer des pierres. Je m'enfuis de ces lieux comme on allait me lapider.

* * *

On m'avait demandé ce qu'on ne peut attendre que d'un dieu : à certains mortels j'ai demandé autant. Je les ai crus capables d'autant d'amour qu'il fallait pour engloutir ma solitude. J'ai imploré d'eux des miracles, parce que je me sentais perdu : parce que j'avais trop soif, je les ai crus intarissables. Ils ne le sont pas. Je n'aurais pas dû leur lancer des pierres quand je vis qu'ils n'étaient pas dieux. C'est moi qui avais triché.

[1949]

PENSÉES INCLASSABLES

Nous nous approuvons vite, avant même de nous connaître. Qui d'ailleurs cherche à se voir ? Avec soi-même on veut d'abord la tranquillité; bien avant *l'unité* on cherche ce repos.

* * *

Celui qui cherche la perfection n'arrête jamais. Rien de ce qui est acquis dans la perfection n'est pas constamment l'enjeu du présent. A chaque jour je dois refaire mon courage, renouer mon amitié, vérifier ce qui était entendu. Ma vie comporte à chaque instant le risque de ce que j'avais gagné.

* * *

C'est un orgueil mesquin que se prétendre déçu par les autres. Certains se disent déçus pour se masquer leurs velléités, et rendre les autres complices de leur faiblesse : incapables d'assumer la responsabilité d'un amour ou d'une amitié, ils ne souhaitent que le moment de s'évader, où ils pourront dire enfin avec un égoïsme rassasié : "Je suis déçu." La déception arrive aux hommes quand ils ne se sentent plus la force d'aimer généreusement. C'est une porte de sortie.

* * *

L'art est une fête, mais excédente, trop forte; c'est un miroir où je me vois depuis trop longtemps et que tout à coup je fracasse avec mon seul regard concentré. Le propre de l'art est de surprendre l'homme en flagrant délit de profondeur. Même celui qui s'attend à tout de lui-même, garde un secret effroyable ou grandiose : c'est là que frappe l'art, très près du mystère.

* * *

Il y a toujours trop de mots entre moi et moi-même; ils encombrent, et à force d'en mettre leur transparence devient opacité. Il faudrait ne dire que les paroles indispensables... mais parlons quand même.

[1950]

ÉLOGE DE L'IMPATIENCE

N'allez surtout pas devenir patients, c'est un grand vice ! Jadis, dans mes interminables voyages, j'ai rencontré quelques spécialistes de la patience qui m'ont semblé des désastres humains. La patience est la vertu propre à ceux qui ne réalisent pas que la vie est désespérément courte. J'ai même connu quelques mortels de petite envergure qui glorifiaient cette demi-vertu; plus tard je détectai dans cette admiration un fond d'inconsciente paresse... quelquefois de peur. Quelques peureux sont patients, tous les patients sont peureux... Enfin, je considère la patience comme un petit moyen, une vertu de substitution, accessible aux anémiques, aux personnes que le rythme vital n'effleure pas, aux vieillards, bref à ceux qui ont du temps devant eux...

L'intérêt que je prends à la vie m'inspire une impatience toujours progressive. Je vois danser mon désir à mesure que mon intuition perce les premiers vagissements de la vie, devine quelque magnifique mystère au-delà. Quand je hume la possibilité de décupler ma vie en profondeur, de multiplier ses dimensions, de perfectionner son style, mon âme s'enfièvre, mes soifs se précisent. Tout ce qui empêche la branche de monter dans le ciel, tout ce qui étouffe la fleur, dessèche la source qui bondit, est mon ennemi. Je n'imagine pas d'autre jeunesse que fervente, éprise; ni d'autre forme de vie que la plus impatiente. Le bonheur tranquille, amollissement sur place, me fait songer à une capitulation d'ardeur; je l'ai banni à jamais de mes convoitises, lui préférant de toute éternité des joies plus précaires mais profondes. *Plus de vie*, voilà ma formule : ne négliger aucun symptôme d'intensité...

L'impatience est le signe de mon désir : qui reste attentif à la vie n'échappe pas à l'impatience... L'intuition des innombrables rebondissements de ma vie, me fait passer de l'indifférence à la ferveur; la lucidité ne calme jamais, je la sens me piquer, me travailler, m'exaspérer d'enthousiasme. Suprême impatience de mon esprit, concentré sur la vie, follement attentif à moi-même ! Décidément, je ne puis imaginer la patience ici-bas qu'engendrée par une tendance à l'inertie. Patience, résignation, renoncement, tout cela dans mon esprit veut dire fatigue.

Il s'agit, me dis-je, de ne jamais renoncer; et s'il faut renoncer à telle chose, que ce soit en vue d'en assumer une autre plus totale, plus parfaite. Je conçois d'ailleurs qu'on paie l'accomplissement d'un grand idéal par l'holocauste de tant de désirs particuliers. Atteindre sa plénitude de vie n'est pas une occupation de loisir; c'est un impératif absolu, le moins écouté peut-être. L'amortissement, voilà le péché le plus regrettable...

Je n'ai plus le temps d'être patient. Je ne puis souffrir pour ma science l'éparpillement de l'érudition, ni pour mon amour ce qui en retarde l'apogée... Si j'étais patient je n'arriverais jamais; la patience m'atrophie, elle exige que je prenne mon temps, c'est déjà le perdre. Comment puis-je supporter l'interminable diffèrement de ma plénitude ? Voilà mon impatience qui devient avide.

Le spectacle des vies inachevées est le plus désolant; ces hommes à l'état informulé, en larves intérieures, pensé-je, ont peut-être été patients, ils ont pris leur temps. Moi je n'ai pas ce temps et j'exècre leur patience.

Il n'y a pas de juste milieu ici-bas : la seule justesse de notre vie s'exprime dans un certain excès, notre vraie mesure c'est la démesure. Le juste milieu est ce qui n'ose pas se manifester. La patience non plus n'ose pas... essentiellement, elle est absence de risque. J'affirme donc, devant l'univers, l'audace, l'incertitude et la suprême vivacité de mon impatience. Elle signifie, en moi, ce qui n'en peut plus d'être englouti par la routine et déjoué par l'horaire. Mon impatience, c'est peut-être ma seule chance de vivre un peu.

[1949]

TOUT EST MIROIR

Tout cela a commencé au milieu d'une vie ennuyante. Le sommeil avait eu son temps, la médiocrité aussi. C'était depuis toujours un homme appliqué mais il voulut perdre le nord...

A partir de ce moment, j'ai vu cet homme se transformer audacieusement. Bientôt il fit place à l'ironie dans son existence, puis graduellement y fit entrer la moquerie, le sarcasme, et enfin la révolte. C'est que l'espace d'un moment, il s'était imaginé que sa misérable vie, il pouvait s'en servir librement; qu'il pouvait la soustraire au monnayage universel. Mon ami surgit alors de son propre affaissement : qui veut renaître se révolte... et l'inverse.

Cet injustifiable héros imagina donc pour sa vengeance, une fête, humble disons, presque clandestine. Au fond de sa chambre chaque soir cet homme fêtait devant son miroir. Son âme tirait toute joie de cette abominable réflexion. Mais il passa outre : sa soif lui découvrit d'insondables sources. Son regard déshabillait sa propre vie des détails les plus insoupçonnés; chaque objet avait un maximum de valeur de fête qu'il fallait exploiter, les plus ordinaires recèlent parfois d'infinies interprétations. La fête c'est se refaire l'oeil, ne plus regarder incessamment. Dans cet esprit, mon ami inséra dans sa maison une juste quantité de dynamite pour la complètement dévisager. Sous l'aspect ruines, elle avait un cachet plus esthétique qu'il chérissait contre toute autre commodité.

Déjà il voyait toute chose à l'envers, ne cherchant, malgré l'usage qu'on en faisait, que le coup d'oeil gratuit. Pour donner plus de consistance poétique au flammable, il le brûla : aux choses périssables, il infligea leur visage définitif de choses péries. N'étaient aptes à décorer son palais que les fleurs fanées; il éleva même un autel où chaque jour s'accomplissait douloureusement le sacrifice d'une fleur. Puis il se fit apôtre de ce culte maladif.

Mais son coeur n'éprouvait pas encore la grande extase de la fête. Quelque chose manquait à ce dévergondage. Sa muse lui rapporta donc un jour l'étripure d'un cheval, il s'en fit une grande fresque murale. En multitude toutes les variétés de la race féline furent égorgées, il en fit de la dentelle...

La fête qu'il avait laborieusement provoquée, maintenant l'entraînait avec elle. Le rythme qu'il avait désiré le devançait vertigineusement. La danse allait son train. Mon ami exploita l'homme. Il dépouilla notre constitution séculaire de son assemblage habituel. Il recollait ensemble des parties incompatibles du corps humain, composant ainsi, de ses paradoxes esthétiques, un mannequin baroque... De chaque crâne ainsi abstrait il fit une cloche; et du trop de ces cloches mal assorties, il fabriqua un orgue. Sur ce clavier cérébral, il se chantait des chansons tristes.

Le moindre détail en l'homme qui avait quelque fin, il l'en détournait; tout ce qui servait ne devait plus servir, sinon à cette fête. Tout ce qu'il voyait devait renforcer son projet, tout ce qu'il touchait, frôlait, humait devait être enrôlé. Alors il enchaîna ce qui restait dans le coeur de l'homme. Les quelques sentiments disponibles pouvaient décorer les coins nus de cette fête : la joie se fit ornement, la patience un contexte. Puis il sonda encore, gratta jusqu'à l'os, et fit naître, à les chercher, les plus insoupçonnés désespoirs.

Il épiait les moindres soubresauts de son âme pour en grandir la fête; pas un battement de coeur, pas la moindre petite émotion ne devait échapper à cet artiste déchaîné. Il y eut des lambeaux d'âme humaine, des arrachements, des mains sur une épaule. Dans les coins les plus sombres, on avait, hélas comment, cloué les caresses les plus inachevées, et les vieilles étreintes trop de fois refrottées agonisaient en beauté.

Ah quel monde retourné ! restait-il encore quelque chose que ce fol artiste n'avait pas totalement inverti ? Sa frénésie avait-elle épargné une seule parcelle d'ordre ? D'une seule inspiration cet artiste avait doublé chaque chose... Plus de baisers, plus d'étoiles, plus rien en vie que cette fête homicide. L'artiste était sur le bord de la joie : son oeuvre déchirée lui renvoyait une image exagérée de sa puissance.

Pour achever cette impensable fête il s'y jeta lui-même. Pour finir, il fallait anéantir le dernier spectateur. A ce moment, un grand vacarme se produisit dans toute la foire, quand l'artiste se crucifia au milieu de son oeuvre. Ce fut le plus beau moment du spectacle quand le dernier oeil qui le regardait fut crevé.

Alors tout avait pris son sens. La fête, cet effort excentrique du cerveau, devenait une immense toupie ontologique qui se regardait tourner sans rire. Ah ! spectacle sans spectateurs, qui, gorgé de son propre vertige, s'enfonçait en lui-même comme une pensée qui se pense. Au centre de cette rotation sublime, il y avait l'âme de l'artiste, crispée comme un Dieu...

* * *

En vous racontant cette fantasque aventure, j'ai passé près de devenir Dieu; j'avais mobilisé mes archanges, j'organisais déjà mon royaume... Rien n'était à sa place, par principe. Tout ce qui avait une place tendait à s'en dérober, encore par principe. Moi, installé au nombril de cet univers, j'étais l'être le moins à sa place. Mais tout cela dont j'étais le souverain, était tellement déplacé, que cela faillit n'être rien du tout... Alors j'allais presque recréer le monde, mais je me suis arrêté, car la concurrence de Dieu le père me contrariait. C'est entendu qu'il sera toujours le plus fort, et je suis mauvais perdant.

[1950]

LE CHRIST
OU L'AVENTURE DE LA FIDÉLITÉ

Je ne veux pas demeurer fidèle par habitude, mais par amour. Pour supporter tout le poids d'un attachement, je dois en supporter chaque jour la profondeur renouvelée. La fidélité sans amour est aussi vaine que son inverse : car, à ce moment, je suis divisé contre moi-même, je persévère dans ma fidélité et mon amour est défaillant. Plusieurs fois, à cause du Christ, j'ai été divisé contre moi-même : plusieurs fois j'ai voulu lui rester fidèle et je ne l'aimais plus, d'autres fois je l'aimais et je ne voulais plus lui être fidèle. Le Christ n'est pas quelqu'un que j'aime immuablement, sans broncher, tous les jours de ma vie. Mon coeur est incertain comme la main d'un aveugle, et mes choix les plus irrévocables sont parfois la proie de mon doute et de mon inconstance. Certains jours je mets le Christ de côté, je l'oublie; d'autres fois je me place devant lui orgueilleusement et je veux le tenir à distance, lui résister : c'est qu'il me dérange, il exige que je donne tout sans comprendre, il ne me laisse même pas le privilège d'être indifférent ou paresseux.

C'est comme certains jours où je ne puis regarder mon idéal en face tellement il me gêne; tellement il est insupportable de regarder ce que l'on doit faire quand on voudrait ne rien faire. Quand je suis prêt à capituler, mon idéal me dit qu'il est encore temps de vaincre, quand je me laisse aller à l'irresponsabilité, mon idéal me ramène à l'intransigeante responsabilité de moi-même; il surveille l'instant où je flancherai, le point précis où je tenterai de le fuir ou de le tricher.

Mon idéal est sans repos. Le Christ aussi est sans repos pour moi : je ne puis pas m'accorder de répit avec lui. Le moindre écart, la moindre légèreté il me les fait sentir. Pas jaloux, mais intransigeant. IL EXIGE D'ETRE TOUT OU RIEN. Et je suis balancé justement entre ces deux extrêmes d'amour et d'ignorance : j'imagine parfois le soulagement que j'éprouverais si je me débarrassais de lui, et je veux parfois lui vouer une fidélité profonde et que mon désir de plénitude ne soit qu'un secret désir de m'approcher de lui. Mais l'idéal du

Christ est harassant, mais c'est quand je suis au sommet de l'effort que j'ai le vertige de l'indifférence insondable; c'est aux limites de la persévérance, que je ne vois plus pourquoi je persévère, pourquoi je suis fidèle.

Oui, quand il s'agit du Christ, j'hésite vertigineusement entre lui donner tout et tout lui retirer. Non pas que je doute de lui; je l'ai choisi de toute lucidité comme j'ai choisi d'être moi-même. Mais quand il s'agit d'aller jusqu'au bout de son choix, quand il s'agit d'être soi-même jusqu'au bout comme d'être fidèle au Christ jusqu'au bout, ce n'est plus d'une espérance facile que je me nourris mais de dureté, ce n'est plus d'un surplus d'enthousiasme que je souffre mais de l'envahissement du désespoir et de la lassitude. J'ai beau désirer ma plénitude, mille fois sur la route je suis tenté de me négliger élégamment; j'ai beau vouloir le Christ, chaque jour je risque de me retrancher dans l'indifférence.

Mais je ne puis m'ignorer moi-même. Etre fidèle au Christ je sais ce que cela veut dire, c'est être fidèle à moi-même et je ne connais pas d'obligation plus insupportable. Exploiter de moi toute la perfection possible, ne laisser rien à l'inconstance, ni à la résignation, mais choisir, sans flancher, imperturbablement, me choisir jusqu'à l'extrême. Etre fidèle au Christ, c'est ne rien permettre que ce choix intransigeant et total de ma perfection. Le Christ m'oblige à me choisir continuellement entre mille tentations d'éparpillement et de mensonge; je n'ai plus le droit de me retirer du jeu, je n'ai plus la chance d'échapper à l'option. C'est un choix réfléchi, total; non pas une vague acceptation de tout ce qui arrive, ni un consentement fataliste à la vie, mais une décision à prendre devant chacun de mes actes entre celui qui est néant et celui qui est plénitude, entre un moi réduit et la grandeur.

Je n'arrête pas de choisir entre ce qui me rapproche du Christ et ce qui m'en éloigne. Tout le conflit de ma vie est cette alternative de perfection ou de fuite, ce balancement entre la fidélité au Christ et mon propre désagrègement en tant qu'homme.

Cette fidélité au Christ, je suis conscient de l'exprimer surtout par rapport à moi. Je la comprends d'abord comme une oeuvre personnelle très précise, d'autant plus ardue qu'elle n'est pas quelque sentiment vague entretenu au-dessus de ma vie. Je cherche d'abord l'achèvement de ma propre vie; et je vois alors que je ne suis fidèle au Christ qu'en m'accomplissant moi-même héroïquement. Le Christ, je le veux trouver à partir de l'inconséquence, de la multiplicité, et même de l'absurdité parfois de mon existence, je le cherche en tout ou je n'en veux pas. Le Christ, pour moi, n'est pas une image immobile que je place au-dessus de mon lit; il remue, il est hésitant, changeant, vertigineux, il subit tous les contrecoups de mon aventure humaine. Il n'en est pas l'unité définitive, mais l'unité qui se fait péniblement.

[1950]

LE JOUISSEUR ET LE SAINT

Personne ne nous oblige à être sincère. Et tant mieux d'ailleurs. Si la loi me force d'être juste, et la société me contraint à la franchise, j'ai au moins cette sincérité qui échappe à toute législation. J'en suis le seul maître, c'est une histoire entre moi-même et moi. Qu'un importun tente de s'insinuer, je reste libre d'être hospitalier ou non. Ma chambre intérieure, seul je puis y pénétrer : c'est un tribunal où je me juge moi-même à huis clos.

On est toujours sincère à partir d'une idée, et je crois qu'en conséquence, la valeur de ma sincérité peut se ramener à cette idée génératrice : ainsi il se peut bien que cette idée soit un désir momentané, la première impulsion qui me vienne — si j'obéis, je suis sincère; il se peut aussi que mon idée soit une volonté de perfection — si j'agis selon cet idéal, je suis sincère.

Et pourtant je répugne à affirmer que le jouisseur qui veut consentir à toutes ses impulsions, et l'homme qui ne veut rien faire qu'en vue de son idéal, soient aussi *sincères* l'un que l'autre.

Si le jouisseur décidé n'est pas moins sincère que le saint, la sincérité ne serait donc que le fait de s'en tenir à ce qu'on croit, et d'agir en conséquence... Le jouisseur met son absolu dans sa spontanéité physique, et le saint dans son idéal de perfection, mais la sincérité est la même pour les deux, et il n'y a de différence que dans ce que chacun voit... Pourtant, ici, je pressens quelque duperie. J'admets que le jouisseur, autant que le saint, s'en tienne à ce qu'il voit; mais ce que je redoute chez lui, c'est un secret désir de ne voir que cela. A un certain moment, je crains fort que le jouisseur n'ait refusé de voir plus loin que son contentement immédiat. Sa sincérité admet au départ un refus de lucidité; le jouisseur s'en tient donc, non à ce qu'il voit, mais à ce qu'il veut bien voir... A ce compte-là, on s'accommode assez facilement avec la sincérité : "Une âme vraiment grande n'acceptera pas d'être honnête à la façon dont on est aveugle", dirait Rivière.

S'en tenir à ce qu'on voit, la question n'est pas là assurément; mais *voir jusqu'au fond.* Je me dis que la sincérité doit partir de cet idéal de lucidité, au risque de devenir la proie de tant de duperies. Si la sincérité n'est que l'enthousiasme à se manifester soi-même, sa règle peut être aussi bien abandon que rigueur, dissolution qu'unité. Entre se manifester tel qu'on est, et tel qu'on croit être, ou tel qu'on se contente d'être..., j'entrevois maints égarements.

Il m'apparaît de plus en plus que la sincérité est impossible sans une connaissance profonde de soi : l'ignorance la condamne à des élans plus ou moins accidentels. Le saint, par définition, est parfaitement lucide, il voit tout... Et je réponds d'un homme qui se connaîtrait parfaitement; comment pourrait-il se trahir lui-même en pleine conscience ? Là commencerait la vraie faute. "La faute nue, c'est l'acte de la conscience contre elle-même... la faute est un acte de connaissance, non seulement dévié, mais inversé; une connaissance *contre*..." (Pierre Emmanuel).

J'entrevois toute vie comme un long discernement de soi, et l'effort admirable d'être fidèle à cette vocation dévoilée. Ma sincérité n'a de sens que comme fidélité à moi-même, non pas comme expression de tel ou tel premier mouvement. Ma sincérité ne peut être qu'une; autrement, je dirais : mes sincérités.

[1950]

L'ÉQUILIBRE PROFESSIONNEL

Rien de plus désolant, quand on veut penser sa vie, que de réduire sa vie à l'exercice de cette pensée : celui qui veut s'exprimer par la littérature doit redouter par-dessus tout de n'avoir plus d'activité, d'expérience, de vie que son métier de littérateur. C'est justement ce rétrécissement vital que je redoute pour le littérateur professionnel. Les idées ou les mots, quand on s'y consacre pieusement comme à une carrière, peuvent perdre de leur contexte vital; la littérature alors risque d'être gratuite, profondément inutile.

Le littérateur professionnel, par définition, se meut dans le monde des idées, qui est aussi fragile, aussi peu consistant qu'un château de cartes. Les livres sont des miroirs qui le dispensent d'aller aux choses... le miroir peut se faire écran. Et l'homme "entouré de livres" est un abstrait, un prisonnier enfermé dans un cachot réduit : il est éloigné de l'aventure magnifiquement mouvante de la vie, il la frôle hautainement sans y être présent. Cette littérature a tous les aspects d'une tour d'ivoire intouchée, désincarnée, c'est un métier d'abstraction.

Et justement je crois que ces littérateurs décidés qui pourtant se dirigent vers le droit ou la médecine (ou même la pharmacie), ne choisissent pas d'abord cette profession pour l'assurance matérielle qu'elle promet. Ce qu'ils demandent surtout à cette profession, c'est une expérience proprement réelle et vitale qu'ils craignent de ne pas trouver dans la vie de la pensée : à son existence d'avocat, le littérateur-avocat demande de tremper quotidiennement, de façon engagée dans le réel; à la littérature il demande de se dégager par l'esprit, de s'élever au-dessus de la contingence du réel, cette aventure mesquine parfois, et qui souvent détourne de l'essentiel.

Il s'agit donc pour l'avocat-littérateur de réaliser un équilibre de vie, il s'agit de plonger dans l'existence temporelle par sa carrière, et, en même temps, de s'élever au-delà par l'exercice de la pensée. C'est donc un désir de ne rien tronquer en l'homme, ni l'exigence du concret, ni la vie de l'esprit.

J'admets fort qu'il n'y a d'équilibre véritable que cette

unité profonde, entre la part du réel et la part désintéressée. L'expérience humaine doit être un tout compact, unifié, et il ne doit pas exister de rupture entre l'homme qui débarbouille ses enfants le matin, l'avocat qui règle des transactions à son bureau, et celui qui, le soir, travaille à un roman. C'est donc une unité de présence à la vie malgré la diversité de plans d'action. Mais je suis sûr que cette diversité d'activités n'est pas nécessaire : je crois qu'un avocat n'a pas besoin d'être littérateur pour être équilibré, et surtout je dis qu'un penseur n'est pas obligé d'assumer une seconde profession pour atteindre sa plénitude.

Le penseur par métier risque toujours de s'éloigner du réel, autant que le professionnel risque d'y être englouti. Les occasions de déséquilibre sont égales pour l'un et pour l'autre, mais en sens contraire. L'abstraction peut devenir l'aberration du penseur, autant que le concret peut aveugler le professionnel. Le penseur doit consentir au concret; le professionnel, saturé de ce concret, doit s'obliger à le dépasser. Ceci n'est pas tellement loi d'équilibre que loi de plénitude.

A n'être qu'avocat ou littérateur, on réduit l'homme; mais qui d'abord cherche son accomplissement total donne plus de sens à sa vie professionnelle. La profession n'est qu'une spécialisation forcée de notre vocation humaine; menée pour elle-même démesurément, elle peut devenir un écart.

[1950]

II

Ecrits durant les premiers mois de son séjour à la revue Liberté, *ces articles représentent les premières productions régulières d'Aquin en dehors des milieux universitaires. Ce qui les caractérise, de ce fait, c'est une critique plus ferme et plus ample des conditions de l'existence politique du Canada français. Critique, comme on pourra le constater en d'autres occasions, non exempte de contradictions : en 1968, une lettre envoyée à* la Presse *("Un ancien officier du R.I.N. regrette sa disparition") s'inscrit en faux contre l'idée de cristallisation des forces séparatistes, pourtant prônée en 1962 dans "L'existence politique"...*

Les cibles d'Aquin sont mouvantes.

R.L.

COMPRENDRE DANGEREUSEMENT

La revue *Liberté* peut être considérée comme une agression. Au Canada français, en ce moment, notre entreprise se rapproche plus de la conspiration que du dilettantisme. Nous choisissons l'éclatement, la convulsion, l'attaque.

Le "système" qui nous enveloppe est subtil et diffus. L'Eglise, l'éducation, les gouvernements fédéral et provincial en sont les structures les plus évidentes; il serait vain de croire qu'elles sont les seules ou les plus stables. A vrai dire, le "système" repose d'abord sur les convictions inavouables et non écrites de notre mentalité. Et ce sont ces fondations secrètes de l'ordre que nous visons. Nous sommes en présence d'un inconscient collectif, objet multiple de deux siècles de refoulement, qu'il nous presse de faire affleurer à la conscience.

La destruction systématique, seuls les saints ou les hypocrites n'en conviendront pas, est un petit jeu bien agréable. De tous les sports, il faut l'avouer, le sabotage des valeurs établies s'avère le plus dynamique et un des plus salubres. Mais c'est un sport. Et nous serions mal venus de déranger la Province de Québec (ou, si vous préférez, l'Etat du Québec) dans le seul but de lui offrir un spectacle de terrorisme intellectuel.

Nous voulons comprendre. Ce n'est pas parce que le Québec s'est engagé dans un processus irrésistible de transformation qu'il faut remettre à demain la réflexion pure et simple. Au contraire, le bouillonnement actuel rend la pensée plus indispensable que jamais en même temps, aussi, qu'il lui pose plus d'énigmes et la conteste sournoisement. Il y a trois ou cinq ans, on pouvait nommer la censure, on en faisait même un bouc émissaire. Aujourd'hui, elle porte un masque et utilise des procédés plus efficaces parce que plus nuancés. La censure d'aujourd'hui est innommable. Nous voulons la nommer. Nous voulons comprendre la réalité dans laquelle nous baignons et qui nous emporte dans son fleuve d'événements et de malentendus.

Nous avons un autre vice, à *Liberté*. Nous estimons la parole, lyrique ou raisonnante, magique ou calme, et tout ce que les hommes dits d'action méprisent sous le nom de littérature et de poésie. La parole est une forme de vie et, par ce biais magnifique, un mode d'action. Chose certaine, il n'y a pas plus de vanité à écrire qu'à agir, d'autant que ce qui relève de l'action émane d'un ordre créé par la pensée.

Liberté est-elle une revue engagée ? En fait, étant donné le mot de liberté que nous invoquons, il serait indécent que je parle au nom de mes collègues qui ne m'ont pas mandaté pour résumer leur pensée. A la limite, je peux toutefois me hasarder jusqu'à dire que Lafcadio n'est pas notre *super ego* et que la publication d'une revue mensuelle est l'antithèse de l'acte gratuit. Notre titre même, qui est aussi la traduction d'un idéal, nous interdit de réduire sa promesse en une alliance précise et de confondre mobilisation et engagement. En trois ans, nous avons eu des amis généreux mais pas de commanditaires. Nous sommes engagés, par notre inquiétude et notre désir de le comprendre et de l'exprimer, à l'égard du Canada français. Rien de ce qui est canadien-français ne nous est étranger. Voilà notre choix global qui ne nous interdit ni les refus particuliers ni même, à l'extrême, un refus global.

* * *

LIBERTE PARAITRA MAINTENANT TOUS LES MOIS. A ce rythme nouveau, nous comptons exister plus intensément et aussi pour un plus grand nombre de lecteurs désireux, comme nous, de définir, dans son mouvement même, le Canada français et aussi ce qui le détermine ou l'attire hors de ses frontières. La jeunesse de l'équipe de la revue *Liberté* ne tient pas à son âge moyen. Sa jeunesse, me semble-t-il, réside dans sa vigueur, dans sa disponibilité, dans sa capacité de renouvellement. Nous n'avons aucune position à défendre, mais nous comptons bien en attaquer un grand nombre ou, du moins, les passer au crible. La jeunesse, quel que soit l'âge de ceux qui en sont investis, ne défend pas, elle attaque.

[1961]

LE BONHEUR D'EXPRESSION

Le bonheur, c'est la morale. Il m'est difficile de dissocier ces deux termes que tant de directeurs de conscience ont liés l'un à l'autre et que bien des gens "évolués" persistent à disjoindre.

On n'est heureux qu'à l'intérieur d'un système qu'on accepte et, en fait, le bonheur se réduit essentiellement à cette acceptation. Bien sûr, les modes de l'acceptation offrent de nombreuses catégories, depuis la sérénité jusqu'à la résignation chrétienne, de la bonne humeur au complexe d'Isaac. Ces comportements multiformes, parfois même alternatifs, dérivent tous d'une attitude fondamentale qui est l'acceptation. Et je ne connais rien de moins révolutionnaire que cette attitude.

Les gens heureux sont des contre-révolutionnaires ! On peut leur faire avaler n'importe quoi, ils en font leur bonheur, de la même façon que les bons chrétiens transforment leurs malheurs en épreuves et finissent ainsi par s'en réjouir. Quand on a commencé d'accepter, pourquoi s'arrêter sur cette voie ? D'ailleurs, les gens qui le veulent vraiment, deviennent heureux, quel que soit le prix qu'ils doivent payer ce bonheur, car le bonheur, on n'en sort pas, est affaire de volonté.

N'est-il pas significatif, en ce sens, de voir les grands personnages de roman désirer le bonheur jusqu'au moment où ils doivent l'accepter, mais jamais plus loin ? Mathilde de la Mole ou Madame de Mortsauf demeurent intouchables, inaccessibles par un décret inavouable et profond de ceux qui parlent de se tuer pour elles. Et la femme rencontrée *l'Année dernière à Marienbad*, il importe de ne pas l'avoir rencontrée : tout le film de Resnais repose sur cette volonté obscure, hésitante aussi, de refuser un bonheur, fût-il passé. La convergence de tant de bonheurs manqués, dans le folklore universel de la fiction, pose un problème aux gens heureux. Pourquoi, en effet, les gens heureux (et il y en a !) se repaissent-ils de ces beaux désastres et de ces faillites éclatantes ! Pour se purger, dirait Aristote; mais peut-être aussi pour se grandir !

Car ceux qui ont choisi le bonheur ont en même temps choisi de n'être pas des héros. Je dirais même, inversant ma proposition jusqu'au paradoxe : qui choisit le bonheur renonce, ou devrait renoncer, à être un artiste.

Que peuvent bien m'apprendre les artistes, s'ils se mettent à être heureux ? Comment pourront-ils encore m'étonner ? Je n'ai que faire des oeuvres nées dans le climat débilitant de l'acceptation. Romanciers, poètes ou peintres, les artistes sont des professionnels du malheur ! Je dis bien des professionnels, non des amateurs...

Qu'on me comprenne bien : la grandeur d'une oeuvre d'art n'est pas fatalement (!) proportionnelle au malheur de son auteur. Ce serait vraiment trop facile ! Le malheur aussi est un art. Le malheur dont je parle, le seul qui soit fécond, manifeste un choix profond; c'est une vocation et non seulement un accident fortuit. Loin de considérer l'artiste comme une victime qui s'adonne à une activité compensatrice, je vois en lui un héros qui choisit pleinement son destin.

Le malheur équivaut, selon moi, à un mode supérieur de connaissance et devient, par conséquent, la voie royale de l'artiste qui veut exprimer la réalité, la recréer, l'enfanter une seconde fois dans une forme nouvelle ! Dans cet ordre, le malheur m'apparaît comme une façon privilégiée d'expérimenter la vie et devient un préalable à toute entreprise artistique.

Autant j'admire Baudelaire, Dostoïevski, Balzac, Pascal, Pirandello ou Proust d'avoir poussé jusqu'au bout leur "difficulté d'être", car cette lutte a produit de grandes oeuvres, autant, d'autre part, je plains les petits malheureux, les tragiques, les masochistes à faible rendement, ceux qui sont nés pour un petit pain noir ! Ce sont des amateurs, c'est tout dire.

Ici je ne puis m'empêcher de pousser une pointe du côté des "nôtres" qui, à quelques exceptions près chez les vivants et les morts, vivent dans la ouate psychologique et sociale. Hélas, trop de nos artistes sont heureux et acceptent en fait une société qu'ils dénoncent à hauts cris. Ceux-là sont mangés par le système et ne font appel, quand ils produisent, qu'à la couche de leur être qu'on appelle talent, soit la plus mince.

Inutile de cacher qu'une telle somme de bonheur "artistique" m'inquiète beaucoup.

Pourtant, si je m'examine froidement, je ne crois rien avoir d'un charognard attiré par le malheur des autres. Ce sont les oeuvres qui m'intéressent, les grandes : celles que je regrette de ne pas avoir engendrées moi-même, celles pour lesquelles j'aurais donné dix ans de ma vie ! Quand je suis en présence d'une grande oeuvre, j'ai le sentiment intolérable d'avoir été volé (ce qui indique, je le reconnais, que je n'ai pas encore choisi ma "vocation"). Ce sentiment, je dis cela avec peine, je ne l'ai pas souvent éprouvé devant les oeuvres de notre terroir. Par exemple, la plupart de nos romans sont lamentablement imprégnés de morale. Et Dieu sait que rien n'est plus éloigné de la beauté et du tragique que la morale. La morale tue le tragique. Nietzsche nous l'a enseigné. La littérature canadienne ne compte pas de tragédie, mais beaucoup de drames de conscience. Pour tout dire, toute morale est une morale du bonheur...

Un vieil adage, sans doute d'origine anglaise, dit que le Canadien français est passif et, comme se plaisait à le répéter un de mes professeurs, un peu "mouton". En d'autres mots, les miens, les Canadiens français semblent heureux. Même politiquement, cela est connu de longue date. Nous avons glorifié ceux de nos chefs politiques qui ont le plus accepté ! On nous a enseigné à admirer Lafontaine, G.-E. Cartier, Laurier, Bourassa, mais le moins possible Papineau ! Nous sommes heureux politiquement parce que nous avons accepté de négocier indéfiniment des chèques bilingues et un drapeau, mais jamais l'essentiel. Deux siècles de conquête ont fait de nous des contre-révolutionnaires heureux et reconnaissants.

Dans l'ordre de la révolution il ne peut y avoir de modérés, de la même façon qu'il n'y a pas de place pour les amateurs en art ! Une conjonction évidente existe entre ces deux aspects de notre vie nationale. Pour le moment, l'intuition que j'en ai me convainc; j'entreprendrai une autre fois...

De notre faible productivité politique et artistique, je ne conclus pas que nous soyons un peuple heureux. Du moins je n'accepte pas ce bonheur. En assumant mon identité de Canadien français, je choisis le malheur ! Et je crois que, minoritaires et conquis, nous sommes profondément malheureux. Ce malheur, collectif ou individuel, on nous a appris à le réduire à sa plus faible expression, à l'accepter, à en prendre notre parti. On nous a enseigné à nous en réjouir, comme on dit à un infirme de sourire.

Mais il se trouvera sans doute, au Canada français, des hommes politiques pour mesurer lucidement ce "malheur" et le pousser à bout. Que viennent aussi les écrivains et les artistes capables d'aller jusqu'au bout de leur malheur d'expression !

[1961]

L'EXISTENCE POLITIQUE

Ce que le colloque du R.I.N. nous a appris, entre autres choses, c'est que des gens que nous respectons se méfient du nationalisme sous toutes ses formes, comme de la peste. Ce préjugé (c'est forcément un préjugé quand il s'applique au séparatisme actuel qui "propose" l'indépendance), ce préjugé, donc, se nourrit du fantôme de Duplessis, du souvenir plus ou moins amer du patriotisme de 1930 autant que des vieux échecs politiques dont est jalonnée notre histoire. Au nom de tout un passé qu'on croit déterminant, on refuse un avenir que nous gardons pourtant le pouvoir de déterminer, du moins selon les principes de saint Thomas et de Jean-Paul Sartre. Cette opposition à l'idée de l'indépendance du Québec est paradoxalement bien typique du Canadien français, conquis à part entière, maintes fois déçu par ses chefs et presque traumatisé par tant de déboires.

Le séparatisme réveille en plusieurs cette histoire décevante et la crainte qu'elle s'allonge d'un autre chapitre encore plus décevant. C'est pourquoi les leaders séparatistes n'ont pas la tâche facile : ils proposent à leurs compatriotes qui se sont fait avoir si souvent de risquer une fois de plus ! Ils proposent non pas de rechigner, de demander, de défendre, mais de construire à neuf un pays dont nous avons pris l'habitude qu'il ne nous appartienne pas tout à fait. Ce n'est pas l'amélioration d'un vieux compromis qu'ils préconisent, mais une révolution nationale complète. Or, nous avons depuis longtemps renoncé à toute révolution, à moins qu'il ne s'agisse d'une révolution particulière et qui ne remette pas en cause notre sécurité dans la Confédération, car il faut bien convenir que la dépendance politique dans laquelle nous sommes comporte une sécurité. A peine ai-je écrit ce mot que déjà tout ce qu'il renferme de duperies me révolte. Nous sommes victimes d'une équivoque : le non-combat nous donne l'illusion de la sécurité et du repos. Nous en sommes arrivés à un point du combat entre nous, Canadiens français, et le Canada anglais, où notre lassitude et notre épuisement nous feraient crier "chute". Nous sommes les plus faibles, économiquement et politiquement, nous serons toujours de plus en plus faibles et une certaine persévérance dans la stagnation nous rassure plus que toute reprise d'hostilités. Nous sommes battus d'avance; la Confédération a institutionnalisé cette inégalité et, si nous acceptons ce système, nous nous fatiguerons quand même à défendre nos positions de conquis ! Si nous restons dans la Confédération, notre histoire est écrite d'avance et n'offre aucune possibilité de rebondissement. Nous serons le partenaire amoindri, faible, fatigué au surplus, et les variantes possibles de notre état, entre plus ou moins d'autonomie ou plus ou moins de centralisation, ne modifieront pas les positions actuelles de ce combat inégal.

Puisque j'ai parlé de combat, aussi bien tout avouer. Je sais que l'agressivité à l'égard des Canadiens anglais n'est pas un sentiment respectable, même dans les milieux séparatistes. Hélas, je suis un séparatiste bassement émotif qui trouve plus sain d'avouer mes sentiments négatifs à l'égard des Canadiens anglais, ne serait-ce que pour conjurer leur éclatement collectif...

Pour tout dire, j'attache un certain prix aux sentiments que j'éprouve contre les Canadiens anglais, puisque ces sentiments sont à l'origine même de mes convictions séparatistes. C'est par rapport à un Canada anglais agressivement majoritaire que le Canada français se définit historiquement comme une minorité. Cette confrontation indésirable mais constante a conditionné le Canadien français à toute une série d'attitudes et de comportements dont il n'est pas encore sorti, et dont il ne pourra vraiment sortir que le jour où il sera indépendant, et encore !... On connaît certains cas où la xénophobie persiste bien après que le dernier étranger a quitté le territoire national ! Nous n'en avons pas fini avec les séquelles de notre hostilité contre les Canadiens anglais. Le séparatisme — le désir de se séparer, de devenir indépendant — ne peut naître que d'une relation entre deux individus, deux groupes, deux populations. On ne peut pas devenir indépendant d'emblée, divinement, pour rien : l'indépendance est un bien qui se gagne contre un autre qui est, à tort ou à raison, considéré comme un obstacle à celle-ci. Pour toutes ces raisons, je trouve que le mot *séparatisme* est adéquat pour définir ces divers mouvements pour l'indépendance qui existent actuellement au Québec. Nous voulons nous séparer. A priori, la séparation n'est ni bonne ni mauvaise. Il n'y a que les esprits confus ou anglicisés pour affirmer que séparation est synonyme d'isolement... Sans les Canadiens anglais, je veux dire sans l'irritation que chacun d'entre nous a ressentie contre eux, nous n'en serions pas aujourd'hui à étudier le problème de l'indépendance. Cette opposition émotive est fondamentale sur le plan historique, et ce serait friser le jansénisme que de vouloir la nier. Un mauvais sentiment, une imitation profonde, une souillure émotive est à la base de tout séparatisme. Il ne faut pas chercher à camoufler ce péché national pas plus qu'il ne faut céder, impulsivement ou non, au négativisme qu'il peut susciter.

Si on admet ce mauvais sentiment, cela nous permettra de nous comprendre, de nous accepter aussi en toute franchise, et cet aveu nous aidera aussi à comprendre l'impatience équivalente que ressentent les Canadiens anglais de nous avoir sur les bras quand ce n'est pas sur le dos ! Sur ce chapitre, ils ne sont pas plus francs que nous.

Autant, sur le plan historique, j'accorde un rôle important et générateur au sentiment anti-Canadiens anglais et à tous ses dérivés, autant, d'autre part, je ne lui accorde aucune importance sur le plan politique. En d'autres termes, c'est contre les Canadiens anglais que s'est développé notre séparatisme de minoritaires; mais, quand il s'agit pratiquement de réaliser l'indépendance, c'est contre des Canadiens français qu'il faudra lutter. C'est sur le plan politique, et uniquement sur ce plan, qu'on dégagera un élément positif d'une Histoire dont l'origine émotive, individuelle ou collective, se fonde sur une minorisation refusée.

Maintenant que j'ai fait preuve de mauvais sentiments (avec lesquels, pour paraphraser André Gide, on fait de la bonne politique), je vais passer aux interrogations multiples que suscite en moi la question séparatiste. Le mouvement séparatiste, dans sa totalité, se présente comme un phénomène national, mais je doute que ce soit encore un phénomène politique. Il s'en faudrait de peu pour qu'il le devienne, et précisément je m'intéresse à cette frontière imprécise qu'il doit franchir et, pour donner dès maintenant ma conclusion, je souhaite qu'il la franchisse.

Une chose me frappe depuis quelque temps : je rencontre autour de moi de plus en plus de séparatistes. Les cas de conversion se multiplient à un rythme sans doute grisant pour nos nouveaux messies. Pourtant, monsieur Chaput n'a pas fait de miracle, il n'a pas transformé l'eau en vin; il a tout au plus démissionné de son poste de fonctionnaire fédéral. Raymond Barbeau non plus ne fait pas de miracle, ni Raoul Roy. Pourtant, j'ai le sentiment très net que nous sommes en présence d'un phénomène quasi religieux. En fait, ce n'est pas la première fois au Canada français qu'un fait politique ressemble à un succédané de religion...

Ce que je redoute le plus, c'est qu'il n'y ait pas de rapport entre le grand nombre de conversions au séparatisme et la réalisation de l'indépendance du Québec. Voici pourquoi. On se trouve pour ainsi dire débarrassé du séparatisme, quand on s'y est converti,... un peu de la même façon que, dans certaines dénominations chrétiennes, la foi dispense des oeuvres. La foi séparatiste, au fond, quel Canadien français ne la ressent pas, ne serait-ce que dans un moment d'abandon ou de lucidité : qui de nous oserait dire que le séparatisme est mauvais en soi ? Je sais, hélas, que certains le disent et ceux-là, s'ils voulaient être logiques, feraient mieux de s'assimiler systématiquement aux anglophones.

La foi donc, grosso modo, nous l'avons, mais, pour ce qui est des oeuvres, nos séparatistes me semblent plutôt contemplatifs que charitables ou, si vous voulez, plus mystiques qu'efficaces... Notre séparatisme est une forme d'envoûtement, de possession, mais le lendemain matin, tel celui qui s'adonne à un rite magique, le Canadien français retourne à la réalité fédérale et bilingue qui demeure inchangée.

Nos séparatistes font beaucoup de sermons sur la montagne, et pas assez de discours politiques...

Par exemple, un séparatiste a parlé récemment de l'éventualité d'un recours à l'O.N.U. dans le but de nous faire octroyer l'indépendance. Cette idée me paraît refléter un véritable angélisme politique. A part de comporter un voyage agréable à New York, ce projet relève du culte de l'impossible et ne tient compte ni de l'organisme international, ni des précédents historiques qui seraient de nature à décourager toute entreprise du genre...

A mon avis, ce qu'on néglige trop quand on raisonne de la sorte c'est le degré réel d'éducation politique des Canadiens français. Ce degré est élevé. Les Canadiens français ne s'embarqueront pas dans une galère, ou du moins ne le souhaitent pas. A la limite, à choisir entre une situation politique déficitaire et une chimère, ils s'en tiendraient plutôt... à la Confédération.

Et Dieu sait que la Confédération n'est pas un paradis. Sans toutefois correspondre à l'enfer politique, la Confédération est une sorte de purgatoire constitutionnel ou, si vous voulez, un cercueil en or pour une minorité pauvre ! Son seul avantage est d'exister, de pré-exister si l'on peut dire, et aussi, sans doute, d'avoir permis aux Canadiens français de prendre conscience à nouveau de leur nombre, de leur force politique et de leurs ambitions. Sans vouloir verser dans le paradoxe, je dirais qu'il faut rendre hommage à la Confédération de ce qu'elle ait enfanté, malgré elle, les mouvements séparatistes...

L'ennemi le plus grand de l'indépendance n'est pas à Ottawa mais à Québec. Rien n'a encore obligé le gouvernement Lesage à se définir contre les séparatistes (on croirait même par moments que son autonomisme et son rayonnement préparent les voies de l'indépendance), mais il ne fait aucun doute que si Marcel Chaput était candidat aux élections contre Jean Lesage, ce dernier ne pourrait se définir politiquement que comme un défenseur de la Confédération. Vous avouerai-je le fond de ma pensée à ce sujet ? Daniel Johnson est en position pour coincer Jean Lesage sur ce terrain; si son intérêt le poussait vers l'indépendance, il pourrait facilement devenir le catalyseur d'un gouvernement libéral antiséparatiste et, par le fait même, étant donné le contraste des positions qui caractérise tout parlement, Daniel Johnson s'érigerait en leader de l'indépendance. Mais, espérons-le, j'imagine le pire.

Déclencher le nationalisme des Canadiens français n'est pas tellement difficile, et cela se pratique épisodiquement au nom d'idéologies qui se contredisent, depuis que les tribuns du peuple ont appris que le minoritaire est un écorché vif. La seule fois où le Canadien français est passé à l'action c'est en 1837. Depuis, il s'est fait couvrir de discours nationalistes bien sentis et de chèques bilingues...

Je crains précisément que, cette fois encore, la flambée nationaliste ne consume que des mots et des sentiments, et ne passe pas à la seule forme d'action politique que je reconnais saine : la lutte électorale et parlementaire. Si ce passage ne se fait pas rapidement, si les positions idéologiques du séparatisme ne se concrétisent pas sous forme d'ambition électorale forçant ainsi les ennemis de l'indépendance à jouer leurs cartes, ce mouvement d'opinion auquel nous assistons a des chances de s'asphyxier dans son lyrisme glorieux mais inefficace.

Je ne suis pas un partisan du coup d'état, du putsch, ou de ses formes dérivées; même si, à la limite, le coup d'état d'hier m'apparaît fatal, celui de demain me semble condamnable ! Nous sommes décidément en Amérique du Nord, et nous n'avons inventé ni le cha-cha-cha ni la politique des révolutions en chaîne. Nous vivons dans un contexte politique teinté par le parlementarisme britannique; et nous aimons la douceur. La violence ne s'apprend pas du jour au lendemain, la politique, heureusement oui ! C'est là notre seule chance. N'allons pas devenir maladroits quand nous sommes sur le point d'avoir de la méthode.

Je souhaite donc une cristallisation politique rapide de toutes nos idéologies séparatistes. Seule cette cristallisation donnera à la population canadienne-française une idée des forces politiques qui s'affrontent.

On ne peut offrir l'indépendance toute seule : il faut lui donner un nom, proposer un système politique, un programme et, bien entendu, de bons candidats ! Si les chefs séparatistes hésitent à se prononcer sur les grandes questions qui divisent le Canada français, ils n'atterriront jamais en politique. On ne peut faire de la politique sans se ranger à gauche ou à droite, sans risquer une position plutôt qu'une autre. La politique est faite de risques, d'attaques et non seulement de stratégie défensive. Il serait fâcheux de laisser le Nouveau Parti se définir comme la gauche, et la seule viable, alors que l'idéologie séparatiste peut tout aussi bien se concevoir dans une forme socialiste. Jusqu'à maintenant, hélas, le séparatisme allait de soi dans la catégorie de la droite ! Rien n'empêche l'indépendance de se réaliser dans un régime socialiste. Quand on est engagé sur la voie de la révolution, on ne peut la vouloir à demi et imparfaitement : la révolution au Québec, et je cite une parole de Marcel Rioux, la révolution sera globale ou ne sera pas...

L'indépendance est une notion de l'esprit. Il importe de savoir sous quelle espèce politique et parlementaire se manifestera cet être de raison qu'est l'indépendance. Il importe de savoir aussi qui se chargera de concrétiser ce rêve, qui nous conduira à la Terre promise et par quel chemin. En tant que citoyen — et j'en arrive à décliner mes préjugés — je suis séparatiste, mais je suis insatisfait des précisions qu'on apporte à ce vieux rêve révolutionnaire de tout Canadien français.

Les anciennes crises de nationalisme qui ont secoué notre minorité se sont plus ou moins soldées par des faillites, sans doute parce que nos nationalistes voulaient l'amélioration de notre condition de dépendance et non la suppression de ce rapport de dépendance. Encore aujourd'hui, des nationalistes sincères revendiquent des droits auprès d'Ottawa, sans mesurer à quel point ce type de nationalisme tend à perpétuer un lien de dépendance, c'est-à-dire un rapport de minorité revendicatrice à majorité plus ou moins conciliante. En fait, ceux qui acceptent la Confédération acceptent d'être minoritaires; ils acceptent un état dont la manifestation principale et significative est précisément la revendication. Au cours de notre Histoire, nous avons précisément confondu nationalisme et défense de nos droits, alors qu'il y a, selon moi, opposition entre ces deux attitudes. Le défenseur de nos droits est un minoritaire résigné, tandis que le nationaliste, en voulant d'abord la nation, veut que cesse la mise en tutelle de celle-ci. Les vrais nationalistes veulent la séparation et l'indépendance, non pas la perpétuation d'une situation de province ou de minorité.

Il serait utile, dans le but de nous comprendre et non d'ostraciser certains d'entre nous, de diviser politiquement les hommes publics et les citoyens canadiens-français selon ce critère différentiel : veulent-ils que le Canada français accède à l'indépendance ? Nous obtiendrons ainsi deux catégories de nationalistes canadiens-français : ceux qui combattent la Confédération et ceux qui la défendent. Un moyen terme est souvent invoqué : de refaire la Confédération comme un pacte entre deux nations égales. Mais j'imagine mal la réalisation d'un tel plan qui aurait peut-être réussi il y a cent ans. Car, il serait difficile au Canadien français de se sentir égal dans une situation inchangée où il a toujours été le partenaire moindre et, de plus, comment concevoir un système politique où une minorité démographique serait en état d'égalité politique ? Bon, je discarte cette utopie à laquelle se raccrochent certains fédéralistes de bonne volonté mais dont la lucidité est moins sûre.

Revenons à ma division antérieure : d'un côté les fédéralistes revendicateurs, de l'autre les séparatistes. Ces deux groupes constituent les deux pôles de pensée qui divisent actuellement le Canada français, et il me paraît souhaitable d'accentuer cette double polarisation de telle sorte que le Parlement du Québec reflète ces deux tendances profondes de la pensée canadienne-française, et non pas deux variantes d'un même attachement au système confédératif. Jean Lesage et Daniel Johnson sont deux chefs de partis provincialistes, dont le postulat de base est à peu près le même : la Province de Québec doit avoir la part qui lui revient dans la Confédération. Qu'un parti séparatiste aille siéger à la législature du Québec, même sur les bancs de l'opposition, et alors, il me semble, le parlement québécois reflétera les vraies tendances de la nation canadienne-française, exprimera ses véritables conflits et réussira peut-être à les résoudre. Encore faut-il, pour cela, que le séparatisme se présente comme une force politique et non seulement comme une mystique. La conversion des Canadiens français à l'indépendance est un premier pas; n'attendons surtout pas qu'elle soit unanime pour qu'elle soit efficace; elle ne sera jamais unanime, pas plus que ne l'a été l'adhésion à la Confédération.

Les précautions oratoires employées jusqu'à maintenant par les séparatistes dans le but de prouver qu'ils sont doux, ont sans doute convaincu leur auditoire mais eux, en revanche, semblent se conformer à cette image apaisante qu'ils ont donnée aux autres. La douceur est une qualité par rapport à la violence qu'on redoute chez tout révolutionnaire; mais tant de douceur et de patience risquent d'épuiser les éléments de la population québécoise qui sont disponibles pour un vrai changement. De nos jours, le séparatisme se porte *moderato cantabile;* c'est un signe des temps ou une manifestation supplémentaire de notre sens démocratique. Seulement il ne faut pas rêver. Le public attend quelque chose de plus radical, de plus avoué, de plus révolutionnaire; du moins, c'est mon cas, je n'attends pas des révolutionnaires à mitraillettes ou à képis, mais des révolutionnaires qui n'ont pas plus peur des mots que des réalités. L'excès d'habileté risque d'annuler celle-ci : on ne parle plus de socialisme (dans ce domaine le N.P. dépasse tout, car lui-même s'en abstient), on ne soulève pas la question de l'éducation, des écoles confessionnelles ou laïques, on ne se place ni à gauche ni à droite du régime actuel... on veut se placer au-dessus.

J'ai l'intuition que nos leaders séparatistes se modèlent plus d'après des archétypes canadiens-anglais que canadiens-français... Sournoisement, les Canadiens anglais nous ont imposé un certain type de chefs, plus négociateurs que révolutionnaires, dont Mackensie King est un exemple et Louis Saint-Laurent son pendant canadien-français. Ce qu'il y a eu de fâcheux dans cet emprunt, c'est que nos chefs politiques ont pris les allures de leurs modèles anglophones sans en adopter le dynamisme réel, ni leurs forces d'entreprendre et de construire. La tradition révolutionnaire du Canada français a été l'objet d'une vaste et constante entreprise de refoulement dont nos chefs politiques sont les produits.

La révolution est une entreprise qui doit se dégager nettement du fond de malentendus et de compromis qu'est le régime de Québec. L'indépendance c'est le contraire politique de l'autonomie, même si, sur un plan historique, on peut la considérer comme son prolongement. Il n'y a rien de commun entre un séparatiste et un autonomiste : l'un veut la sécession du Québec, l'autre veut sa participation, plus ou moins intégrée, à la Confédération.

La confusion naît peut-être du fait que les autonomistes et les séparatistes sont en état de tension avec Ottawa, mais elle ne devrait pas durer plus longtemps. Les séparatistes s'ils veulent être logiques, doivent considérer le gouvernement de Québec comme leur seul et unique ennemi ! Et si le gouvernement provincial, si autonomiste soit-il, est l'ennemi, c'est contre lui qu'il faut déployer toute stratégie, c'est lui qu'il faut déloger, à moins qu'on se contente de le convertir.

Si je préconise, dans ce domaine, une stratégie précipitée, c'est que je crois, d'autre part, à la précipitation de l'Histoire. Dans le contexte actuel, les séparatistes se sont fait des ennemis à Ottawa, tandis que le gouvernement Lesage continue de fonctionner avec la bénédiction tacite ou confuse des révolutionnaires... En art militaire pas plus qu'en politique, la lenteur n'est une stratégie habile. Le contraire est plutôt vrai. Pour être efficace, une politique doit être mobile et rapide — tout au moins plus rapide que la politique adverse. Si on laisse au Gouvernement de Québec, talonné dans ce sens par l'opposition, le temps d'instaurer une autonomie de bon aloi dans la Province, il sera d'autant plus difficile de persuader les électeurs d'accepter une révolution nationale. Les libéraux font peut-être inconsciemment le travail préalable à l'indépendance, mais ils le font si bien qu'ils peuvent saboter toute possibilité d'indépendance. L'indépendance ne peut pas être assimilée à une loi qu'on vote, parmi tant d'autres, comme si de rien n'était. C'est une notion politique révolutionnaire, et c'est comme telle qu'on doit la présenter aux Canadiens français. Ce serait les sous-estimer que de camoufler ou d'atténuer la portée révolutionnaire de l'indépendance; et aussi, par cette domestication légaliste qui se veut trop évidemment habile, on empêchera les vraies forces en présence impliquées de se dégager, de se manifester. Dans les discours séparatistes, dont je lis la transcription dans les journaux, on a tendance à atténuer les difficultés de l'indépendance, on essaie de dorer la pilule à la population qui aurait plutôt besoin d'être au plus vite mise en présence d'un jeu de forces dont elle serait l'arbitre par voie d'élections.

Je suis favorable à l'indépendance du Québec, et je veux bien continuer de l'être; mais qu'on me propose une alternative politique, un choix, une décision... Je souhaite qu'on nous propose la révolution nationale comme telle — et non pas comme un chapitre rajouté aux Statuts de la Reine, ou un protocole diplomatique qu'il faut régler aux Nations Unies. Je veux l'indépendance, oui. Mais je ne saurais me contenter d'une essence d'indépendance; j'aimerais qu'elle soit aussi existence, qu'elle ait une forme précise, qu'elle comporte un programme politique précis... L'indépendance n'est pas nécessairement une amélioration de notre condition présente dans la Confédération; l'indépendance ne sera pas idyllique, et ne peut l'être. Elle ne peut être qu'une révolution — et, en cela, elle constitue une étape politique importante, mais pleine d'embûches, qu'un peuple demeure libre de vouloir franchir ou non.

[1962]

UN ANCIEN OFFICIER DU R.I.N. REGRETTE SA DISPARITION

Monsieur le Rédacteur,

J'ai milité durant plusieurs années au sein du Rassemblement pour l'indépendance nationale : j'ai même occupé différents postes officiels dans ce parti. Je me crois donc autorisé à dénoncer publiquement des hommes que je connais, lorsque ces hommes procèdent publiquement, non seulement au sabotage du R.I.N., mais aussi à son inhumation, sous les yeux épouvantés de leurs anciens associés.

Le serment qui me liait à Pierre Bourgault et à André d'Allemagne, respectivement président et vice-président du R.I.N., ne me lie plus désormais à eux, que je tiens pour personnellement responsables de la fin brutale du R.I.N. Lors du congrès de Longueuil, ces jours derniers, ils ont appliqué toute leur rhétorique à faire entendre aux membres qu'il ne s'agissait ni d'un sacrifice, ni d'un sabordage, ni d'une mort, mais plutôt d'un geste "généreux" (épithète employée par A. d'Allemagne) destiné à favoriser positivement l'accession du Québec à l'indépendance.

Tant de générosité est suspecte ! Doit-on pousser la générosité jusqu'à une autodestruction propitiatoire ? La générosité consiste-t-elle à ne plus être, à disparaître soudain comme un voile de brume nuisible à la perception claire du paysage politique actuel ? Passe encore si le R.I.N. avait, depuis longtemps, commis des fautes impardonnables en refusant de négocier avec les autres forces indépendantistes, mais ce n'est pas le cas. Le R.I.N. a tenté, à plusieurs reprises, de négocier avec le M.S.A. et le R.N.; ces négociations ont abouti à une impasse qui ne peut être attribuée qu'à l'attitude intraitable de René Lévesque. Cela, tout le monde le sait. Et tout le monde sait aussi dans quels termes le même René Lévesque a injurié Pierre Bourgault et le R.I.N., au lendemain du 24 juin 1968. Pourtant, Pierre Bourgault n'a conçu aucune amertume contre le président actuel du Parti québécois; au contraire, il a tout fait, ces jours derniers, pour faire oublier aux membres du R.I.N. les injures qui lui avaient été adressées personnellement.

On se croirait en présence d'une religion nouvelle dont la révélation bouleverserait toutes les consciences, sauf, bien sûr, celle de M. René Lévesque. La mystique "fusionniste" a gagné les membres de l'exécutif national du R.I.N. qui, eux, se sont fixé comme but de convertir le plus grand nombre possible de délégués — et cela dans les jours qui ont précédé l'ouverture du dernier congrès. La conversion a réussi : 227 délégués au congrès du R.I.N. ont choisi d'accepter que le parti s'éteigne par générosité.

Puisque les apôtres de cette opération suicidaire ont écarté la terminologie du sacrifice, n'y revenons pas. Un fait demeure indéniable : le R.I.N. est mort, après une brève agonie et conformément à une idéologie explicitement "généreuse". Le R.I.N. jonchait la route glorieuse qui doit conduire le Parti québécois à la victoire finale; il s'est effacé unilatéralement, irréversiblement, à jamais. Il n'est plus.

Si j'ai bien compris, la générosité est un état euphorique radicalement incompatible avec la notion de mandat, avec la notion de représentativité, avec la notion (oh ! combien démodée...) de parti politique. Espérons seulement que M. Lévesque et le Parti québécois ne soient pas soudain en proie à quelque fièvre de "générosité" à l'égard d'une cause prioritaire et sacrée ! Espérons aussi que tant de "générosité" ne sera pas demandée aux Québécois, en tant que peuple, par le gouvernement fédéral !

Pour le moment, je fais partie de ceux qui n'ont pas été touchés par la grâce : je demeure odieusement épris d'existence et nullement enclin à rédiger mon acte de décès par politesse envers les apôtres d'une cause supérieure. Je persévère; je me cramponne à une entreprise d'existence et je persiste à croire que cette volonté de continuer ne peut être que positive et normale.

Pierre Bourgault et André d'Allemagne sont tombés dans la "générosité" comme on tombe dans une trappe béante; leur tort, à mes yeux, a été d'entraîner un parti, vieux de huit ans, dans leur chute. Et le pire est qu'ils n'ont pas agi à la légère ou sous l'impulsion du moment; leur acte a été prémédité... Mais, peut-être, n'ont-ils pas vu clairement que, non seulement ils exécutaient le R.I.N., mais que, de plus, ils se chargeaient, aux yeux de l'histoire, de s'en faire les fossoyeurs !

[1968]

III

Tirés de sources diverses, les textes de cette partie ont en commun de dire l'aliénation culturelle des Québécois; il importait — et de façon pressante à l'époque — de revendiquer la liberté, au risque d'échouer, et de pouvoir répondre personnellement de ses actions devant le tribunal de la défaite. Chose étonnante que l'actualité persistante de ces articles...

R.L.

LA FATIGUE CULTURELLE DU CANADA FRANÇAIS

"Il faut des nations pleinement conscientes, pour une terre totale" (1).

Teilhard de Chardin

Un relativisme qui ne s'avoue pas lui-même imprègne l'esprit de tous nos "penseurs", si bien que, sauf une minorité prudente qui réussit à garder une position dégagée ou neutre, chaque homme qui veut comprendre le problème canadien-français subit une vivisection mentale par laquelle on essaie de voir de quel côté, au fond, il se range. Aussitôt qu'on a opéré la coupe savante des cerveaux, on conteste aux penseurs tout pouvoir de connaissance parce que, désormais et une fois pour toutes, on connaît leurs conditionnements. Nos hommes de science eux-mêmes ont encouragé ce relativisme qui, inévitablement, se retourne contre leur propre entreprise; ainsi, inutile de prêter attention à ce que dit un Michel Brunet, historien de l'école "nationaliste" ou bien, selon une optique divergente, à un Jean-Charles Falardeau, sociologue de l'école dite "du père Lévesque", et confédéraliste avoué. Les étiquettes, pour être parfois moins grossières ou plus rationalisées, sont exclusives, et je connais fort peu de journalistes ou d'universitaires qui ne soient pas ainsi brutalement référés à leur groupe idéologique déterminant et imperméable. La pensée se trouve du coup taxée d'un coefficient de représentativité qui fait que, réduite à une tendance ou à une école, elle se trouve dépossédée de toute efficacité dialectique. Un dialogue de sourds s'est ainsi établi au Canada français entre des penseurs qui, en réduisant leurs interlocuteurs à des produits conditionnés, nous enlèvent du même coup tout espoir en ce qui concerne leur propre puissance d'intellection.

Bien que je refuse, pour ma part, qu'un penseur puisse parler dogmatiquement du réel comme s'il détenait, pour le décrire, un point de vue privilégié et totalement objectif, je ne veux pas entrer, d'autre part, dans cette petite guerre des

(1) *Oeuvres de Teilhard de Chardin*, tome V, p. 74.

tendances idéologiques et accuser les autres de représenter un fragment du réel alors qu'ils tentent de me le faire comprendre dans son entier. La partie serait trop facile. Et aussi, je confère à l'acte de penser un certain pouvoir d'élucidation que nul conditionnement ne peut résumer. En d'autres termes, la vraie dialectique est dialogue et non pas parallélisme de deux monologues. Il est encore possible de penser, et cet acte si important, même s'il est accompli par un "adversaire" social ou politique, ne doit pas être considéré comme un cantique accessible aux seuls adeptes de la religion de celui qui le chante. L'adversaire peut découvrir autant de vérité et peut comprendre autant de réel que celui qui est de "mon" côté ou de "ma" tendance.

C'est dans cette dialectique entre des tendances-situations qu'il importe de définir ces situations, et non en dehors d'elle ou au-dessus. La lutte dialectique est génératrice de lucidité et de logique, mais, chose certaine, elle ne saurait toutefois descendre au niveau de l'opposition entre deux partis politiques qui, comme on le sait, se situent d'eux-mêmes en dehors de toute entreprise de compréhension. La partisanerie politique est un mode d'action, non un mode de penser; au mieux, les partis se veulent "idéologieux", c'est-à-dire embrigadés dans un système pré-conçu de la société et dont l'absence de failles serait de nature à nous renseigner sur sa précarité ou son idéalisme.

Si je prends ces précautions, c'est que je tiens à marquer clairement que l'étude que j'entreprends, à partir d'un article de Pierre Elliott Trudeau sur "La nouvelle trahison des clercs" [2], n'est ni exempte de motivations, ni d'autre part une tentative sournoise de prouver que la pensée de Trudeau n'est que le reflet plus ou moins brillant d'une tendance différente de celle qui me définirait ! Son article témoigne d'un effort précis de raisonnement qu'il me déplairait de voir assimilé à un "réflexe conditionné" de partisan ou d'anti-séparatiste.

(2) In *Cité libre*, numéro 46, avril 1962.

Le nationalisme et la guerre

Cette pensée tranchante m'est d'abord apparue comme un édifice logique assez cohérent, bien articulé et d'un style vigoureux. Et puisque Pierre Elliott Trudeau situe sa recherche sur le plan de la raison, c'est à ce niveau même que je m'efforcerai de dialoguer avec lui.

Le nationalisme, je le reconnais avec lui, a souvent été une chose détestable, sinon même innommable : les crimes commis en son nom sont peut-être pires que ceux, fort célèbres, qu'on a commis au nom de la liberté. Les guerres ont ponctué, au siècle dernier, l'éveil des nationalités et ont souillé gravement toutes les formes possibles du nationalisme et tous les systèmes de pensée qui s'en réclament. "... cette idée a été cause de ce que les guerres soient devenues de plus en plus totales depuis deux siècles : c'est donc cette idée que je combats ici... Les guerres inter-nationales ne prendront fin que dans le fondement de l'Etat. Quant aux guerres inter-Etatiques, elles ne cesseront que si les Etats renoncent à cet attribut dont l'essence même les rend exclusifs et intolérants : la souveraineté" (3).

Le lien établi entre les guerres et le nationalisme ("l'idée de Nation-Etat") ne semble pas très sûr (4). La convergence de ces deux faits, même répétée à plusieurs exemplaires, ne fonde pas pour autant un lien de causalité réelle. La résurgence des guerres pose un problème philosophique qu'il serait trop facile de circonscrire dans sa coïncidence avec les vagues de nationalismes ou les irruptions d' "étatisme" religieux ou idéologique.

La guerre est l'extension collective, sinon mondiale, de la notion de conflit; et je suis près de croire que si on étudiait

---

(3) P. E. Trudeau, *idem*.

(4) Les guerres "nationalistes" du 19ème siècle sont parfois attribuées, en remontant la chaîne des "causes", au Congrès de Vienne de 1815, premier "sommet" pour la paix : "A Vienne, la carte de l'Europe est refaite. Mais la liberté, l'esprit des nationalités, le droit des peuples sont tenus à l'écart de cette construction. L'acte final de Vienne contient le germe des guerres qui vont ensanglanter la deuxième moitié du XIXe siècle. Les nationalités opprimées dans leur élan accentueront la discorde entre les gouvernements et les peuples." Félix Ponteil, *l'Eveil des nationalités et le mouvement libéral*, P.U.F., Paris, 1960, p. 4.

scientifiquement la guerre (ce qui me semble aussi urgent que de vouloir la paix), on y trouverait peut-être des fondements d'explications qui concernent le phénomène humain global. Jusqu'à maintenant les penseurs ont pris parti contre la guerre ou bien ont imaginé des plans de paix (l'abbé de Saint-Pierre en 1713, Jérémie Bentham en 1789), mais, chose curieuse, peu d'entre eux ont appliqué leur esprit à étudier le phénomène de la guerre. Une sorte de refoulement social ou individuel pousse l'homme de science à se voiler la face devant la guerre. Il a fallu des siècles et un homme lucide pour isoler la terre du cosmos, et quelques siècles encore avant qu'un certain docteur viennois fasse du subconscient, irrigué par le sexe, un objet d'étude; de la même façon, la guerre provoque encore des prises de position, des émotions, des embrigadements chez les hommes de science, mais fort peu de lucidité. Si bien que ce phénomène, un des plus dévastateurs dans l'histoire de l'homme [5], se trouve pour ainsi dire à la merci de toutes les explications hâtives et partielles : les guerres sont causées par Dieu, les Juifs, les conflits économiques, les assassinats de princes, les familles royales, les fabricants de canons, les nationalismes, etc., selon le but idéologique que se propose celui qui utilise la guerre comme argument. Ainsi, dans l'article de Trudeau, la guerre est invoquée comme une conséquence du nationalisme, sans, pour autant, que l'auteur explicite la corrélation qui existe entre ce micro-phénomène (l'émergence des Nations-Etats) et son gigantesque corollaire, la guerre, qui a ensanglanté l'humanité depuis ses débuts. Si la pensée doit dépasser les apparences et chercher, sous des coïncidences incontestables mais peut-être événementielles, un réseau profond et exhaustif d'explications, il ne faut pas se servir d'une causalité à rabais. Le lien causal établi entre les guerres et les nationalismes est léger et minimise l'importance du phénomène de la guerre. Comment donc de si petites crises

(5) "Le professeur Wright note qu'entre 1482 et 1941, c'est-à-dire entre le traité d'Arras qui consacrait le succès des efforts de Louis XV et en fait la fin de la féodalité, et l'entrée des Etats-Unis dans la Deuxième Guerre mondiale, on peut compter 278 guerres et 700 millions de victimes directes." Général Gallois, cité par Louis Armand, dans *Plaidoyer pour l'avenir*, Calman-Lévy, 1961, p. 146.

historiques pourraient-elles engendrer un phénomène terrible et mystérieux qui s'est manifesté à l'homme bien avant les nations et qui dépasse, par son extension même, les supernations modernes ? [6]

La condamnation même justifiée de la guerre ne remplacera jamais sa saisie rationnelle par l'esprit humain; il en a été ainsi du sexe pendant longtemps... La guerre, événement décrié, destructeur, dangereux, n'a provoqué que des attitudes de combat (refus, volonté de paix, condamnation), mais fort peu d'attitudes scientifiques. La guerre totale pose un problème philosophique à l'homme, et ce dernier, préoccupé jadis par une "totalité" jamais remise en question, doit aujourd'hui étudier la guerre comme il cherche à comprendre la mort et, pour cela sans doute, cesser de voir en la guerre un mal pur et indifférencié. Objet de scandale et de conférences de paix, la guerre doit passer au champ d'étude de l'homme et ne plus servir d'argument rapide dont la malicité interne et trop peu contestée sert d'assommoir à la pensée.

Le "subsconscient" de la paix

La guerre est le mystère philosophique à élucider. Liée intimement à la spécificité de l'homme, la guerre en constitue une des fonctions, et cela devrait, dans l'esprit des penseurs, réhabiliter cette fonction "honteuse" entre toutes mais qui, si elle est considérée comme fonction, se trouverait du coup nantie de tous les attributs contradictoires et ambivalents des fonctions humaines. Il serait, en tout cas, difficile de penser à la paix sans reconnaître l'importance de son "subconscient" ténébreux.

---

(6) Pierre Elliott Trudeau mentionne aussi, comme autre cause extérieure de la guerre, la technologie moderne. Sur ce point, il fait une inversion causale. La corrélation technologie-guerre me paraît fonctionner dans l'autre sens : c'est la guerre, assurément, qui a créé l'outil et non celui-ci qui a engendré la guerre. L'outil toutefois a dû agir, en retour, pour perfectionner ou étendre les moyens de destruction, mais on ne saurait accabler le progrès technique qui, sur le plan fonctionnel, peut aussi bien servir que détruire. Il en va ainsi du feu.

Qui sait si nos historiens de demain n'engloberont pas dans la notion de guerre les conférences sur le désarmement comme celle de Genève par exemple ? Car, de toute évidence, cette conférence exprime un conflit dont l'objet est la cessation de tout conflit armé. Elle est, en quelque sorte, une variante de la guerre qui, intégrée à la collection de toutes les autres variantes dont l'histoire regorge, peut aider à nous faire comprendre la guerre comme un phénomène général lié à la communication entre deux groupes quelle que soit la dimension de ceux-ci. Si tel était le cas, et puisque la diplomatie de Genève ou les affrontements verbaux à l'O.N.U. définiraient la guerre avec autant de nécessité que les batailles militaires, il faudrait en arriver à ne plus concevoir la guerre univoquement comme une catastrophe mais comme un affrontement qui, dans ses dérivés les plus apaisés, se réduirait peut-être au dialogue [(7)]. Les sociétés dites "primitives", éprises d'unanimité, exorcisaient les dissensions par un rituel d'affrontement et de combat réglementé ("Autrement dit, pas de minorité", écrit Claude Lévi-Strauss; et j'espère qu'on ne m'accusera pas ici de solliciter sa pensée !). "En gros, ces sociétés sont égalitaires, de type mécanique, régies par la règle d'unanimité... Au contraire, les civilisés fabriquent beaucoup d'ordre, mais ils fabriquent aussi beaucoup d'entropie : conflits sociaux, luttes politiques, toutes choses contre lesquelles nous avons vu que les primitifs se prémunissent... Le grand problème de la civilisation a donc été de maintenir un écart... Elles utilisent pour leur fonctionnement une différence de potentiel, laquelle se trouve réalisée par différentes formes de hiérarchie sociale... Nous avons vu cet écart s'établir avec l'esclavage, puis avec le servage, ensuite par la formation d'un prolétariat. Mais, comme la lutte ouvrière tend, dans une certaine mesure, à égaliser le niveau, notre société a dû partir à la découverte de nouveaux écarts différentiels, avec le colonialisme, avec les politiques dites impérialistes, c'est-à-dire chercher constamment au sein même de la société, ou par l'assujettissement de peuples

(7) Je trouve dans Teilhard de Chardin cette phrase : "... la vraie paix n'est pas la cessation ni le contraire de la guerre, elle est bien plutôt une forme naturellement sublimée de celle-ci." *Oeuvre de Pierre Teilhard de Chardin*, tome V, p. 196.

conquis, à réaliser un écart entre un groupe dominant et un groupe dominé : mais cet écart est toujours provisoire..." [8]

Selon cette vision, les "écarts" individuels vite résorbés par un rituel dans une société primitive, le sont, au niveau des grandes sociétés modernes, par des luttes collectives et, de plus en plus, au prix de vies humaines. Ces écarts entre classes, états ou groupes d'états ou cultures sont les germes de toutes les luttes futures quelles que soient les formes, militaires ou parlementaires ou idéologiques, que prendront ces luttes. L'"écart" engendre la lutte; il fonde ainsi, par sa métamorphose protéenne indéfinie et toujours nouvelle, la dialectique, en recréant indéfiniment les deux termes éloignés (écartés) qui tendront logiquement à s'égaliser. Cette inégalité basique de toute civilisation ne peut être éliminée que par le transfert de l'inégalité sur un troisième terme : la nature. Somme toute, la puissance ne serait plus fonction de la moindre puissance d'un autre groupe humain, mais partagée avec lui en tant que fonction comme puissance sur l'inertie, ce qui revient à dire que le problème du désarmement ne peut se concevoir en dehors d'une révolution totale de toutes les sociétés qui, ayant purgé puis dépassé leur tension contre le terme supérieur d'opposition, égalisées donc en quelque sorte et sur tous les plans, pourraient commencer à se définir en fonction d'un nouveau terme dialectique : la nature, ou le cosmos. Les états ou les groupes tels qu'ils sont conçus, ne sauraient désarmer devant les groupes qui, par un écart quelconque, les forcent à se définir comme des *contraires*. Pour débarrasser les groupes de cette vocation à la contradiction et à la lutte, il faut d'abord supprimer l'écart originel entre les groupes.

C'est faire fausse route que de demander à des groupes constitués en groupe inégaux, inférieurs ou écartés de sauter une étape du processus dialectique qui régit même les ensembles internationaux. Il n'y a pas de raccourci possible pour passer de l'infériorité, ressentie collectivement, à la collaboration d'égal à égal. A moins, peut-être, que ce raccourci ne soit la suppression pure et simple du groupe en question en situation quelconque de minorité. "En même

---

(8) Claude Lévi-Strauss, *Entretiens avec Claude Lévi-Strauss*, Paris, 1961, Julliard, pp. 41-45.

temps que l'on nous invite à construire la civilisation de l'universel, on nous demande de renoncer à notre culture...", a dit Léopold Senghor, nous rappelant ainsi que l'"universel" ne doit exister que grâce à la participation libre et active de tous les éléments particuliers qui auront choisi de le créer. Si les particularismes sont vraiment des extravagances ou des caprices insolites, ils ne résisteront pas longtemps aux "excommunications" dont ils sont l'objet.

"Si l'on nous avait donné l'exemple d'un pays qui, pour être plus progressiste que les autres, ait renoncé unilatéralement à la culture nationale, à son passé — pour mieux s'universaliser, nous pourrions suivre cet exemple. Mais cela n'existe pas encore... Nous nous soucions d'élaborer une culture nationale qui serait tout simplement, pour nous, un rempart de sécurité, en attendant que la sécurité de toute notre planète soit réalisable" (9).

Nationalisme vs mondialisation

La guerre, me dira-t-on, nous éloigne de notre point de départ. Non, et voici pourquoi. Si je me suis d'abord arrêté au chapitre II de l'article de Pierre Elliott Trudeau où il établit la corrélation causale nationalismes-guerres, c'est que cette première défaillance dialectique m'est apparue, paradoxalement, la plus difficile à déceler. De fait, l'argument du nationalisme générateur de guerres est très efficace sur les esprits et, d'autre part, à cause même de son "évidence" historique, se discute très mal. C'est un argument qui impose le silence dans un salon et qui, apparemment fondé sur des faits (quoi de plus incontestable, n'est-ce pas ?), ne révèle pas subitement sa vulnérabilité dialectique. Il provoque l'émotion chez celui qui le reçoit et, par conséquent, masque celle de celui qui l'utilise. L'émotivité au sujet de la guerre a quelque chose de noble, de grand, d'excusable et, mieux encore, constitue le fondement de la pensée pacifiste et humanitaire. Mais ce n'en est pas moins de l'émotivité que je crois reconnaître dans la pensée de Pierre Elliott Trudeau,

(9) Cheikh Anta Diop, in *Présence Africaine*, numéro 24-25, 1959, p. 376.

c'est-à-dire une attitude personnelle univoque et tendue devant un sujet donné. Cette émotivité, manifeste dans le chapitre II intitulé "L'optique historique", me paraît avoir deux composantes majeures : d'abord, une rationalisation abusive (soit une causalité établie entre deux ordres de faits peu comparables l'un à l'autre : les "nationalismes" et les guerres [10]; et une surévaluation de ce qui ne peut être, à ce niveau d'explication, qu'une coïncidence dont le degré réel d'"interaction" est réel mais assez limité; puis, deuxièmement, une attitude qui se caractérise par un refus de penser la guerre et par une volonté de ne penser que la paix. Ce schème "structural" comporte des corollaires évidents : par exemple, la guerre menaçant désormais d'être "mondiale", la paix doit être "mondialisante". Second corollaire : cette surévaluation de la "mondialisation" de la paix à organiser et de la guerre à conjurer implique une dévaluation de tout particularisme qui, dans une telle optique, ne peut être compris que comme un freinage du processus de pacification mondiale, donc comme un facteur négatif ou du moins "rétrograde". De là à dire que le mal (les guerres) vient du morcellement et le bien (la paix mondiale, le désarmement universel) de la mondialisation, il n'y a qu'un pas qui, dans le déroulement de l'article, est préalablement franchi puisque c'est au début de l'article que le couple nationalismes-guerres est évoqué. La mondialisation à laquelle nous convie l'auteur comporte logiquement le rejet de ce qui la contrarie au premier chef, soit le nationalisme qui va dans le sens du rétrécissement plutôt que de l'élargissement.

Il est donc logique, selon cette structuration, de frapper tout nationalisme d'un coefficient régressif et presque maléfique. La seule atténuation apportée à ce jugement se trouve incluse dans la notion de transition appliquée au phénomène nation : "Elles tiennent à un stade transitoire de l'histoire du monde" [11]. Si tel est le cas, on ne peut plus considérer les nationalismes comme porteurs des guerres

---

(10) "Le concept de nation... c'est un concept qui pourrit tout", p. 6, *idem*.

(11) *Idem*, p. 15.

futures. On doit logiquement isoler ces deux termes et il serait même possible de considérer certains nationalismes, les plus isolationnalistes ou les insulaires, comme des manifestations politiques d'un désir d'échapper aux jeux des forces et des puissances dont la dégénération se traduit en termes de guerres. De plus, s'il y a transition, cela doit être dans une direction qui, dévalorisant la nation parce qu'elle est transitoire, implique qu'une "plus-value" existentielle est liée au fait de n'être pas transitoire. Mais pourquoi ? Car la vie humaine aussi est transitoire. Et par rapport à quoi la réalité nationale ou étatique est-elle transitoire ? Où se trouve le terme de comparaison et en quoi sa réalité sera-t-elle supérieure à toutes les autres ? S'il s'agit de Dieu, je ne discute plus. Mais si ce terme supérieur est le monde ou même le cosmos, qui me dit que ces réalités ne sont pas elles aussi transitoires ?

La paix transcendantale

A cet égard, la pensée pacifiste nous offre un exemple quotidien de "mondialisation" dialectique : "C'est un engagement qui transcende tous ceux que l'on peut avoir envers une patrie, un système économique ou une religion, parce que les patries, les systèmes économiques et les religions n'ont de sens que si l'homme continue... Les pacifistes ne succombent donc pas à une émotion facile ou à un idéalisme puéril : ils obéissent à la plus froide logique et ils s'attaquent au seul problème dont la solution est préalable à celle de tous les autres" [12].

Si, comme le veulent les pacifistes, le monde se trouve en état d'urgence, toute activité qui ne s'inscrit pas dans le sens de cette peur se trouve dévaluée et paraît, à la limite, assez dérisoire. Ce raisonnement a été souvent formulé : il consiste à valoriser la déréliction atomique et à frapper d'inauthenticité toute autre interrogation vitale. L'angoisse "pacifiste" s'affirme comme prioritaire sur toute autre forme de question.

---

(12) André Langevin, "Einstein et la paix", *le Nouveau Journal*, Montréal, avril 1962.

Au nom d'une paix positive, on finit par nier toute démarche qui n'est pas la recherche de cette paix, ce qui équivaut à une néantisation prémonitoire de toute problématique qui échappe à cette situation d'urgence. De là, le pacifisme conclut implicitement à l'inimportance de toute autre problématique; il néantise à priori toute autre philosophie. Au nom d'un projet de paix dont l'échec serait fatal au monde, on provoque la peur de cet échec, dont l'envers philosophique est le détachement de la réalité quotidienne. Et cette peur du néant atomique préoccupe jalousement celui qui l'éprouve et combat tout autre engagement au réel devenu, par sa néantisation anticipée, une duperie sans importance, un sursis tout au plus.

L'angoisse philosophique se nourrit de tout. C'est une attitude mentale qui consomme beaucoup de symboles et de justifications. Ce serait une erreur de ne voir dans les mouvements pacifistes contemporains que des attitudes strictement politiques. La bombe "totale" pose à tous les hommes de la terre la question de "l'être et du néant du monde"; elle élargit au cosmos une antique hésitation qui dans le passé concernait seulement la vie individuelle et donc conférait implicitement une réalité imperturbable au reste du monde.

Je veux la paix, moi aussi, mais me refuse, au nom de ce ciel politique, à dévaluer tout ce qui n'est pas étranger à cette mystique. Qui dit pacifisme dit peur de la bombe et cette peur, si efficace soit-elle politiquement, contient une ambiguïté philosophique [13].

Mais revenons au nationalisme.

Les nations sont des concepts

Faut-il cesser de faire des révolutions parce qu'on sait, de toute éternité ou presque, que les révolutions passent ? Faut-il, au nom de grands corps politiques fédératifs ou

(13) "Cette peur de la guerre fatale, cette peur qui ne voit de remède à la guerre que dans une peur accrue de la guerre, c'est cela qui empoisonne l'atmosphère autour de nous." *Oeuvres de Pierre Teilhard de Chardin*, tome V, p. 191.

impériaux qui, eux aussi, sombreront au fond des âges, condamner des entreprises ou des révolutions qui finiront bien par finir ? Si le nationalisme de quelque groupe que ce soit, sénégalais ou canadien-français, est rétrograde, j'ose croire que c'est pour d'autres raisons que la pérennité de la Communauté française ou la supériorité inhérente à un grand ensemble comme la Confédération sur un petit ensemble comme l'Etat du Québec. Ce serait alors parce que le nationalisme engendre des guerres ? Je crois avoir démontré la fragilité de cette corrélation entre le nationalisme et la guerre. Ce serait donc parce que le nationalisme va fatalement vers la droite sociale-politique ? C'est là préjuger d'une orientation future d'après d'anciennes aventures politiques; et rien ne m'oblige à croire que la réalité de demain sera selon celle, regrettable j'en conviens, d'hier et d'avant-hier. Je ne crois pas plus à l'essence prédéterminée des peuples que je crois à celle des personnes; en politique, une doctrine essentialiste ne peut conclure qu'à l'immobilisme. Les peuples n'ont pas d'essence. Pendant un temps donné d'observation, ils peuvent se caractériser par des attitudes ou des institutions spécifiques; mais cela n'est pas une essence. Les peuples sont ontologiquement indéterminés, et cette indétermination est le fondement même de leur liberté. L'histoire à venir d'un groupe humain n'est pas fatale, elle est imprévisible. "Un homme se définit par son projet", a dit Jean-Paul Sartre. Un peuple aussi.

Le nationalisme serait condamnable parce qu'il préconise un rétrécissement communautaire alors que le mouvement de l'Histoire va dans le sens d'une mondialisation irréversible ? A cela, je dirai que l'humanité offre à l'historien une belle anthologie de chutes d'empires : Alexandre, Gengis Khan, Soliman le magnifique, Mahomet, Franz Joseph, Hadrien, César, Victoria... ont proclamé la pérennité d'empires polyethniques et polyculturels qui se sont tous également rétrécis. Il se pourrait bien alors, si l'histoire avec un grand "H" a un sens, que ce soit dans le rétrécissement qu'on le trouve avec autant de preuves irréfutables à l'appui que dans l'intégration planétaire et mondiale. Mais je cherche encore pourquoi le nationalisme, selon Trudeau, et plus particulièrement son expression séparatiste actuelle au

Canada français, est un ferment de régression historique, sociale, humaine et logique ?

La Nation-Etat est-elle un piège odieux dans lequel les meilleurs éléments de gauche se font prendre bêtement parce qu'ils sont émotifs ? Ce concept comporte-t-il une sorte d'ipséité maléfique et intrinsèquement négative qu'il convient de bannir de nos esprits à tout jamais comme une des "phases transitoires" de l'humanité, comme d'autres ont eu à sublimer l'anthropophagie ? Voilà la question à laquelle Pierre Elliott Trudeau consacre une réponse brillante, rhétoriquement convaincante et qui, pourtant, me paraît une question-charade ou, mieux, un piège dialectique.

Je m'explique. En posant comme prémisse que le séparatisme postule la Nation-Etat, il est relativement facile sinon agréable de réfuter cette aspiration de la Nation canadienne-française à se transmuer en Nation-Etat. Or, précisément, la Nation-Etat est un concept vraiment périmé qui ne correspond ni à la réalité ni aux dernières données de la science. La nation n'est pas, comme le laisse entendre Trudeau, une réalité ethnique. Il n'y a plus d'ethnies, ou alors fort peu. Les déplacements de population, l'immigration, les assimilations (que Jacques Henripin qualifie justement de "transferts linguistiques") ont produit une interpénétration des ethnies dont un des résultats incontestables, au Canada français par exemple, est le regroupement non plus selon le principe de l'origine ethnique (la race, comme on disait encore il y a vingt-cinq ans), mais selon l'appartenance à *un groupe culturel* (14) homogène dont la seule spécificité vérifiable se trouve au niveau linguistique. Il suffit de regarder autour de soi, parmi les gens qu'on connaît, pour dénombrer rapidement le nombre de Canadiens français pure laine : ils ne sont pas les seuls "vrais" Canadiens français ! Les Mackay,

---

(14) La notion de culture, d'après E.B. Tylor, est : "That complex whole which includes knowledge, belief, art, morals, laws, custom, and any other capabilities and habits acquired by man as a member of society", *Primitive culture*, Londres 1871, vol. I, p. 1. Plus près de nous, Cl. Lévis-Strauss précise : "Le langage est à la fois *le fait culturel* par excellence et celui par l'intermédiaire duquel toutes les formes de la vie sociale s'établissent et se perpétuent." *Anthropologie structurale*, Paris, 1958, p. 392.

les Johnson, les Elliott, les Aquin, les Molinari, les O'Harley, les Spénart, les Esposito, les Globenski, etc., en disent long sur l'ethnie-nation canadienne-française. Les "transferts linguistiques", dont parle Henripin, se sont accomplis à notre profit comme à nos dépens, si bien que le noyau de colons immigrés qui a fait la survivance se trouve mêlé désormais, sur le plan ethnique, à tous les apports que l'immigration ou les hasards de l'amour ont donnés à notre pureté ethnique nationale. De fait, il n'y a plus de nation canadienne-française, mais un groupe culturel-linguistique homogène par la langue. Il en ira ainsi des Wolof, des Sérères et des Peuls du Sénégal qui, si rien ne vient interrompre le processus de scolarisation dont le résultat lointain sera d'enfanter un groupe culturel-linguistique d'origine ethnique multiple, deviendront un jour des Sénégalais.

Le Canada français est polyethnique. Et ce serait pure folie, j'en conviens, de rêver pour le Canada français d'une Nation-Etat quand précisément la nation canadienne-française a fait place à une culture globale, cohérente, à base différentielle linguistique. Qu'on appelle nation ce nouvel agglomérat, je veux bien, mais alors il ne peut plus être question de la nation comme du ferment du racisme et de tous ses abominables dérivés.

Ce qui différencie le Canada du Canada français, ce n'est pas que le plus grand soit polyethnique et le second monoethnique, mais que le premier soit biculturel et le second culturellement homogène (ce qui n'exclut pas, Dieu merci, le pluralisme sous toutes ses formes !).

Le couple nation-état que fustige Pierre Elliot Trudeau ne correspond plus à la réalité et ne saurait constituer une ambition sincère que pour une minorité qui, de ce fait, ne réalisera jamais son rêve. Il serait plus juste de parler d'un état monoculturel. Si quelques attardés rêvent encore d'un sang pur canadien-français, considérons-les tout bonnement comme des délinquants intellectuels ! Mais il m'apparaît injuste de réfuter le séparatisme actuel en le taxant des péchés du racisme et de l'intolérance ethnique. Il convient plutôt de l'étudier comme une expression de la culture des Canadiens français, en mal d'une plus grande homogénéité.

Selon cette perspective, et nous en tenant strictement

à l'étude de ce phénomène, le nationalisme n'est porteur ni de mal ni de bien *à priori :* il constitue une sorte de parole communautaire, qu'on demeure libre d'entendre ou de ne pas entendre. On peut le combattre au nom d'une idéologie politique, mais pas au nom de la lucidité et de la science. Le séparatisme d'ailleurs se présente comme une manifestation particulière de l'*existant national*, mais il n'en est pas la seule, loin de là. La caractéristique du nationalisme est d'être une expression politique d'une culture : dans le cas du Canada français, il s'agit très nettement d'une aspiration à la politique. A cause de cela, il apparaît aux non-Canadiens français comme un élément constitutif du groupe culturel francophone du Canada. En réalité, d'autres manifestations feraient aussi bien la preuve de l'existence de ce groupe culturel : les arts, la littérature, la thématique globalisante de nos chercheurs en sciences humaines, et aussi, sans doute, la dynamique linguistique, la démographie, les luttes sociales, le particularisme religieux, etc.

La culture de la culture

Nous sommes donc en présence d'une culture que nous dirons "nationale" dont l'existence, si débile soit-elle, peut être vérifiée à partir d'un certain nombre de manifestations. Le séparatisme canadien-français n'est qu'une de ces manifestations constituantes. Sa "force de frappe" est plus grande que celle de toutes les autres formes d'existence culturelle parce qu'elle contient un germe révolutionnaire qui peut remettre en question l'ordre constitutionnel établi à l'échelle du Canada. Les Canadiens anglais s'en sont vite aperçus qui se sont empressés d'isoler le nationalisme de toutes les autres expressions culturelles du Canada français. Ils ont encouragé, par exemple, avec d'autant plus de générosité et d'efficacité le particularisme artistique des Canadiens français que cela augmente l'ambiguïté d'un lien que les séparatistes s'efforcent de définir comme univoque et "infériorisant". Obéissant en cela à un comportement dont on connaît plusieurs analogues en d'autres régions du monde, les Canadiens anglais ont investi beaucoup d'argent et d'attention sincère dans les manifestations "divertissantes" de la culture canadienne-française. Ils l'ont fait avec efficacité et empressement, si bien qu'une dichotomie s'est finalement installée dans la conscience des bénéficiaires entre leur allégeance à un gouvernement fédéral généreux et leur enracinement peu rentable dans l'humus de leur peuple. Le déchirement a atteint un point douloureux sous le régime mesquin de Duplessis qui, par son attitude intolérante et partisane, a jeté de nombreux artistes et penseurs dans les bras du gouvernement fédéral, ce qui veut dire qu'il les a condamnés soit au déchirement stérile, soit à devenir les porte-parole déracinés d'une culture qui, à un moment donné, n'avait de prix que pour ceux qui en redoutaient la manifestation totale. Cette situation de fait a eu, entre autres conséquences, celle d'influencer l'acception canadienne du mot *culture*.

La culture, en effet, se trouve cantonnée au strict domaine des arts et des sciences humaines; le mot culture s'est contracté pour ne plus contenir que l'aspect artistique et cognitif d'un groupe, alors que, chez les anthropologistes et de nombreux penseurs étrangers, il décrit l'ensemble des modes de comportement et des symboles d'un groupe donné et réfère ainsi à une société organique souveraine, ce qui ne veut pas dire fermée. Notre situation politique fédérale-provinciale nous a conduits à dépolitiser le mot culture ou, plus précisément, à lui refuser sans hésitation la signification englobante qu'on lui reconnaît dans la sémantique contemporaine. Le rapport Massey a codifié de façon très précise cette réduction de la culture canadienne-française à son élément de connaissance et d'expression artistique et exprime, de ce fait, à une date où les grandes oeuvres anthropologiques étaient accessibles et confirmaient une acception opposée du même terme, un refus de la culture canadienne-française dans sa globalité. Il faut dire que les penseurs canadiens-français ont accepté d'emblée cette variante et vont jusqu'à conformer avec zèle leur attitude à celle du Canada anglais en exhortant les Canadiens français à la qualité et à la spécialisation formaliste, comme pour conjurer ainsi l'expression d'un vouloir-vivre culturel global. Le problème n'est donc pas de savoir si nos poètes deviendront meilleurs dans un état indépendant et une fois la nation exorbitée du régime politique-émotif qui l'infériorise, mais bien de savoir si on reconnaît l'existence réelle de la *culture* canadienne-française, ou bien si on n'en accepte qu'un fragment limité qui peut s'insérer dans un ensemble politique auquel on attribue une sorte de priorité d'existence.

Une culture *globale* canadienne-française ne postule aucunement une homogénéité de fait. Une culture, si vivante soit-elle, est constituée d'un résidu d'éléments autochtones et d'éléments empruntés : ces derniers qui, au départ, sont hétérogènes, sont finalement assimilés, homogénéisés plus ou moins rapidement et finissent par fonder en réalité la culture globale autant que ses éléments originels. Il en va de même pour la culture du Canada français, déjà pétrie par au moins trois dimensions d'hétérogénéité culturelle : française, britannique, américaine nord-américaine...

"C'est parce qu'une culture n'est pas une simple juxtaposition de traits culturels qu'il ne saurait y avoir de culture métisse... Et c'est pour cela aussi qu'une des caractéristiques de la culture, c'est le style, cette marque propre à un peuple et à une époque que l'on retrouve dans tous les domaines où se manifeste l'activité de ce peuple à une époque déterminée... Une objection à cette théorie est que toute culture est un mélange d'éléments effroyablement hétérogènes. On rappellera le cas de la culture grecque formée d'éléments grecs, mais aussi d'éléments crétois, égyptiens, asiatiques... Il est bien vrai que la règle ici est de l'hétérogénéité. Mais attention : cette hétérogénéité n'est pas vécue en tant qu'hétérogénéité... Il s'agit d'une hétérogénéité vécue intérieurement comme homogénéité. L'analyse peut bien révéler de l'hétérogène mais les éléments, quelque hétérogènes qu'ils soient, sont vécus par la conscience de la communauté comme *siens*, au même titre que les éléments les plus typiquement autochtones. C'est qu'est intervenu un processus de naturalisation, lequel relève de la dialectique de l'"*avoir*"[15].

Etre ou ne pas être séparatiste, relève de l'option politique et je conçois fort bien que des Canadiens français

---

(15) Aimé Césaire, "Culture et colonisation", conférence prononcée à la Sorbonne en septembre 1956.

qui admettent de faire partie d'une culture globale préfèrent l'insertion de leur *culture* dans la Confédération à tout autre régime d'existence politique. D'ailleurs, personne n'est obligé de faire de la politique pas plus que de s'engager; personne n'est contraint de se prononcer en faveur d'un système politique conçu en fonction de la totalité de sa culture. Mais sur le plan théorique, cette vision parcellaire signifie le refus de la globalité de la culture du Canada français. Dans cette optique, le séparatisme n'est plus rattaché, en bonne relativité, au tout canadien-français dont il n'est qu'un élément, mais confronté à la Confédération. Il devient alors facile de conclure à son étroitesse en fonction de la mesure fédérale.

Le nationalisme canadien-français est l'expression normale, sinon prévisible, d'une culture dont on a contesté d'autant plus subtilement la globalité qu'on lui donnait, d'autre part, l'argent nécessaire pour s'offrir des compensations mythiques. Avant même de porter un jugement de valeur sur nos péchés, nos déficiences, nos fautes ou nos exploits, il importe froidement d'étudier le Canada français dès maintenant comme une culture qui, même décevante, n'en est pas moins globale. Voilà ce qui compte sur le plan de la raison, beaucoup plus que de se préoccuper si le séparatisme d'il y a six mois est déjà éteint. Il n'est pas besoin d'être prophète pour affirmer que si la culture canadienne-française existe, elle aura toujours tendance à corriger les limites et les "spécialisations" dans lesquelles elle se trouve "encapsulée" pour se manifester globalement. Cette culture, éprise de globalité et d'homogénéité, exprime ainsi son vouloir-vivre communautaire.

Sinon, on refuse le Canada français comme tel : on ne lui permet d'exister que dans une Confédération *inchangeable*, attitude qu'on peut assimiler au "*radicalisme négatif* comme impossibilité assumée de tolérer le moindre changement au régime" (16). Comment ne pas évoquer ici ceux qui disent aux nationalistes canadiens-français que tous les "changements" qu'ils désirent sont permis et possibles à l'intérieur de la constitutionnalité, ce qui est une façon d'affirmer que tous les "changements" qu'ils désirent sont

---

(16) Jean-Paul Sartre, *Critique de la raison dialectique*, Gallimard, Paris, 1960, p. 715.

permis et possibles sauf celui du régime. De par la constitution canadienne actuelle, celle de 1867, les Canadiens français ont tous les pouvoirs nécessaires pour faire du Québec une société politique où les valeurs nationales seraient respectées en même temps que les valeurs proprement humaines connaîtraient un essor sans précédent" [17].

Nos succès "exceptionnels"

Seule l'abolition de la culture globale canadienne-française peut causer l'euphorie fonctionnelle au sein de la Confédération et permettre à celle-ci de se développer "normalement" comme un pouvoir central au-dessus de dix provinces administratives et non plus de deux cultures globalisantes. Cette abolition peut s'accomplir de bien des façons qui ne sont pas sans tolérer la survivance de certains stéréotypes culturels canadiens-français. En cessant d'être globale, la culture du Canada français imprégnerait, sans danger et de façon dépolitisée, plusieurs aspects de la vie canadienne. Nous-mêmes, de concert cette fois avec nos partenaires anglophones, attachons un certain prix aux survivances folkloriques des tribus amérindiennes. Nous avons même inventé le snobisme de la goutte de sang indigène qui coulerait dans nos veines, concession raffinée à une préexistence sauvage et instinctuelle ! En tant que colonisateurs et vainqueurs, nous avons le réflexe d'encourager l'art esquimau, la poterie huronne, la répétition de chants guerriers des peuples dont la culture a cessé d'être globale et de se manifester comme un vouloir-vivre collectif. Plus l'attention du majoritaire-vainqueur devient particulariste et pleine de sollicitude, plus elle manifeste qu'il ne redoute plus les manifestations globales de la culture minoritaire.

A cet égard, il faut reconnaître que le Canada anglais est venu bien près de maîtriser définitivement la situation, et il n'est pas dit qu'il n'aura pas raison finalement de notre *fatigue culturelle* qui est très grande. Chaque poussée

(17) Pierre Elliott Trudeau, "La nouvelle trahison des clercs", *Cité libre*, avril 1962, p. 16.

nationaliste le prend au dépourvu car il croyait, de bonne foi, avoir réglé le problème; puis, après un temps d'hésitation, d'inquiétude, il se reprend et considère que, après tout, l'éclatement "nationaliste" du minoritaire était fondé et qu'il faut payer une fois de plus la rançon de l'harmonie, en lui faisant une concession de plus. Ou bien, (il s'agit d'une attitude courante chez certains Canadiens français qui réagissent selon l'axe de déglobalisation culturelle du Canada français), il se rassure en disant que le nationalisme se compare à la fièvre jaune dont les crises reviennent périodiquement selon un cycle.

La mauvaise conscience et la culpabilité sincère de la première attitude et l'exorcisme des menstrues nationalistes théoriques de l'"éternel retour" expriment la particularité de sa position de majoritaire. On ne domine jamais univoquement, sinon dans les films policiers ou les westerns. L'acte de dominer (qui correspond à la position du plus nombreux et du plus fort) finit par gêner celui qui l'accomplit, et le pousse à multiplier les équivoques, ce qui revient à dire que, par mauvaise conscience réelle, il fait tout en son pouvoir pour camoufler la relation de domination. Le majoritaire, parfois excédé, en arrive à accuser le minoritaire de le contre-dominer par la fonction de freinage et d'entrave qu'il finit par exercer de fait. Le minoritaire, ainsi accusé d'être un poids mort, assume de plus en plus douloureusement ce mauvais rôle. En réalité, il tient le mauvais rôle; il est un empêchement, un boulet de canon, une force d'inertie qui brise continuellement les grands élans de la majorité dynamique par ses revendications et sa susceptibilité, et il le sait [18].

Ai-je besoin d'évoquer, dans ce sens, tous les corollaires psychologiques de la prise de conscience de cette situation minoritaire : l'autopunition, le masochisme, l'autodévaluation, la "dépression", le manque d'enthousiasme et

(18) "... l'image qu'un peuple se fait de lui-même n'est pas moins stéréotypée que celle qu'il se fait des autres, car elle procède des mêmes méthodes irrationnelles, arbitraires et irresponsables", Jean Stoctzel, *Jeunesse sans chrysanthème ni sabre*, Paris, 1953, p. 15.

de vigueur, autant de sous-attitudes dépossédées que des anthropologues ont déjà baptisées de "fatigue culturelle". Le Canada français est en état de fatigue culturelle et, parce qu'il est invariablement fatigué, il devient fatigant. C'est un cercle vicieux. Il serait, sans aucun doute, beaucoup plus reposant de cesser d'exister en tant que *culture spécifique;* et de vendre une fois pour toutes notre âme au Canada anglais pour une bourse du Conseil des Arts ou une réserve paisible sous la protection de la gendarmerie royale. Mais cette assomption culturelle n'est sans doute pas possible, étant donné notre nombre et aussi étant donné l'imprévisible vouloir-vivre qui surgit épisodiquement, avec une puissance inégale, en chacun de nous.

Dépolitisé, le Canadien français se comporte comme le tenant d'un groupe inimportant devant la grandeur infinie de ce qui le confronte : Dieu, le désarmement mondial, l'enfer et la bombe totale, la Confédération. Cette inimportance sublime est la voie du mysticisme et crée un "ordre" qui, tel un sacrement, frappe d'indignité ceux qui ne sont pas "distingués" par lui. Le nationalisme, revendication profane et presque liée à l'adolescence sacrilège, devient ainsi un péché dont aucun de ses auteurs provisoires n'a réussi à se disculper tout à fait. C'est une forme d'impulsion de jeunesse qu'on pardonne quand celui qui y a succombé la considère, après coup, avec la sérénité ou le repentir de la maturité. Cette pratique impulsive et "verbale" du nationalisme est tolérée, rarement condamnée à grands cris, ce qui explique qu'elle est devenue, au Canada français, un psychodrame cathartique. Cette tolérance même, c'est une forme accomplie de subordination et fait du nationalisme une sorte d'irruption peccamineuse insérée à l'avance dans le système qu'elle conteste avec incohérence, mais n'ébranle jamais. Nationalistes, oui; pour un temps, comme on traverse l'âge ingrat, mais pourvu qu'on finisse par s'occuper un jour de choses plus élevées et qui soient réelles.

Le nationalisme, qui étonne d'abord, comme les premiers cris d'adolescence du fils, finit par être considéré avec sollicitude non seulement par les fédéralistes, mais par tous les Canadiens français fatigués à la seule pensée qu'il faudrait faire un effort pour exister en dehors du système d'acceptation et de grandeur que proposent leurs leaders, apôtres de la compréhension, de l'union, des grands ensembles, de l'urgence des grands problèmes du monde ou de la religion. Ce système (aurait-il été pensé qu'il ne serait pas plus cohérent !) fonctionne très bien et depuis longtemps, et ne comporte nullement la disparition du fait français au Canada, mais la domestication à tous les niveaux et dans les consciences. La preuve de son efficacité réside dans sa diffusion au Canada français où se trouvent ses meilleurs défenseurs car, en français et l'émotion dans la voix, ils persuadent aisément leurs compatriotes de la nécessité de rester canadiens-français et prouvent d'un vieux souffle, qu'"il n'en tient qu'à nous de nous faire valoir, car c'est en étant meilleurs qu'on donnera au Canada anglais l'image d'une culture canadienne-française vigoureuse". "Si le Québec devenait cette province exemplaire, si les hommes y vivaient sous le signe de la liberté et du progrès, si la culture y occupait une place de choix, si les universités étaient rayonnantes, et si l'administration publique était la plus progressive du pays — et rien de tout cela ne présuppose une déclaration d'indépendance ! — les Canadiens français n'auraient plus à se battre pour imposer le bilinguisme : la connaissance du français deviendrait pour l'anglophone un *status symbol*, cela deviendrait même un atout pour les affaires et pour l'administration. Ottawa même serait transformée, par la compétence de nos politiques et de nos fonctionnaires" [(19)].

La logique du système semble inconsciemment fidèle à son but. Est-il besoin ici de faire le point avec l'entreprise, inconsciente sûrement, de "déréalisation" du Canada français dans sa globalité ? Celui qui veut percer doit renoncer à l'élan culturel qui lui est donné par le Canada français et, au départ, se trouve dans une situation de fatigue culturelle, dragon intérieur dont il doit triompher individuellement comme pour faire la preuve que, par lui, le Canada français a droit à l'existence ! Mais on oublie que cela ne peut se réaliser qu'au

---

(19) Pierre Elliott Trudeau, "La nouvelle trahison des clercs," *Cité libre*, avril 1962, p. 16.

niveau de l'exception, et par conséquent, ne valorise que l'individu car, pour ce qui est de la culture qu'il incarne, sa dévaluation se trouve impliquée dans le triomphe "exceptionnel". "... la réussite personnelle et localisée tend d'autant plus à se poser pour soi comme moment essentiel que la réussite commune semble plus compromise ou plus éloignée" [20].

La "fonctionnarisation" globale

Mais pourquoi faut-il que les Canadiens français soient meilleurs ? Pourquoi doivent-ils "percer" pour justifier leur existence ? Cette exhortation à la supériorité *individuelle* est présentée comme un défi inévitable qu'il faut relever. Mais ne l'oublions pas, le culte du défi ne se conçoit pas sinon en fonction d'un obstacle, d'un handicap initial et peut se ramener, en dernière analyse, à une épreuve de force à laquelle est soumis chaque individu. L'exploit seul nous valorise et, selon cette exigence précise, il faut convenir que Maurice Richard a mieux réussi que nos politiciens fédéraux. Nous avons l'esprit sportif sur le plan national et comme nous rêvons de fabriquer des héros plutôt qu'un état, nous nous efforçons de gagner individuellement des luttes collectives.

Si le défi individuel que chaque Canadien français tente en vain de relever dépend de la position du groupe canadien-français considéré comme totalité, pourquoi faut-il relever ce défi collectif comme s'il était individuel ? Ne serait-il pas logique de répondre collectivement à une compétition collective et de conjurer globalement une menace globale, inhérente à la situation du Canada français par rapport à son partenaire fédéral anglophone ?

"Si l'Etat canadien a fait si peu de place à la nationalité canadienne-française, écrit Trudeau, c'est surtout parce que nous ne nous sommes pas rendus indispensables à la poursuite

(20) Jean-Paul Sartre, *Critique de la raison dialectique*, Paris, 1960, p. 572.

de sa destinée" [21]. Devenir indispensables à la destinée de l'Autre, voilà le thème de l'exorbitation culturelle exprimé avec une rare précision. Cela consiste à créer dans le groupe majoritaire le besoin du minoritaire, cette "indispensabilité" nous conférant du coup le droit à la dignité minoritaire; ainsi, selon ce schème que Pierre Elliott Trudeau nous propose, mais qui est familier à tout consommateur de pensée fédéraliste canadienne-française, le groupe minoritaire occuperait intensément et pleinement le "si peu de place" qu'il occupe ou bien en occuperait une plus grande qu'il se serait méritée. En d'autres mots, l'existence du groupe canadien-français ne peut se justifier que si, demeurant greffé à sa majorité anglophone, celle-ci en arrive à ne plus pouvoir se passer de celui-là. Au terme de cette évolution courageuse, le Canada français détiendrait une meilleure place dans l'état fédéral, mais ce ne serait toujours qu'une place, c'est-à-dire un "rôle", plus grand ou à sa mesure. Mais ce rôle, plus ou moins grand, ne sera toujours qu'un rôle : sa trajectoire politique serait infléchie d'avance par la majorité qui la lui concéderait et demeurerait fonction d'un ensemble dans lequel il devra nécessairement s'insérer harmonieusement. Selon cette perspective, le Canada français détiendrait un rôle, le premier à l'occasion, dans une histoire dont il ne serait jamais l'auteur [22].

Mais cet avenir héroïque et glorieux ressemble singulièrement à tout notre passé. Le Canada français, depuis qu'il est encadré par une structure qu'il n'invente pas, a tenu un "rôle" au fédéral, il a occupé courageusement, brillamment

---

(21) Pierre Elliott Trudeau, *idem*, p. 10.

(22) Lord Durham disait vrai, en ce sens, quand il a écrit que le Canada français était un peuple sans histoire ! L'Histoire étant évidemment dévolue au peuple canadien-anglais, il ne nous resterait qu'à la prendre comme on prend un train. Si nous acceptons de jouer un rôle, si noble soit-il, c'est forcément à l'intérieur d'une histoire faite par d'autres. On ne peut à la fois être une fonction et l'organisme qui la régit, une entité culturelle "enrôlée" et une totalité historique. J'emploie ici le mot histoire dans son sens hégélien qui est aussi celui du *Star* de Montréal ("History in the making"). Pour ce qui est de la science historique, c'est autre chose. Nous en avons une; hélas, elle n'intéresse que nous.

ou avec lassitude, une place qui, ni plus ni moins, n'a jamais été qu'à sa taille. Il aurait pu faire mieux, d'accord; mais un fonctionnaire n'est pas un ministre : il est moins engagé dans l'affaire, se fatigue vite, ne fait pas de zèle, est plutôt méfiant et pense souvent à sa retraite. Or, qu'on me pardonne ce lien scolastique, le Canada français globalement est "fonctionnarisé" : il est employé par de grands patrons inébranlables et justes : l'Etat fédéral ou l'Eglise catholique et, en choisissant la fonctionnarisation de préférence à sa totalisation, il jouit de tous les avantages de la fonction (salaire, honneurs, sécurité, promotion) et ne connaît pas d'autre responsabilité, ni d'autre inconvénient que ceux qui sont inhérents à la subordination de toute fonction à un organisme. Fidèle à son contrat d'embauche et sensible à toutes les douceurs du paternalisme, le Canada français, fonctionnaire collectif, ne fait pas d'"histoires" et n'en veut pas avec ses patrons. Un fonctionnaire n'est ni un entrepreneur, ni un politique. Et il me semble qu'un lien existe entre notre manque d'entrepreneurs, établi dans le passé comme un défaut de race, et notre conscription globale et continuelle par de grands employeurs : l'Etat fédéral qui nous protège contre nous-mêmes (lisez : Duplessis) et l'Eglise qui, longtemps, par sa structure pyramidale, nous a tenu lieu d'état, à ce point d'ailleurs que le Canada français compte beaucoup d'institutions religieuses, un clergé nombreux, qui fonctionne bien, mais n'offre pas, en revanche, un grand exemple de foi, ni de sainteté.

Le Canada français en tant que tel est un bon fonctionnaire et son comportement regorge, en ce sens, d'indications qui dépassent de beaucoup les analogies : identification au patron, volonté de promotion, conformisme social très poussé (qui dit refoulement dit excès !), aptitude marquée à la conciliation, volonté générale d'élever son niveau de vie et, cela achève cruellement ma comparaison, intégration au système dont il est une fonction. Ainsi, nos représentants à Ottawa sont élus "députés" mais deviennent fonctionnaires une fois rendus sur la fameuse colline parlementaire. L'équivoque est donc totale à leur sujet : ce sont des élus du peuple qui ne peuvent se concevoir eux-mêmes, sauf de rares exceptions, que comme des fonctionnaires puisqu'ils représentent un peuple fonctionnarisé !

L'excentricité

La clé traditionnelle du succès du Canada français se trouve au dehors, dans une culture hétérogène. Nos députés à Ottawa et nos écrivains en France, en cherchant ailleurs une consécration et leur épanouissement, se sont imposé par le fait même un handicap si grand qu'ils se sont condamnés également à une seule forme d'action et de réussite : l'apothéose. Dans les deux cas, l'exil courageux a comporté un revers démoralisant. La percée à Ottawa et la ratification du talent à Paris comportent un sacrifice stérile, sinon tout simplement accablant : le déracinement, générateur inépuisable de fatigue culturelle, ou l'exil, le dépaysement, le reniement ne libèrent jamais tout à fait l'individu de son identité première et lui interdisent, en même temps, la pleine identité à son milieu second. Privé de deux sources, il se trouve ainsi doublement privé de patrie nourricière : il est deux fois apatride, et cet orphelinage, voulu puis fatal, même s'il ne se traduit pas par une irrégularité consulaire, est un ténia qui ronge, tandis que l'enracinement, au contraire, est une manducation constante, secrète et finalement enrichissante du sol originel.

Me dirait-on que Joyce a écrit *Ulysse* à cause de son exil, je répondrais que précisément Joyce n'a trouvé un sens à l'exil que dans un "repaysement" lyrique. Trieste, Paris, Zurich n'ont été pour lui que des tremplins de nostalgie d'où il a effectué, par une opération mentale délirante à la fin, un retour quotidien, d'heure en heure, à son Irlande funèbre. Qu'il ait été inhumé quelque part hors de son île, dans un cimetière suisse, cela semble un accident quand on considère que son oeuvre entière est une résurrection géniale de cette Irlande qu'il n'a jamais revue et qu'il n'aurait pu voir, de ses yeux éteints, s'il y était retourné. Il a enfanté son pays natal dans des livres aussi démesurés que son obsession. On peut même se demander si l'anglais presque incompréhensible dont il a composé pendant son "aveuglement" *Finnegans Wake* n'est pas l'acte ultime et révolutionnaire de cet exilé qui, dès sa jeunesse à Dublin, l'était déjà par la langue devenue "maternelle" qu'on y parlait alors : l'anglais, langue "étrangère", historiquement.

Ce n'est peut-être pas tant son propre pays qu'il a fui si rapidement, mais sa propre langue, qu'il reniait en la parlant. Il a fui la langue anglaise par ces langues "étrangères" qu'il enseignait au Berlitz et s'est attaché ainsi à tout ce qu'il y avait d'"étranger" (de non britannique) dans l'anglais. Condamné à une langue étrangère, il s'est mystérieusement vengé en la rendant étrangère à elle-même. Après l'avoir soumise totalement et lui avoir prêté une sémantique universelle, il s'est appliqué à la désarticuler jusqu'à l'incohérence; il l'a décrite à ce point que, par cette langue éclatée, il a finalement exprimé, mais au seuil de l'incommunicable, une expérience douloureuse et passionnelle d'enracinement. L'utilisation concertée du gaélique, opération qu'il tournait en dérision, ne pouvait lui apparaître que comme du chauvinisme, soit la preuve même de la folklorisation et de l'infériorisation de sa culture. Il a plutôt choisi d'épuiser cette langue, "maternelle" mais étrangère à la fois, par une inflation folle de significations, de contresens, d'origines, de dérivés si bien que, sous ce flot irrésistible et magique de mots "dépaysés", c'est une Irlande natale qui se dévoile, profondément contaminée par les croisements de mots, une Irlande tragique, dérisoire, hésitante, aimée et détestée, une île finie, patrie retrouvée mais presque impossible.

D'autre part, mais je passe à la réfutation d'un Joyce déraciné par une éclipse, Faulkner, Balzac, Flaubert, Baudelaire, Mallarmé, Goethe ont écrit dans leurs pays des oeuvres universelles parce qu'enracinées. Plus on s'identifie à soi-même, plus on devient communicable, car c'est au fond de soi-même qu'on débouche sur l'expression. La compréhension ne dérive pas d'une dépersonnalisation préalable et voulue des interlocuteurs; au contraire, le dialogue est d'autant plus riche que les deux protagonistes sont plus profondément et plus spécialement eux-mêmes.

A ce compte-là, la littérature canadienne est d'une pauvreté désolante; nos auteurs, typiquement je dois dire, ont misé sur leur propre "dépaysement", l'ont systématisé, pour atteindre à l'universel. D'autres, les "régionalistes", ont utilisé une "authenticité folklorique" et se sont crus ainsi plus canadiens parce qu'ils monnayaient leur enracinement à rabais ou qu'ils étaient plus simplement médiocres. Ce n'est pas en renchérissant un texte de quelques "fleurs du terroir" que les reporters de *Marie-Claire* détectent plus vite que nous, qu'un auteur peut s'acquitter de son origine. Parce qu'ils émaillent une phrase, dont l'articulation est apprise, de quelques blasphèmes, certains auteurs s'imaginent avoir donné une existence littéraire à leur pays natal. Cela est désolant parce qu'ils finissent par se voir avec les yeux, avides d'exotisme, des étrangers qui passent deux semaines au Québec. Ce qui est typique est profond et ne saurait s'assimiler à des stéréotypes superficiels ni au régionalisme qui, selon moi, n'est enraciné que par la localisation. Le problème n'est pas d'écrire des histoires qui se passent au Canada, mais d'assumer pleinement et douloureusement toute la difficulté de son identité. Le Canada français, comme Fontenelle sur son lit de mort, ressent "une certaine difficulté d'être".

Nos politiciens fédéraux, ayant franchi l'étape première de la sublimation dans un grand "tout", sont en état d'exil émotif continuel, sans quoi d'ailleurs leur situation même serait ressentie par eux comme un déchirement. Ils sont temporisateurs par vocation et nous parlent constamment d'une Confédération qui de fait n'existe pas. C'est un réflexe conditionné : comment pourraient-ils sincèrement s'enraciner dans un Canada français que politiquement, par leur présence même au fédéral, ils acceptent de sacrifier sur l'autel du plus fort ? Traîtres, non ! Nos fédéralistes sont sincères, dc là leur ambiguïté.

Le Canadien français est, au sens propre et figuré, un agent double. Il s'abolit dans l'"excentricité" et, fatigué, désire atteindre au *nirvana* politique par voie de dissolution. Le Canadien français refuse son centre de gravité, cherche désespérément ailleurs un centre et erre dans tous les labyrinthes qui s'offrent à lui. Ni chassé, ni persécuté, il distance pourtant sans cesse son pays dans un exotisme qui ne le comble jamais. Le mal du pays est à la fois besoin et refus d'une culture-matrice. Tous ces élans de transcendance vers les grands ensembles politiques, religieux ou cosmologiques ne remplaceront jamais l'enracinement; complémentaires, ils enrichiraient; seuls, ces élans font du Canadien français une "personne déplacée".

Je suis moi-même cet homme "typique", errant, exorbité, fatigué de mon identité atavique et condamné à elle. Combien de fois n'ai-je pas refusé la réalité immédiate qu'est ma propre culture ? J'ai voulu l'expatriation globale et impunie, j'ai voulu être étranger à moi-même, j'ai déréalisé tout ce qui m'entoure et que je reconnais enfin. Aujourd'hui, j'incline à penser que notre existence culturelle peut être autre chose qu'un défi permanent et que la fatigue peut cesser. Cette fatigue culturelle est un fait, une actualité troublante et douloureuse; mais c'est peut-être aussi le chemin de l'immanence. Un jour, nous sortirons de cette lutte, vainqueurs ou vaincus. Chose certaine, le combat intérieur, guerre civile individuelle, se poursuit et interdit l'indifférence autant que l'euphorie. La lutte est fatale, mais non sa fin.

Le Canada français, culture fatiguée et lasse, traverse depuis longtemps un hiver interminable; chaque fois que le soleil perce le toit de nuages qui lui tient lieu de ciel, ce malade affaibli et désabusé se met à espérer de nouveau le printemps. La culture canadienne-française, longtemps agonisante, renaît souvent, puis agonise de nouveau et vit ainsi une existence faite de sursauts et d'affaissements.

Qu'adviendra-t-il finalement du Canada français ? A vrai dire, personne ne le sait vraiment, surtout pas les Canadiens français dont l'ambivalence à ce sujet est typique : ils veulent simultanément céder à la fatigue culturelle et en triompher, ils prêchent dans un même sermon le renoncement et l'ambition. Qu'on lise, pour s'en convaincre, les articles de nos grands nationalistes, discours profondément ambigus où il est difficile de discerner l'exhortation à la révolution de l'appel à la constitutionnalité, la fougue révolutionnaire de la volonté d'obéir. La culture canadienne-française offre tous les symptômes d'une fatigue extrême : elle aspire à la fois à la force et au repos, à l'intensité existentielle et au suicide, à l'indépendance et à la dépendance.

L'indépendance ne peut être considérée que comme levier politique et social d'une culture relativement homogène. Elle n'est pas nécessaire historiquement, pas plus que la culture qui la réclame ne l'est. Elle ne doit pas être considérée comme un mode d'être supérieur et privilégié pour une communauté culturelle; mais, chose certaine, l'indépendance est un mode d'être culturel tout comme la dépendance. Sur le plan de la connaissance, les modes d'être d'un groupe culturel donné sont également intéressants. La connaissance se préoccupe des réalités, non des valeurs.

* * *

FATIGUE DIALECTIQUE

"La lutte est intelligibilité" [23].
Jean-Paul Sartre

Si la situation de tension est inhérente à la dialectique et que celle-ci oppose deux pôles adverses qui se révèlent l'un à l'autre dans une situation progressive, c'est commettre un acte de lèse-dialectique que de nier que le Canada est un cas dialectique bien défini, où se confrontent deux cultures. Il est plus logique d'aller dans le sens de cette opposition critique des deux cultures, si l'on veut en arriver à comprendre quelque chose à la situation canadienne, que de désaxer la dialectique historique dans laquelle le Canada français se trouve impliqué, en situant le pôle supérieur à un niveau très élevé. Ce désaxement logique revient à dire ceci : "Le Canada français est bien petit face à cette réalité X... et sa globalité devient particularisme selon ce nouvel ordre de grandeur." Par exemple, on peut écraser dialectiquement le Canadien français en lui octroyant comme point de comparaison, soit la grande masse américaine qui nous envahit, soit la menace d'une guerre atomique mondiale, soit l'urgence d'un désarmement mondial, soit l'universalité de la religion catholique, soit le socialisme mondial, etc. L'invocation d'une réalité lointaine et idéale qui accable notre culture revient souvent chez nos idéologues et correspond, pratiquement, à une volonté de voir dans la

(23) Jean-Paul Sartre, *Critique de la raison dialectique*, Gallimard, Paris, 1960, p. 753.

culture canadienne-française une réalité "réduite". Les grandes réalités appelées au secours par nos penseurs ne sont pas dépourvues de poids ou de signification, mais elles se caractérisent, du point de vue du Canada français, par un moindre degré d'action dialectique sur sa culture. Par leur démarche, elles déréalisent le Canada français qui, sous le coup d'une comparaison accablante, devrait concevoir une grande culpabilité d'exister en tant que tel, alors qu'il y a de si grands problèmes.

Une autre façon de déréaliser le Canada français est de n'accepter que sa traduction administrative comme province. "Le Québec est une province comme les autres", ce qui revient à n'accepter la réalité de la culture canadienne-française que selon les termes légalistes de la Confédération qui régionalise et provincialise cette culture. Ce raisonnement est l'inversion de l'autre selon la grandeur du pôle de confrontation, mais le même, structuralement, en ce qu'il escamote l'axe Canada français — Canada anglais qui, historiquement et politiquement, est le plus constitutif, ce qui n'exclut pas les relations pluridimensionnelles du Canada français avec le monde et l'histoire.

Somme toute, nos penseurs ont à maintes reprises refusé la dialectique historique qui nous définit et ont fait appel à une autre dialectique qui en élargissant la confrontation ou en la rapetissant à outrance signifiait un refus de considérer le Canada français comme une culture globale. Ce refus a constitué la base idéologique de plusieurs systèmes de pensée au Canada. Nos penseurs ont déployé un grand appareil logique pour sortir de la dialectique canadienne-française qui demeure, encore aujourd'hui, épuisante, déprimante, infériorisante pour le Canadien français. Le "comment en sortir ?" a été le problème fondamental de nos penseurs et leurs fuites dialectiques ne font qu'exprimer tragiquement ce goût morbide pour l'exil dont nos lettres, depuis Crémazie, ne font que retentir. Ce qu'ils ont fui, dans le gaspillage idéologique ou les voyages, c'est une situation intenable de subordination, de mépris de soi et des siens, d'amertume, de fatigue ininterrompue et de désir réaffirmé de ne plus rien entreprendre. Le Canadien français se présente souvent, dans ses plus hauts porte-parole, comme un peuple blasé qui ne croit ni en lui, ni en rien. L'autodévaluation a fait son oeuvre, depuis le temps, et s'il fallait n'en citer qu'une preuve, je mentionnerais la surévaluation délirante dans laquelle donne maintenant le Canadien français séparatiste. Il se bat les flancs, mais il faut dire, à sa décharge, que s'il ne le fait pas, il risque bien, conditionné comme il l'est à l'affaissement et à la défaite, de se prendre pour le dernier des idiots, ce que son propre milieu ne manque jamais de lui faire savoir.

Le Canada français, culture agonisante et fatiguée, se trouve au degré zéro de la politique. Ceux qui ont réussi en politique au Canada français, ce sont les a-nationaux, c'est-à-dire ceux qui "représentaient" le mieux ce peuple déréalisé, parcellisé et dépossédé par surcroît. La réussite de nos politiciens au fédéral a reposé sur leur déglobalisation culturelle. Leur "inexistence" a été à l'image de la culture harnachée qu'ils représentaient et qu'ils se sont à peu près tous empressés de "fatiguer" encore plus en la folklorisant, si bien que le gouvernement fédéral, par sa durée même, proclame qu'il n'existe plus de tension dialectique entre la culture canadienne-française et l'autre. Le gouvernement fédéral n'est pas le lieu d'une lutte fondamentale et constituante; en fait, il ne l'a jamais été, ou si peu. Cette superstructure fédérale, en consacrant l'apaisement politique du Canada français, ne résulte pas de la dialectique historique des deux Canada, mais de la volonté de supprimer cette dialectique, si bien qu'Ottawa, capitale entre deux cultures, règne en fait sur dix provinces. Le portrait politique du Canada défigure la réalité de *l'affrontement* de deux cultures et noie cet affrontement dans un régime unitaire déguisé qui légalement considère le Canada français comme une province sur dix. La lutte dialectique entre les deux Canada ne se déroule pas à Ottawa; elle est "dépolitisée" en ce sens, du moins, que nulle "institution" n'émane d'elle, ni ne la contient. Cette lutte dialectique se déroule ailleurs, un peu partout et jusqu'au fond des consciences. Ce n'est pas à nous de dire si elle aboutira, mais il importe de savoir qu'elle continue et qu'elle devient de plus en plus inévitable. La fatigue, si grande soit-elle, n'est pas la mort.

* * *

L'UNIVERSALISME

On m'aurait mal compris si, au cours de ce texte, on avait cru que je dépréciais *l'universalisme* parce que j'ai tenté de rétablir la réalité des phases "transitoires" de l'Histoire, ainsi que l'importance d'une *culture* propre ou du "fait national" [(24)].

L'universalisme ne doit évoquer en rien les hégémonies ou les anciens empires, et ne saurait s'édifier sur le cadavre des cultures "nationales" non plus que sur celui des hommes. Je crois sincèrement que l'humanité est engagée dans une entreprise de convergence et d'union. Mais ce projet *d'unanimisation*, comme le décrit Senghor d'après Teilhard de Chardin, doit ressembler, pour s'accomplir, à un projet d'amour et non de fusion amère dans une totalisation forcée et stérile. La dialectique d'opposition doit devenir une dialectique d'amour. La cohérence universelle ne doit pas se faire au prix de l'abdication de la *personne* ou des "*rameaux humains*".

Qu'on me permette ici de citer Teilhard de Chardin, dont la pensée me paraît exprimer adéquatement cette réconciliation finale du particulier et du général, de ce qui est "propre" et de ce qui est "universel" : "L'amour a toujours été soigneusement écarté des constructions réalistes et positivistes du Monde. Il faudra bien qu'on se décide un jour à reconnaître en lui l'énergie fondamentale de la Vie, ou, si l'on préfère, le seul milieu naturel en quoi puisse se prolonger le mouvement ascendant de l'évolution. L'amour qui resserre

---

(24) "Marx minimisait le fait national. Les jeunes nationalismes de couleur lui infligent un démenti. Mais là où les nationalistes ne veulent voir qu'un phénomène racial, religieux, politique ou social, Teilhard de Chardin découvre une synthèse "ethnico-politico-culturelle". Il conclut : "La subdivision ou *unité naturelle* d'humanité n'est donc ni la seule race des anthropologistes, ni les seules nations ou cultures des sociologues; elle est un certain composé des deux, auquel, faute de mieux, je donnerai désormais le nom de *rameau humain.*" *(Oeuvres de Pierre Teilhard de Chardin*, tome III, p. 284). Et de citer l'exemple de la France." Léopold Sédar Senghor, *Pierre Teilhard de Chardin et la politique africaine*, Seuil, Paris, 1962, p. 49.

sans les confondre ceux qui s'aiment, et l'amour qui leur fait trouver dans ce contact mutuel une exaltation capable, cent fois mieux que tout orgueil solitaire, de susciter au fond d'eux-mêmes les plus puissantes et créatives originalités. L'Union différencie, disais-je, ceci ayant pour premier résultat de conférer à un Univers de convergence le pouvoir de prolonger, sans les confondre, les fibres individuelles qu'il rassemble. Dans un Univers de convergence, chaque élément trouve son achèvement non point directement dans sa propre consommation, mais dans son incorporation au sein d'un pôle supérieur de conscience en qui seul il peut entrer en contact avec tous les autres. Par une sorte de retournement dans l'Autre, sa croissance culmine en don et en excentration"[25].

L'union, d'accord ! mais entre des existants qui se reconnaissent mutuellement. Cette union planétaire, dont parle Teilhard de Chardin, ne saurait ressembler à un règne constitutionnel des plus forts sur les *disparus* virtuels ni à la domination d'un tout légal et extérieur sur ses parties. Et je reprends la formule de Teilhard de Chardin : "Il faut des nations pleinement conscientes, pour une terre totale", formule qui m'apparaît plus comme une condition préalable de convergence que comme l'expression d'un *universalisme* impatient de s'affirmer comme tel, fût-ce aux dépens de toutes les existences à qui il propose l'extase, mais non le *plus-être* individuel sans lequel il deviendrait futile de vouloir s'unir.

Le progrès continu et irréversible est peut-être réel, mais selon un tel espace et une mesure si longue du temps humain, que nulle révolution ne peut dogmatiquement décréter que toutes celles qui ne semblent pas la continuer sont de trop ou périmées. Qui donc peut se vanter d'avoir à ce point fait avancer l'humanité que des entreprises, imprévues par lui, seraient nécessairement des reculs ? Personne ne détient le monopole certain de la révolution et n'a le droit, par conséquent, de condamner des révolutions divergentes ou selon une autre trajectoire. "Idéalement, écrit Roland Barthes,

(25) Pierre Teilhard de Chardin, *Oeuvres*, V, pp. 75-76.

la Révolution étant une essence, a sa place partout, elle est logique et nécessaire en n'importe quel point des siècles" [26].

[1962]

(26) Roland Barthes, *Michelet par lui-même*, Seuil, Paris, 1954, p. 55.

LE CORPS MYSTIQUE

Il est légitime de croire que les métaphores constituent des aveux apocryphes qui charrient des verges cubes d'inconscient. La signification des insignifiances a été établie il y a longtemps. En quelque sorte, peu de gens peuvent se prévaloir de ne dire rien d'autre que ce qu'ils disent pour se draper orgueilleusement dans une insignifiance immaculée. Je n'aurais pas accordé le moindre crédit à certaines interprétations que j'ai eues quant à la terminologie fédérale-provinciale, si je ne leur avais trouvé des coïncidences inespérées dans les déclarations de nos hommes publics. Dans l'ensemble, la perception de la Confédération en termes de coexistence entre deux nations, semble figurer une liaison vénérienne rendue au paroxysme de l'écoeurement, quand ce n'est pas l'image même d'un mariage chrétien, indissoluble et gâché, entre un Poisson et un Bélier. La Confédération peut donc être saisie rhétoriquement selon les diverses catégories des "chaînes" de l'amour. Je propose ici quelques hypothèses de travail pour épuiser cette thématique du lit défait.

Thème du mariage forcé

"Le fait que la Confédération soit un mariage de raison, a dit M. Lamontagne, lui apporte à la fois force et faiblesse. Ce qui fait sa faiblesse, c'est qu'elle ne suscite pas l'amour. Ce qui fait sa force c'est qu'elle s'impose à nous à cause de nos intérêts économiques..." ("Nous serons les pères d'une nouvelle confédération", in *la Presse*).

"Lesage aux Canadiens anglais : Epousez les revendications constitutionnelles de vos concitoyens francophones" (titre en page un du *Devoir*, le 11 juillet 1963).

L'allusion de Lamontagne aux "intérêts économiques" qui font la force de ce mariage et l'exhortation indécente de Jean Lesage qui dit aux Canadiens anglais "épousez", indiquent assez clairement que, selon la logique propre à cette sexualisation de la Confédération, c'est le Québec qui joue le rôle de la femme. Ce mariage de raison "ne suscite pas l'amour", mais la femme s'en trouve néanmoins la prisonnière consentante parce qu'elle ne détient, ni n'exerce, le pouvoir économique qui, comme on le sait, est une fonction typiquement masculine, pour ne pas dire la prolongation comptable en argent de la virilité.

Thème de la femme frigide

"Il arrive que la jouissance sexuelle soit complètement absente. La femme ne ressent ni la volupté initiale, ni l'orgasme. Ces femmes déclarent brûler de désir, être avides de l'orgasme sans qu'il leur soit possible d'y parvenir..." (Wilhelm Stekel, *la Femme frigide*, p. 122).

"Le séparatisme joue depuis quelques années le rôle d'un stimulant... Ceux qui l'accueillent se mettent en posture d'attente. Ils peuvent travailler très fort en vue de recevoir formellement cette grâce de l'indépendance. Les principaux obstacles, c'est en nous que nous les trouvons : dans notre paresse et notre laisser-aller, dans la médiocrité de nos désirs, dans notre inconstance..." (André Laurendeau, "Hier, stimulant, demain, prétexte à évasion ?", in *le Devoir*, mercredi le 26 juin 1963).

Quoi de plus féminoïde que cette "posture de l'attente" que Laurendeau projette sur le groupe séparatiste ? Et quoi de plus frigide, selon la pensée sinon selon la chair, que la survalorisation des stimulants et la résignation préalable à la médiocrité de ses désirs ? Ici, l'*anaesthesia sexualis feminarum* s'accompagne d'une morale conjugale selon laquelle des propriétés aphrodisiaques sont conférées au F.L.Q. et au séparatisme, deux comportements également interdits. Voici une variante de cette pensée, prélevée dans *le Devoir* du 22 juin 1963, par le même auteur :

"Deux stimulants extérieurs ont joué. D'abord le séparatisme, qui n'a cessé de croître, surtout dans les milieux intellectuels, qui a même débouché sur la violence (et l'on ne sait pas encore en quel état le séparatisme sortira de la mésaventure du F.L.Q.). Il a jusqu'ici agi comme un aiguillon. La puissance politique des groupes séparatistes est évidemment négligeable. Mais ils réaffirment sans cesse l'objectif absolu de l'indépendance, et à partir d'eux il se produit une irradiation croissante, qui rejoint plusieurs milieux — quoique les masses populaires ne soient pas (ou pas encore) touchées."

Les termes palpoformes utilisés dans cet article pour référer au stimulant séparatiste ne peuvent émaner que de la conscience d'une épouse doublement frustrée puisqu'elle est non seulement fidèle mais anesthésiée. Mais la sédation des zones érogènes n'empêche pas l'esprit de formuler non sans amertume le problème conjugal :

"Sur ce nouveau plan, écrit le père Arès, la question capitale qui se pose est la suivante : les Canadiens — tous les Canadiens — veulent-ils qu'il y ait un Canada ? A cette question, il leur faut répondre, et au plus tôt, non pas seulement par de vagues paroles, mais par des gestes positifs. Or, tout le démontre actuellement, le seul Canada est fondé sur l'alliance anglo-française. Il n'y a pas d'autre alternative : le Canada sera anglo-français ou il ne sera pas."

("Si la majorité n'accepte pas... — Richard Arès", in *la Presse*, mai 1963).

Thème du divorce à l'italienne

"Si deux conjoints ne peuvent apprendre à coucher ensemble, ils doivent alors certainement avoir des lits séparés; il est urgent pour vous, comme pour nous, de prendre conscience du fait que nous ne dormons pas bien dans le lit sur lequel vous ronflez en toute quiétude" (René Lévesque, in *la Presse*, mai 1963).

Thème des dernières injures

Irréparables par définition, les injures comportent des outrances qu'on nous pardonnera de citer : "Si le Québec se sépare, il deviendra une sorte de république de bananes" (Murray Ballantyne, in *la Presse*, le 17 juin 63). L'utilisation assez malveillante de la banane métaphorique, marque la transition stylistique entre le dialogue de sourds des conjoints liés par contrat de rage et le dialogue d'une pièce de boulevard du plus mauvais goût. Murray Ballantyne ne manque pas d'ailleurs à son rôle ingrat et en or, en rajoutant avec dépit : "La vie serait tellement plus simple si nous abandonnions l'expérience canadienne..." Il va même jusqu'à faire des allusions grossières à la voisine qu'il aurait préférée, au fond : "Si nous nous ralliions aux Etats-Unis, nous serions avantagés..." L'épouse qui se sent soudain bafouée hurle comme un putois : "Ottawa viole notre autonomie — Lesage" (in *la Presse*, le 26 juin 63). Cette accusation de viol dans le cadre d'un mariage débalance celui qui la reçoit; il fait un mouvement de retraite et annonce in petto qu'"Un premier plan conjoint est aboli", mais cette manoeuvre habile l'autorise à faire le point sèchement aux dépens, bien sûr, de la conjointe paranoïaque. "Les Québécois pensent que leur province est jugulée par le Canada anglais", déclare George Ferguson devant des tiers, à Edmonton, et ne se gêne pas pour exhiber la discorde conjugale : "M. Ferguson a ajouté qu'il n'y a guère d'amour entre le Canada français et le Canada anglais" (in *la Presse*, décembre 63). Et puis, emporté par la fougue, on va trop loin : "Une seule langue, l'anglais, suffit pour unifier le Canada", déclare un certain Ralph Cowan. Même si elle se trouve blessée et en proie à une crise de larmes, l'épouse n'hésite pas à faire le bilan de cette expérience à deux : "Négatif, le bilan fédéral. Déficitaire à tous points de vue. La Confédération est malade. Son mal dépasse les personnes de MM. Pearson, Lamontagne et autres..." (Gérard Pelletier, eh oui !, in *sa Presse*, décembre 63).

Mais ce n'est pas parce qu'un mariage s'avère déficitaire à tous points de vue, qu'on va entreprendre de refaire sa vie autrement. Quand on est née pour un petit pain...

"Le peuple canadien-français a-t-il une tendance marquée vers les états dépressifs ? Si l'enquête entreprise par des professeurs à l'Université de Montréal mérite créance, il semble bien qu'il faille répondre dans l'affirmative. Dans sa communication au congrès de l'Afcas, Mme Roussin, après avoir étudié les dossiers de deux hôpitaux psychiatriques — l'un de langue française, l'autre de langue anglaise — peut émettre l'hypothèse suivante : comparé au Canadien anglais le Canadien français réagit beaucoup plus selon le mode dépressif" (extrait d'une communication faite à l'Acfas en 63).

Il n'est pas rare de voir ces états dépressifs dégénérer en régression marquée au stade oral : "On ne doit pas chercher à bâtir un pays autour d'une langue !" (RP Benoît Lacroix, in *la Presse*, juin 63). Cette phrase attristante semble typique de l'étiologie du conjoint en état de régression orale — plongée dangereuse dans un passé national tout récent mais refoulé quand la langue résumait, par la verbigération et les accès d'écholalie, le vouloir-vivre national de l'épouse sous-douée.

Thème du courrier du coeur

L'ami du couple survient alors, comme un sous-produit de Théo Chentrier, pour tout arranger : "Le premier ministre Robichaud prédit la mort du séparatisme... C'est un mouvement qui revient de temps en temps mais qui est voué à disparaître; de toute manière ne nous inquiétons pas..." (in *la Presse*, le 1er novembre 63). Mais les bonnes paroles de l'ami n'arrangent pas grand-chose. Il importe alors de passer au confessionnal et même de tout avouer, même ce qui fait mal, au docteur Michael Olliver qui (cela a fait sa renommée) sait comment décourager son client selon une technique éprouvée de l'homéopathie publique. A l'entendre, on croirait qu'il souffre; d'aucuns affirment qu'il sympathise ontologiquement avec les écorchés vifs : "Les ruptures qui ont jusqu'à maintenant fait leur apparition dans les associations qui tentaient de jeter un pont entre les deux solitudes peuvent, alors, amener ceux de ces organismes qui sont restés intacts (et il y a en a beaucoup) à une meilleure compréhension du genre de reconstruction interne qui pourra assurer leur stabilité. Mais d'aussi heureux résultats ne pourront se produire que si on contient sur tous les fronts la tendance à la dissolution."

Reconnaissons d'ailleurs au Faust de McGill une acuité psychologique peu commune qui en fait un rival dangereux du Père Desmarais : "On ne peut guère se permettre de ridiculiser les pessimistes qui prédisent que la dislocation des parties ne fait que préluder à celle du tout." (Notre hypothèse de pansexualisation ne saurait s'appliquer aux "parties" mentionnées par Michael Olliver puisqu'elles ne sont vraisemblablement pas celles que nous qualifions ainsi en Cour municipale de Montréal, étant donné que les susdites parties sont ainsi libellées par un traducteur qui n'a pas un moindre sens du génie d'une langue.) Michael Olliver, notre directeur spirituel pancanadien, démythifie avec une lucidité chevaleresque un vieux mythe que, pour ma part, j'ignorais : "Trop souvent, écrit-il dans *la Presse* du 5 novembre 63, nous avons pris pour modèle de notre association franco-anglaise quelque équipage de chevaux mal appariés, porteurs d'énormes oeillères." En refusant aussi lucidement la solution bichevaline, le professeur fait avancer l'idée binationale et nous dispense de considérer la Confédération comme une "time" et nos problèmes conjoints comme de vulgaires baculs.

Thème de la belle-mère

Après tout, n'est-ce pas... "Peter Desbarats est d'avis que la première flambée séparatiste a fait place à une accalmie... Peter Desbarats est d'avis que la population du Québec s'est rangée depuis quelques mois à l'opinion de ceux qui veulent donner à l'élément anglo-saxon du Canada une autre chance... On a l'impression que le Québec a décidé d'entrer dans une période de travaux constructifs..." (in *la Presse*, le 7 novembre 63).

Thème de la réconciliation

"Jamais nous ne pourrons être davantage fidèles à nos origines qu'en demeurant dans la Confédération canadienne" (Jean Lesage, in *la Presse*, le 12 octobre 63). "La saine appartenance du Québec à une véritable confédération, exige que nous soyons absolument positifs dans nos attitudes. Il faut se méfier de la pente savonneuse de la revendication verbale, verbeuse..." (René Lévesque, in *le Devoir*, le 5 juillet 63).

Bien sûr, il faut faire des arrangements avec un partenaire, et le député administrable Jean-Luc Pépin nous apprend qu'il faut être réalistes que ce soit en mariage ou ailleurs : "C'est comme en amour, on demande plus pour être certain d'avoir au moins la moitié" (in *le Devoir*, le 3 décembre 63). Monsieur Jean-Luc Pépin nous replace, par cette affirmation, dans la réalité conjugale de la Confédération qui, bien sûr et cela demeure partiellement prévisible, comportera des petites chicaneries : des vétilles quoi ! Il n'y a donc pas lieu de s'alarmer puisque même les nations sont sujettes à des cycles menstruels et aux perturbations d'humeur propres à ces lois de la nature. Un analgésique peut alors normaliser le comportement du Québec pendant ces périodes lunaires.

Thème de la transcendance fédérale

"Pearson : Je ne veux pas être témoin de la liquidation du Canada" (titre sur huit colonnes, in *le Devoir*, le 13 novembre 63). Si on accepte ce lexique de "liquidation" qui, je le reconnais, est doté d'un haut indice de sexualisation pancanadienne, on discerne dans la thématique de Pearson une fixation apocalyptique qui mérite notre attendrissement. Pearson se tient au niveau du corps mystique fédéral; et son vocabulaire, comme celui de l'apôtre de Pathmos, révèle sa version eschatologique du Canada divin qui, forcément, est l'objet de convoitises terrestres et honteuses de la part des vicaires de Pearson l'anachorète parfait. Fort heureusement pour Pearson, un fidèle disciple s'est voué à porter son évangile confédératif jusqu'à nous, païens, et cet apôtre courageux accepte de formuler, dans notre langue, les oracles sybillins de son maître.

Cette traduction libre et parfois même simultanée, même si elle n'est pas aussi sacrale que l'évangile du prix Nobel de la Paix, n'en est pas moins méritoire puisqu'on y discerne une même intensité de tautologie et que, par surcroît, elle est populaire. Comme les fragments de cette vulgate n'ont pas été colligés scientifiquement dans un *scrapbook* définitif, je me permets de citer ici une seule phrase qui donne une juste idée de l'envergure évangéline de l'apostolat de M. Lamontagne (dont la cause en béatification devra bientôt être instruite). Le 15 octobre 1963 — c'était un mardi lugubre, je m'en souviens — j'ai lu dans le journal du soir le titre suivant : "Il y aura encore une Confédération en 1967 — Maurice Lamontagne." Le pauvre...

[1964]

L'ART DE LA DÉFAITE

Considérations stylistiques

"Mon nom : offensé, mon prénom : humilié;
mon état : révolté..."

Aimé Césaire

La rébellion de 1837-1838, véritable anthologie d'erreurs sanglantes, de négligences et d'actes manqués, a été conduite et vécue par les Patriotes comme une guerre perdue d'avance. Les théories de Clausewitz et de Moltke sont enfoncées à jamais par les faits d'armes de notre chère rébellion, en cela, au moins, que le coefficient d'impondérable propre à toute lutte armée y était absolument nul. Tout était prévisible, tout ! Et tout a été prévu; rien n'a été laissé au hasard (car il faut se méfier du hasard occasionnellement propice à la victoire !). La rébellion de 1837-1838 est la preuve irréfutable que les Canadiens français sont capables de tout, voire même de fomenter leur propre défaite...

Mais, me direz-vous, les Patriotes ne possédaient pas un arsenal assez fourni pour affronter les troupes de Colborne; pas assez de fusils à deux coups, ni assez de poudre à canon, pas assez d'argent volé aux fabriques pour acheter des Winchester dans les grands magasins de Montréal, etc. Je les connais trop ces explications objectives de la défaite des Patriotes : manque de fusils, manque de cartouches, manque de canons, manque d'officiers de métier. Oui, je sais; Engels l'a écrite en toutes lettres cette belle excuse : "La violence n'est pas un simple acte de volonté, mais exige pour sa mise en oeuvre des conditions préalables, très réelles, notamment des instruments, dont le plus parfait l'emporte sur le moins parfait; et qu'en un mot la victoire de la violence repose sur la production d'armes, et celle-ci à son tour sur la production en général, donc..." Engels l'a écrit : donc, selon cette logique impérative, la seule erreur des Patriotes est de n'avoir pas établi, sur les bords du Richelieu, une grande manufacture d'armes à feu, celle-ci imbriquée logiquement dans un vaste complexe industriel qui aurait compris, en outre, une fonderie (pour les canons), une usine de cartouches ainsi qu'une grande "filature" pour la confection en série d'uniformes de parade et de campagne pour les soldats et les officiers de l'armée du Bas-Canada. Bon. Voilà pour la logique... que je salue bien bas mais ne comprends pas ! Car j'ai appris, d'autre part, que des paysans espagnols, moins instruits et moins bien armés que les Patriotes, ont fait reculer la Grande Armée de Napoléon, en pratiquant une petite guerre qu'on appelle depuis la guérilla. Cela c'est passé en 1810. "Pourtant, commente Frantz Fanon, l'armée française faisait trembler toute l'Europe par ses instruments de guerre, par la valeur de ses soldats, par le génie militaire de ses capitaines. Face aux moyens énormes des troupes napoléoniennes, les Espagnols qu'animait une foi inébranlable, découvrirent cette fameuse guérilla que, vingt-cinq ans plus tôt, les miliciens américains avaient expérimentée contre les troupes anglaises" [1]. La fin de ce passage me plaît beaucoup : Frantz Fanon considère que les Américains en 1776, à deux pas de chez nous !, ont utilisé une guérilla avant la lettre contre les troupes loyales de Georges III, troupes au demeurant en tous points semblables à celles qui patrouillaient la vallée du Richelieu en 1837. Les Patriotes ne connaissaient pas le mot "guérilla", mais, chose certaine, les Patriotes étaient pour ainsi dire des amateurs de la révolution américaine : ils se remémoraient les épisodes de cette guerre d'indépendance et le succès final des "david" contre les "goliath", pour se remonter le moral [2].

Nous savons maintenant que la répartition des munitions et des armes n'est pas indicative de l'issue des guerres révolutionnaires. J'irais plus loin : ce qui caractérise une guerre révolutionnaire, c'est cette inégalité d'armement et de moyens qui se trouve renversée, en cours de lutte, par la

(1) *Les Damnés de la Terre*, Frantz Fanon, p. 49.

(2) "Les bonnes doctrines politiques des temps modernes, je les trouve condensées, expliquées et livrées à l'amour des peuples et pour leur régénération dans quelques lignes de la Déclaration d'indépendance de 1776 et de la Déclaration des Droits de l'Homme de 1789..." Louis-Joseph Papineau cité par Fernand Ouellet in *Cahiers de l'Institut d'Histoire de l'université Laval*, numéro 1.

volonté d'indépendance de tout un peuple. Ceci ne veut pas dire que le choix des armes importe peu; non ! Il faut, à mesure que progresse le combat armé, s'approprier les armes de l'ennemi, mais jamais sa stratégie !

Au mois d'octobre 1837, les Patriotes n'étaient pas prêts au combat, en ce sens qu'ils manquaient de moyens matériels de destruction et de lutte. D'autre part, ils avaient des chefs, des capitaines, des gens intelligents et lucides à leur tête; et ils avaient le peuple de leur côté et la plus grande cause du monde à défendre, celle de la liberté ! De plus, les Patriotes connaissaient le pays et l'arrière-pays, les bons endroits et les forêts complices. Voilà que la bataille éclate, dans toute sa violence, à Saint-Denis; et les Patriotes, désemparés par la fuite de Papineau, armés tant bien que mal — n'oublions pas qu'ils en sont à leur première expérience et qu'ils ont de quoi avoir le vertige ! — inaugurent la rébellion par une victoire incontestable contre les troupes anglaises commandées par Gore, un militaire d'expérience et qui est tenu en haute estime. Victoire exaltante et à juste titre : en termes de révolution nationale, cette victoire contenait des vertus motrices dont il fallait profiter pour mobiliser les esprits et les troupes. Mais déjà, à Saint-Denis, il se produit une chose étrange : ils n'osent pas, selon les mots mêmes de l'abbé Groulx, "profiter de leur victoire et donner la chasse aux compagnies de Gore en pleine déroute" (3). Première faille : étrange et mystérieuse défectuosité collective dans un groupe qui a donné un exemple spectaculaire de cohésion et de lucidité. On se croirait à la représentation d'une tragédie classique, à l'instant où le choeur, instantanément et dans une invraisemblable simultanéité, a un blanc de mémoire : c'est un silence de mort. Que se passe-t-il exactement ? Plus un mot ne sort d'aucune bouche; la tragédie se trouve si soudainement interrompue que le public éprouve un malaise profond. Le choeur n'a plus de voix : comment tant d'hommes, au même moment, peuvent-ils oublier leur texte ? A moins que... oui : à moins qu'il ne s'agisse pas d'un blanc de mémoire ? Le choeur ne peut pas continuer parce que les autres acteurs n'ont pas dit les paroles qu'ils devaient dire;

---

(3) *Histoire du Canada français*, tome II, pp. 163-164.

cette hypothèse nous permet de comprendre ce qui se passe sur la scène. Le choeur, figé de stupeur, ne peut pas enchaîner si l'action dramatique qui vient de se dérouler n'était pas dans le texte; les Patriotes n'ont pas eu un blanc de mémoire à Saint-Denis, mais ils étaient bouleversés par un événement qui n'était pas dans le texte : leur victoire ! Ils étaient sûrs de mourir glorieusement sous le tir des vrais soldats; voilà qu'ils triomphent et ils ne savent plus quoi faire, surpris par l'invraisemblable, paralysés par une victoire nullement prophétisée; ils sont muets de terreur, car la logique désormais veut qu'ils continuent la guerre. Avant, on se préparait à mourir avec honneur, mais puisqu'on vit, il faut déjà faire d'autres projets; il faut s'organiser comme une armée puisqu'on est devenu, sans s'en apercevoir, des vainqueurs ! La troupe victorieuse de Saint-Denis n'a pas profité de sa victoire, parce qu'elle préparait, avec la joie des 47 ronins, sa défaite et son anéantissement. Chose certaine, elle ne croyait pas — cette troupe valeureuse — qu'elle commençait la guerre et que, par conséquent, elle devrait la poursuivre sans relâche. Conditionnés à la défaite comme d'autres le sont au suicide parce qu'ils ont de l'honneur, les Patriotes se sont vus soudainement obligés de survivre sans honneur, sans style et sans même l'espoir d'en finir un jour. Affreux moment de lucidité : je comprends alors qu'ils aient perdu pied et qu'ils aient été frappés de stupeur devant l'avenir déconcerté qui s'annonçait.

Entre le 23 et le 25 novembre, que s'est-il passé ?

Un temps mort. Puis c'est la bataille de Saint-Charles : les vainqueurs de Saint-Denis, déphasés, se conforment secrètement aux canons inavouables de la guerre lasse. Les Anglais, comme toujours, font la guerre comme ils jouent au cricket. En bons colonisés, les Patriotes jouent à l'intérieur des lignes blanches et se comportent, avec une politesse de désespérés, en parfaits gentlemen. Pas de coups bas, pas de "furia francese"; pas de ruses ou si peu, pas de manières déplacées à table. On mange comme son hôte. On se bat comme lui : on fait la guerre aux Anglais exactement comme ils nous ont appris à faire la guerre, sous leurs ordres, aux Américains, en 1812. Comme dans tout sport violent, il y a des risques et parfois des accidents : well, c'est la rude loi du sport et il ne sera pas dit que nous sommes mauvais joueurs. Impassibles et désespérés, on continue la partie avec flegme mais sans imagination : on se fait pendre, mais l'arbitre a toujours raison; on perd, mais il n'y a pas de surprise à se faire battre. C'était connu d'avance, presque désiré. Et puis quand tout est fini, on continue de fraterniser avec le vainqueur qui d'ailleurs serait mal venu d'être mauvais joueur puisqu'on est si bons perdants.

"Mal enfermés dans des camps improvisés, ils y attendent gauchement l'ennemi, quand ils auraient pu lui faire la petite guerre, le harceler sur les routes", écrit Lionel Groulx [(4)]. Ce qui m'afflige dans cette rébellion, c'est justement cette passivité du vaincu : passivité noble et désespérée de l'homme qui ne s'étonnera jamais de perdre, mais sera désemparé de

(4) *Histoire du Canada français*, tome II, p. 163. La "petite guerre", dont parle Lionel Groulx, convenait à plusieurs égards à la situation de 1837. Ainsi quand les troupes rebelles sont dispersées, quand le nombre des soldats ne commande pas la victoire... "alors, c'est précisément grâce à leur faiblesse en effectifs, que les détachements de partisans peuvent opérer à l'arrière de l'ennemi, apparaissant et disparaissant comme par magie. Les insuffisances mêmes des détachements de partisans peuvent permettre de prendre l'initiative. Une si large liberté de mouvement est impossible aux troupes régulières, trop massives. Le problème de l'initiative a une signification très importante dans la guerre de partisans... L'initiative n'est jamais donnée toute prête, il faut lutter consciemment pour la conquérir". Ces considérations tactiques qui rejoignent la pensée précise de Lionel Groulx (quant au type de guerre que les Patriotes auraient dû mener), ont été écrites par Mao Tsé-Toung. Vladimir Dedijer, un compagnon d'armes de Tito, décrit la tactique des partisans yougoslaves dans les termes suivants : "Notre tactique était d'attaquer la nuit, de résister le plus possible en refusant une bataille de front et de détruire les communications..." (*Tito parle*, p. 193). La "petite guerre" à laquelle Lionel Groulx a fait allusion, est une invention du plus faible : ce n'est pas une recette magique, mais la manifestation multiforme et imprévisible du vouloir-vivre de celui qui manque d'armement, de munitions et qui manque de force et d'organisation. La guérilla n'est rien d'autre que la ruse infiniment recommencée de celui qui commence un combat pour lequel il n'est pas encore prêt. "Il s'agirait non pas de braver un ennemi en possession de ses moyens, mais, en intervenant, d'aggraver son désordre. Il s'agirait non de tenir, mais de pousser dans tous les sens, en face d'un ennemi inquiet et désorganisé..." (*Histoire de la Libération de la France* par Robert Aron, p. 292, Paris, 1959).

gagner. Ce qui m'afflige encore plus, c'est que leur aventure ratée avec insistance véhicule, de génération en génération, l'image du héros vaincu : certains peuples vénèrent un soldat inconnu, nous, nous n'avons pas le choix : c'est un soldat défait et célèbre que nous vénérons, un combattant dont la tristesse incroyable continue d'opérer en nous, comme une force d'inertie. Ce n'est pas une petite affaire, à ce moment-là, d'entreprendre une révolution nationale que nos ancêtres ont si parfaitement ratée. Ils l'ont même ratée avec un courage exemplaire. Désespérés, les Patriotes l'ont été avec une persévérance aberrante : ils ont fait la guerre, mais jamais on ne pourra leur reprocher d'avoir voulu la victoire à tout prix ! C'est là, sans doute, ce qui explique leur blanc de mémoire, après la victoire de Saint-Denis, et le style suicidaire de leur art militaire. Leur rébellion, si tragique dans son désordre, ressemble à l'entreprise poétique d'un homme devenu indifférent quant aux modalités de son échec. Peut-on commettre une telle somme d'erreurs de stratégie primaire quand on est Wolfred Nelson, Chénier ou J.-J. Girouard ? Non. Leurs erreurs dépassent la notion même d'erreur, leur désordre opérationnel ne se compare pas à d'autres types de désordre : en fait, leur échec — j'ose à peine le dire — a l'air d'un échec longuement prémédité, d'un chef-d'oeuvre de noirceur et d'inconscience. Ces hommes que je ne peux pas m'empêcher d'aimer, même si cela me fait mal, ces hommes ont voulu en finir avec l'humiliation qui nous accable encore aujourd'hui. Tout le Bas-Canada s'est aboli dans la représentation insupportable de sa propre défaite. Nos Patriotes ont été des hommes, en cela au moins qu'ils sont allés jusqu'au bout de leur être-pour-la-défaite.

Les Patriotes n'ont pas raté leur entreprise parce qu'ils manquaient de talent, ni faute de connaissance en art militaire, ni même faute d'argent : ils ont pris les armes avec une joie profonde et avec la certitude d'en finir avec une longue agonie.

"Il est indispensable de gagner la première bataille", écrit Mao Tsé-Toung. "L'issue de cette première bataille exerce une influence énorme sur l'ensemble de la situation et cette influence se fait sentir jusqu'au dernier combat" (5).

---

(5) *La Guerre révolutionnaire*, Mao Tsé-Toung, p. 94.

Et dire que les Patriotes ont gagné leur première bataille ! Dire qu'ils se sont conformés en cela à une loi de la guerre révolutionnaire, loi infuse et non écrite que Mao Tsé-Toung a formulée, comme un poème lapidaire, plus d'un siècle plus tard ! Somme toute, la mise à feu de la guerre de libération nationale a été parfaitement réussie à cette première bataille de Saint-Denis. Quel début fulgurant pour une armée informe de Patriotes et quel beau départ; le premier acte de la rébellion est un succès total, une réussite révolutionnaire qui frise la perfection. La victoire des Patriotes à Saint-Denis se déroule comme un prélude triomphal à la guerre d'indépendance du Bas-Canada. On ne peut inaugurer une révolution armée avec autant de bonheur. Mais après ? "Marx a dit que, dès l'instant où un soulèvement armé était déclenché, on ne devait arrêter, fût-ce une minute, l'offensive. Ce qui signifie que des masses, soudainement insurgées et surprenant l'adversaire à l'improviste, ne doivent pas permettre aux forces dominantes réactionnaires de conserver le pouvoir ou de le récupérer, mais elles doivent, au contraire, profiter de la situation pour écraser les forces dominantes réactionnaires, sans leur laisser le temps de se remettre. Il ne faut pas se reposer sur les victoires remportées, relâcher le rythme de l'offensive, ni marquer de l'indécision ou laisser passer l'occasion d'anéantir l'adversaire, sinon la révolution est condamnée à la défaite" (6). Sinon la révolution est condamnée à la défaite, dit Mao Tsé-Toung qui, vraisemblablement, ne songeait pas, en écrivant ces lignes, à l'étrange paralysie qui a frappé les vainqueurs de Saint-Denis, à cette syncope soudaine qui a creusé un abîme d'hésitation entre la première bataille de 1837 et toutes les défaites qui lui ont succédé. A Saint-Denis a débuté une grande entreprise qu'il fallait continuer à tout prix ou condamner d'avance à un désastre.

Je tiens, en terminant, à établir une distinction nette entre la stylistique de la rébellion de 1837 et celle, radicalement différente, de l'invasion de 1838. Les batailles de 1838 ne sont pas le prolongement homogène des batailles de 1837. L'entreprise révolutionnaire de 1838 ressemble

---

(6) *Idem*, pp. 58-59.

plutôt à l'inauguration d'une authentique guerre de libération nationale : les Patriotes de 1838 utilisent d'autres tactiques et d'autres méthodes que celles de Wolfred Nelson et de Chénier. Ces distinctions radicales sautent aux yeux : d'abord, ils cherchent un allié au-delà des frontières et tentent, en quelque sorte, d'internationaliser leur révolution. De plus, ils inventent une stratégie globale dont le but avoué est de vaincre leur ennemi (recrutement secret et noyautage par le truchement des Frères Chasseurs; formation des cadres militaires : Hindenlang, Touvrey et deux officiers polonais sont ainsi recrutés; financement de type "révolutionnaire" : vols dans les fabriques et émissions de "bons" de la future république du Bas-Canada). Les Patriotes de 1838 veulent garder l'initiative du combat et décident de déclencher une offensive surprise, en plusieurs points à la fois, pour déconcerter les troupes régulières (cf. "Le complot du 3 novembre" dans la présente livraison de *Liberté*, page 191). Donc, ceux qui, après les belles catastrophes de 1837 dont Saint-Eustache a été l'apothéose, se regroupent aux Etats-Unis sous la direction de Robert Nelson, veulent réussir et se préparent à vaincre en utilisant la ruse, le stratagème, l'espionnage, des rudiments de "terrorisme" et toutes les modalités offensives du combat révolutionnaire. De cela, il ressort que Robert Nelson et Chevalier de Lorimier, figures dominantes de l'invasion de 1838, sont vraiment des Patriotes dont le coefficient de passivité est nul : ce ne sont pas des Patriotes poussés aux armes par les décrets arrogants et vexatoires d'un gouverneur, ce ne sont pas des rebelles malgré eux ! Non, ils ont choisi la guerre révolutionnaire pour libérer leur pays et établir sans conteste la République du Bas-Canada. Leur lutte armée est nettement politisée; la formation d'un gouvernement provisoire dont Robert Nelson est président et la déclaration d'indépendance de la République du Bas-Canada en témoignent [7].

---

(7) Extraits de cette proclamation promulguée par le gouvernement provisoire en 1838 : "DECLARONS SOLENNELLEMENT :

I — Qu'à compter de ce jour le Peuple du Bas-Canada est absous de toute allégeance à la Grande-Bretagne...

II — Que le Bas-Canada doit prendre la forme d'un Gouvernement républicain et se déclare maintenant, de fait, république.

Pendant que les troupes de Nelson se métamorphosaient en une véritable armée de guérilleros, celles de Colborne intensifiaient le recrutement, les grandes manoeuvres et se préparaient aussi à des engagements guerriers. Les forces de la répression, alertées par l'impact de la rébellion de 1837, ont eu le temps de s'organiser et de mettre sur pied un dispositif de riposte plus adéquat que celui de 1837.

L'erreur des Patriotes de 1838 ne se traduit pas par une carence de leur volonté de vaincre, ni par l'utilisation de tactiques désuètes; leur erreur a été de sous-estimer l'ennemi et de croire, implicitement, que ce serait le même genre d'ennemi qu'en 1837. Or précisément, les forces régulières sont beaucoup plus mobiles en 1838 : leur capacité de riposte s'en trouve à la fois plus rapide et plus écrasante. Les préparatifs secrets de Colborne sont d'ailleurs manifestement efficaces puisque, longtemps à l'avance, il est renseigné par ses espions sur le complot du 3 novembre et qu'il est, à cette date, véritablement sur un pied de guerre. L'effet de surprise prévu par les Patriotes se trouve complètement raté. Or quand on compte avant tout sur la surprise (et non sur les effectifs ou sur les armements) pour dérouter l'ennemi, et que l'ennemi est au courant de tout et se prépare en conséquence, on est encore chanceux d'éviter l'anéantissement complet... La défaite de 1838 s'est déroulée en 8 jours, alors qu'en 1837 les combats ont sévi pendant un mois environ. Cette défaite éclair s'explique par l'aguerrissement des troupes mobilisées par Colborne et non par le manque d'aguerrissement des Patriotes de l'"invasion". L'hypothèque de 1837 a été justement cette stimulation de toutes les forces de la réaction, qui a gravement accentué le déséquilibre des forces entre les Patriotes de 1838 et les soldats qui les attendaient à la frontière. Les Patriotes, après la série noire de 1837, avaient complètement changé; mais la situation aussi avait changé. Même les troupes de Colborne ont profité

III — Que... tous les citoyens auront les mêmes droits, les Sauvages jouiront des mêmes droits que les autres...

IV — Que toute union entre l'Eglise et l'Etat est déclarée abolie...

V — Que la tenure Féodale est, de fait, abolie..." Et ainsi de suite. La proclamation de 1838 énumère, en 18 paragraphes, ses principes politiques. Le document a été paraphé par Robert Nelson, président du gouvernement provisoire.

des événements de 1837 ! Un ennemi averti en vaut deux.

A la veille de mourir sur l'échafaud, Chevalier de Lorimier écrivait à ses enfants que le crime de leur père était son "irréussite" ! Quelle lucidité comparée aux hésitations d'un Papineau, à son exil rapide à la veille du combat et à l'autojustification pénible qu'il a écrite de Paris ! Chevalier de Lorimier n'était pas un Patriote à demi conscient; il savait ce qu'il faisait et pourquoi il le faisait. Il savait aussi que lorsqu'on entreprend une guerre de libération nationale, il faut réussir ou mourir sur l'échafaud. George Washington, en 1776, commandant les révolutionnaires américains, avait dit : "Si je ne suis pas pendu, je serai président." Washington est devenu président, de Lorimier a été pendu. Voilà la logique du combat révolutionnaire : "la victoire ou la mort".

[1965]

CALCUL DIFFÉRENTIEL DE LA CONTRE-RÉVOLUTION

Premier théorème : la contre-révolution, par définition, succède à une révolution ou à une tentative de révolution.

Second théorème : le carré de la contre-révolution est égal au carré de l'hypothénuse révolutionnaire. Cela entraîne une conséquence rationnelle que nous appellerons, comme tout le monde d'ailleurs, un corollaire.

Corollaire : la contre-révolution peut donc être réduite à une fonction (parmi bien d'autres) de la révolution. Cela revient à dire que toute contre-révolution (ou réaction) postule une donnée révolutionnaire préalable quel que soit son coefficient de réussite. Et c'est là qu'il faut nuancer. Non seulement il convient de noter le coefficient "N1" de réussite de chaque donnée révolutionnaire, mais encore il faut un coefficient "N2" de puissance invérifiable. Ce coefficient "N2" est une donnée nettement réfractaire à toute transposition mathématique et même à toute prévision fût-elle de type sociographique; mais c'est lui — ce coefficient sujet à toutes les interprétations subjectives qui, comme on le sait, ajoutent une connotation assez péjorative au calcul — ce coefficient "N2" qui nous permet de mesurer plus adéquatement la dimension exacte de la contre-révolution.

Au moyen de ces prolégomènes que nous avons formulés selon l'esthétique des théorèmes, nous pouvons toujours essayer d'évaluer au meilleur de nos connaissances (et en dépit de notre engluement subjectif qui, incontestablement, fauche l'attention du lecteur qui normalement devrait comprendre que l'intellection, à la limite, gagne beaucoup à dévoiler ses partis pris plutôt que de faire comme si elle n'en avait pas !) le phénomène de type contre-révolutionnaire ou réactionnaire qui semble se passer dans le Québec actuel (mai-juin 65). Nous ne nous demanderons pas si le Québec traverse une crise de régression (dans la mesure où, nominalement, la révolution se définit comme un progrès !); nous postulons, au départ, qu'un phénomène de réaction se manifeste de plus en plus au Québec. Comment l'évaluer ? Pouvons-nous circonscrire certains facteurs "différentiels" et, par cette computation, le calculer le plus justement possible ? C'est ce que nous allons tenter de faire.

D'abord, pour être logique avec nos hypothèses de travail, cherchons la révolution et tentons de la formuler par une équation. Par égards pour la réalité, il semble plus convenable de parler de "donnée révolutionnaire" que de révolution qui, en sa plénitude sémantique, ne concerne que les révolutions dont le coefficient de réussite est absolu, mathématiquement parlant. La "donnée révolutionnaire", génératrice de la réaction que nous étudions, est affligée — si l'on peut dire — d'un coefficient de réussite voisin de zéro, donc, en un sens, d'un coefficient d'échec optimum que nous devons considérer comme un coefficient de négativité ou de passivité : bref, ce coefficient d'échec qui jusqu'à ce jour caractérise la donnée révolutionnaire du Québec, annulerait cette même donnée si d'autres qualifications ne le contredisaient. Autant le coefficient d'échec agit comme inhibiteur, autant le coefficient "N2" (de virtualité menaçante) est mesurable selon la durée d'impact et l'intensité d'inférence : sans quoi, d'ailleurs, il serait impossible à quiconque de comprendre, voire même d'endosser, un schéma de contre-révolution. Commençons par l'intensité d'action du coefficient "N2" : elle a été décroissante presque régulièrement depuis son point alpha (qui, en fait, peut être daté du mois de mars 1963, à l'époque où le F.L.Q. fonctionnait à plein et dans un mystère propice). L'intensité, même décroissante depuis deux ans, semble conserver les vertus motrices qui la définissent, même si celles-ci revêtent un caractère de virtualité : on pourrait dire, analogiquement, que l'intensité d'impact a subi, tout au plus, un glissement sémantique (d'ordre métonymique) qui a minimisé son évidence actuelle plus encore que sa virtualité, supposée plus imprévisible, donc, en quelque sorte, plus menaçante. La durée de son impact n'en a nullement souffert : car le "démantèlement du F.L.Q." a accru l'inquiétude d'un bon nombre de contre-révolutionnaires qui identifient toute résurgence de terrorisme à leur propre surprise et concluent, du calme "apparent" qui régit la vie du pays, à une possibilité accrue de conjuration plus secrète, peut-être même plus déterminée que celle de l'apparition fulgurante de la violence dans leur vie paisible. Cette angoisse qui s'est substituée à la terreur vérifiable (par des événements) constitue un facteur très actif et un auxiliaire, d'autant plus grand qu'il s'avance masqué, d'une résurgence d'actes révolutionnaires.

Le coefficient "N2" se rapproche de l'infini qui, chacun le sait, inspire autant de terreur que de fascination. Il est facile aussi à calculer, étant inversement proportionnel au "coefficient de réussite". Cela revient à dire qu'une révolution qui instaure un fait accompli (sa réussite) a un effet dépresseur sur le facteur anxiogène "N2".

Comme on le voit et d'après mes calculs, la révolution équivaut à un phantasme de révolution (en cas de non-réussite) et se prête bien peu aux opérations de petite comptabilité : c'est, à proprement parler, un phénomène incalculable et pourtant qui est l'objet des plus bas calculs ! Cette propriété d'incommensurabilité nous induit en un nouveau chapitre (encore inconnu) des mathématiques. Un phénomène incalculable peut faire l'objet d'une description précise en tant que phénomène incalculable : ce qui confère à la révolution sa qualité imperceptible peut donc faire l'objet d'une description phénoménologique du "continuum" de toute donnée révolutionnaire. La discontinuité apparente recouvre un phénomène continu.

Le continu est une notion hautement englobante, à tel point d'ailleurs que le discontinu n'y échappe pas ! Le discontinu peut être considéré, somme toute, comme une carence du continu ou même comme une fluctuation de la continuité indicielle. Le continuum einsteinien, comme on le sait, valorise le visqueux et le gluant : on se croirait vraiment, quand on calcule le réel en termes de continuité, dans le flot limoneux et sale de l'intuition bergsonienne. Comment surnager ? Comment se déprendre de ce flot ininterrompu de l'intuition séminale ? La genèse chardinienne (qui n'en finit plus) a quelque chose de poisseux : on souhaiterait, pour plus de clarté, pouvoir actionner le levier de contre-genèse et rompre la liquidité collante et polluée de ce fleuve continu-continu; on souhaiterait le faire changer de lit, le couper dans son cours par une muraille de ciment, lui infliger quelques chutes, voire même le dessécher. Le continu historique irréversible doit être réversible, sans quoi je plains franchement ceux qui sont hors-continuum, désaxés (historiquement parlant), en proie à l'oscillation bouleversante du discontinu.

En fait, il n'existe pas de continu unilatéral ou linéaire, pas plus qu'il n'existe de progrès absolu. (Rappelons-nous que la genèse a été suivie d'assez près par le déluge, contre-genèse singulièrement violente. Archétype, de tout phénomène discontinu, le déluge figure, ni plus ni moins, l'antithèse de Hegel).

N'allons pas croire que l'Histoire est une grande pièce symphonique qui se développe avec thèmes, sous-thèmes, rappels et polyphonie de continu. L'Histoire, qui englobe Hegel et Bergson dans la même glaise obscurante, ressemble beaucoup plus à un combat armé, combat interminable puisque, dans la brume épaisse, surgit à intervalles irréguliers un bataillon nouveau qui charge, sabres au clair, contre le flanc mou et blême du continu. Je crois (enfin !...) que je brûle : oui, je suis sur le point de comprendre la structure secrète du déroulement de l'Histoire. Je vois clair en mon coeur : le calcul différentiel m'inonde d'une joie brutale et surtout, bien sûr, d'un jet de lucidité. Voici, cher lecteur, cette récompense qui est aussi la vôtre (oui, je vais vous livrer mon secret) : le discontinu est continu, ce qui revient à dire, vous l'avez peut-être deviné, que s'il y a continuum celui-ci ne peut se produire que sous les espèces sonnantes du discontinu.

Je suis pris soudain d'un hoquet incalculable, qui me donne une petite idée de l'empire du discontinu sur le continu. Ce hoquet final me laisse pantelant d'intelligence : le discontinu est continu, donc la révolution est permanente et la contre-révolution, cette tranquille, est une virgule. Point final.

[1965]

LITTÉRATURE ET ALIÉNATION

La notion d'aliénation est une de ces notions trop manipulées qui encombrent notre vocabulaire. L'aliénation qualifie parfois le vide consécutif à un travail; sur le plan collectif elle équivaut à une absence d'autonomie ou à un statut de groupe infériorisé ou colonisé. Et, bien sûr, il ne faut pas oublier que ce mot a longtemps servi de terme universel pour désigner la maladie mentale.

Retenons de cela que l'aliénation implique une certaine privation : on est privé de ses droits, de sa liberté, de sa raison...

J'ai toujours pensé qu'il y avait une certaine ambiguïté dans l'application de cette notion à la littérature, car cela postule que la production littéraire est une activité compensatoire dans notre société et que l'écrivain a, ni plus ni moins, un statut de malade mental. L'écrivain serait, en quelque sorte, un fou idéal qui se livrerait à ses élucubrations alors que tout le monde est occupé à produire "sérieusement".

De fait, l'écrivain est en marge et se sent en marge de notre société hyperindustrialisée. On sait vaguement que toute société a ses écrivains et à cet égard, que notre société n'échappe pas à cette calamité. Dans cette philosophie non écrite, la littérature représente une contingence ou une garniture superflue. Selon ce schéma, l'entreprise littéraire se trouve dévalorisée, frappée d'inimportance et empreinte de futilité; l'écrivain, lui, est celui qui surmonterait sa propre aliénation (ou celle de ses semblables, parfois) par le recours à des symboles. Or je m'inscris en faux contre cette infra-idéologie qui diminue la littérature en lui attribuant la fonction d'exprimer ce qui est aliéné ou celle de compenser cette aliénation...

Je n'hésite pas à affirmer avec conviction une contre-théorie : celle de l'art pour l'art. J'affirme que la littérature n'est ni une fonction, ni le reflet d'une aliénation : les écrivains sont libres; et je leur reconnais volontiers la liberté d'écrire pour écrire, tout comme je reconnais aux artistes plastiques ou musicaux le droit à l'informel ! Autant qu'on admet aujourd'hui l'art non figuratif, on devrait admettre que la littérature aussi peut être "non figurative".

Bien sûr, la production littéraire ne se conçoit pas sans consommateurs — je veux dire : sans lecteurs, sans aucune diffusion. Mais qu'on n'invoque pas la nécessité de cette diffusion pour en inférer que l'écrivain est lié par cette transaction et qu'il doit obéir à une exigence de signification. Cela n'est pas consistant. La littérature a un coefficient de signification qui diminue de plus en plus, à mesure que les siècles passent ! On peut dire — tout banalement — que l'*Odyssée* d'Homère était toute chargée de significations, tandis que son pendant moderne, l'*Ulysse* de Joyce, est chargé de plus d'incohérences que de significations. Si on compare ces deux ouvrages géants, on peut constater, pour le moins, qu'en une vingtaine de siècles le produit littéraire a gagné en autonomie ce qu'il a perdu en signification. Il signifie de moins en moins, mais il est de plus en plus comparable à un tissu d'art ou à un tableau. Les interprétations multiples qui ont été faites de l'*Ulysse* de Joyce démontrent indirectement que la prolifération des signes est une technique de composition ou, si l'on veut, une façon décorative de présenter une histoire. Cette surenchère de significations dévalorise la signification unitaire d'un livre et fait basculer la littérature du côté de l'art "non figuratif".

Est-il possible de faire comprendre que Joyce, avec tout son fatras romanesque et son arsenal de mots anglais désamorcés, soit notre maître, notre seul et abominable professeur en déséquilibre, notre guide unique et complètement désaxé ? Eh bien, oui... c'est lui, Joyce, ce frère bouleversant qui tient notre plume hésitante et nous presse encore d'écrire des insanités à seule fin d'écrire des insanités. Bien sûr, cela me concerne; en fait, cela ne concerne que moi et les pauvres plaisantins qui continuent d'aligner des mots, les uns derrière les autres, afin de briser la fascination sordide qui nous enchaîne à la normalité des autres. Joyce n'est pas des nôtres; pourtant, c'est un frère posthume... et je sais que certains d'entre nous font le voyage à Zurich pour visiter ce qui reste de lui : le corps invisible, enseveli six pieds sous terre, d'un ami mort en terre étrangère, mais qui, avant de mourir, a eu le temps de mettre le feu aux poudres et de calculer minutieusement l'explosion de toutes les acceptions des mots qu'il a manipulés, de tous les sous-entendus d'une langue qui n'avait qu'un défaut : celui de ne pas être sa langue maternelle. Après tout, pourquoi pas Zurich ? Un cimetière catholique, en plein bastion de Zwingli, a le charme d'une pétition de principe ou d'une farce énorme...

A ce point, la littérature doit accrocher le lecteur autrement qu'en le bombardant de messages et qu'en lui dictant, mot à mot, une version incontestable de la vie... Le roman a déjà commencé d'éclater comme une vieille baraque à laquelle on aurait infusé la bombe "H". Il n'y a plus de narration, ni de structure narrative, ni de logique chronologique, ni d'histoire. Les romanciers sont payés pour savoir qu'ils doivent présenter leurs romans en dehors de toute tradition narrative et selon des normes nouvelles qui soient propres à ce qu'on écrit et au temps dans lequel on vit. Au siècle dernier, on se querellait à propos de "l'art pour l'art"; maintenant, tout a sauté en l'air. L'art est enfin libre et l'artiste ne se sent plus engagé dans une entreprise de signification. Le message à livrer aliène l'écrivain et le prive de sa liberté d'invention : il se trouve, ainsi, domestiqué et fonctionnalisé par la société. Il est réduit à être expressif et à faire des livres représentatifs. Rien n'est plus affligeant, rien n'est plus appauvrissant que cette fonctionnalisation de la littérature. Dans les pays soviétiques, on peut dire que la littérature se meurt d'être un simple instrument et l'écrivain un simple chantre officiel. Aussi bien dire que la littérature, dans ces sociétés, est tout simplement assassinée *a priori*... et c'est pur miracle si, à l'occasion, elle donne des apparences de survie. Dans les autres arts, la contrainte soviétique fut aussi désastreuse. Il suffit, pour le croire, de se rappeler quelle horreur fut le trop fameux "réalisme soviétique".

Michel-Ange et le Bernin qui, pourtant, dépendaient entièrement des papes et des princes étaient plus libres que ceux qu'on asservit au nom d'une idéologie ou d'un parti. On me dira : mais Pasternak ? Eh bien, aussi bien l'affirmer carrément : l'oeuvre de Pasternak ne vaut pas grand-chose quand on la compare à celles de Balzac, de Faulkner, de Proust, de Joyce ou de Capote. Son succès, en Occident, est sans doute dû au postulat selon lequel les romans produits derrière le rideau de fer ne pouvaient être que d'une médiocrité extrême. Pasternak s'est trouvé être l'exception qui confirme la règle : son oeuvre est d'une médiocrité moyenne, mais non pas extrême.

On me trouvera peut-être injuste. Peu me chaut. Je vomis allégrement ce Pasternak à qui le ministère des Affaires culturelles du Québec (Aide à la création) n'aurait pas accordé une subvention de mille dollars ! Il ne s'est pas vendu, il s'est donné, ce cher écrivain paresseux... Sa production ne m'ennuie pas, elle m'écoeure; hélas, cela est tel que je ne me sens même pas le désir, ni le besoin de justifier le bien-fondé de ma nausée. Pour moi, il n'y a pas l'ombre d'un doute : Pasternak n'a trouvé d'inspiration que dans la servilité la plus pénible. Moyennant une *datcha* de banlieue et un salaire minable, il n'a écrit qu'une parodie sinistre d'oeuvre d'art. S'il avait eu un restant de sens de l'honneur, il aurait peut-être pris l'initiative de se suicider; mais encore, pour en arriver à cela, il aurait fallu un brin de lucidité ! Pasternak avait tous les talents d'un écrivain commandité, sauf celui-là : il aimait son sort, il chérissait sa merveilleuse sécurité soviétique et sa petite *datcha :* il y est mort, imbu de sa gloire risible et en conformité avec sa profonde et insondable médiocrité de faux patriote. Si je devais m'expliquer plus longuement à son sujet, j'aurais une irrésistible envie de me taire. Car la niaiserie (cette imposture) m'incline au silence et, à la limite, aux pires blasphèmes qui nous tiennent lieu — nous, Québécois — d'héritage national.

Mais ce n'est pas seulement dans les pays soviétiques que l'écrivain est aliéné. Il existe une tradition, en littérature, qui hypothèque lourdement les écrivains d'aujourd'hui, c'est la notion de rôle de l'écrivain. Ce rôle existe, bien sûr, mais il est généralement réduit à l'expressivité et à la signification. Or, rien n'est plus privatif que cette limitation. Cette conception du rôle de l'écrivain est un archaïsme, autant qu'est archaïque la tradition selon laquelle un roman doit raconter une histoire et être composé selon des lois propres au genre narratif. L'écrivain qui endosse cette directive pernicieuse qui lui est dictée sournoisement par toute une société, tombe, à pieds joints, dans une trappe. Il est attrapé, au sens premier du terme, conformiste de la façon la plus plate et la plus dépourvue de sens. Voilà sûrement un exemple d'aliénation littéraire !

Quant aux écrivains de peuples aliénés, ils peuvent honnir l'aliénation dont leurs frères sont l'objet. Mais ils se privent d'un statut de liberté, en tant qu'artistes, s'ils se limitent à n'être que des porte-parole de cette aliénation collective. Et, dans ce cas, leur production littéraire se dégrade, s'appauvrit, se détériore. Ils écrivent, sans le savoir, des romans nationalistes — tout comme, à une autre époque, on faisait des romans régionalistes. Ces romans, on n'en sort pas, sont des romans à thèses : ils empruntent leur forme aux traditions les plus éculées du genre fictif.

Hélas, je juge sans plus de pitié certains écrivains québécois qui préconisent l'utilisation systématique du "joual" en littérature. Le "joual" est, pourrait-on dire, un parler assez contaminé ou détérioré. Ce parler a été considéré par certains écrivains comme la langue véritable utilisée par les vrais Québécois pour communiquer entre eux. Or il n'en est pas ainsi; ce supposé joual vernaculaire est une fumisterie d'écrivains qui croient sincèrement aux vertus libérantes d'une littérature de dérision. Selon ces préceptes, la littérature "joual" amorce le processus de décolonisation. Je pense que la littérature "joual" tout entière repose sur une erreur : le "parler" que ces écrivains considèrent comme général au Québec est, de fait, très peu répandu et même, en voie de régression. La littérature "joual" mène tout droit à une impasse : c'est la littérature de l'incommunication, c'est une littérature sans avenir et dépourvue de capacités formelles et de libertés formelles.

Bien sûr, le français parlé au Québec comporte des idiotismes, comme celui qu'on parle dans les cantons francophones de Suisse, en Wallonie et dans les pays francophones d'Afrique noire. Comme on le sait, ces régionalisations d'une langue universelle sont normales et nullement inquiétantes dans la mesure où les populations de ces différents pays sont assez grandes, assez structurées politiquement et aussi assez concentrées géographiquement. C'est le cas des six millions et plus de Québécois francophones qui alimentent de leurs impôts un gouvernement dont l'importance et l'autonomie sont établies depuis un certain nombre de décades. Le Gouvernement du Québec est francophone : il légifère en français et il organise dynamiquement un système d'éducation dans lequel le français est prioritaire. Cela explique, sans aucun doute, pourquoi le français (même en dépit de certains accents ou de certains idiotismes) progresse irréversiblement au Québec. En d'autres mots, cette scolarisation intensive en français tend à uniformiser (voire même à internationaliser) le français parlé au Québec. Loin de moi, l'idée qu'il faut modeler intégralement notre parler sur l'accent parisien.

En tant qu'écrivain, je me reconnais la liberté d'utiliser quand cela me convient des mots ou des expressions typiquement québécoises. J'utilise une langue vivante, après tout... Mais loin de moi aussi, la tentation de croire que le "joual" est une langue : c'est un parler, pittoresque parfois, mais pauvre quand il est utilisé — comme il en est avec certains écrivains — de façon exclusive. Cette production écrite en "joual" (et uniquement en "joual") sera vite démodée. Le même sort attristant fut réservé aux écrivains liégeois qui, vers 1880, ont produit des ouvrages en patois ou dialecte liégeois.

Il ne faut pas perdre de vue que le français nous appartient autant qu'aux Français de France; et, de plus en plus, les écrivains québécois sont conscients qu'ils utilisent une langue vivante et compréhensible, tout autant que leurs collègues de France.

Je sais bien qu'il m'est difficile d'être objectif à propos de ma propre expérience d'écrivain; mais je ne renonce pas, pour autant, à faire acte de franchise en disant que j'éprouve une joie profonde à produire des romans écrits en français pour un public francophone, mais aussi destinés à porter, hors des frontières du Québec, l'énormité désespérée de mes intrigues. Ce ne sont pas les couches brumeuses de mon cerveau qui se dégagent ainsi, mais ce sont les frontières douteuses de mon pays qui débordent infiniment et interminablement le sol natal qu'elles enserrent. Finie l'objectivité ! Finie la fameuse objectivité fédérale... Fini, à jamais, ce qui ressemble singulièrement au dogme absolutiste d'une terre immobile et finie : Galilée est passé par là et, loin derrière, je suis modestement sa voie. Ce n'est pas seulement la terre qui tourne, c'est le pays natal qui s'ébranle et l'autre, le faux pays gardé sous linceul fédéral, qui explose et s'émiette. Je suis un écrivain : rien d'autre qu'un écrivain québécois dont la seule fonction est de produire encore des variantes nombreuses d'une "odyssée" qui, de cabotage en naufrage, conduit un héros transparent de Charybde en Scylla, mais aussi le ramènera finalement au port d'Ithaque, au havre funèbre du Saint-Laurent... Le Québécois errant aura, un jour, terminé son errance intolérable : il n'en peut déjà plus de rejoindre son port d'arrivée, il veut en finir, il se presse en moi et me dicte l'itinéraire incertain de son voyage terminal, de son retour. Les Plaines d'Abraham disparaissent doucement dans la brume ennemie : elles s'estompent, elles glissent pernicieusement, insensiblement vers le fleuve noir qui coule sans cesse et sans saison. Oui, elles sont finies les Plaines d'Abraham : elles ne trouvent plus acheteur, ni soldat qui soit capable de les traverser dans le sens de la conquête. Ce jeu militaire n'est plus de bonne guerre : les plaines célèbres sont froissées comme du papier, déchirées comme des lettres d'amour inédites... Tout est en berne au Québec; et tout sera en berne jusqu'à ce que le patriote fantôme, costumé en écrivain, revienne au foyer, tel un spectre. Il n'y a plus d'intrigue possible hors de cette hantise collective qui ressemble à l'espérance et au bonheur.

Je n'en dirais pas tant des groupes franco-canadiens dispersés dans les autres provinces du Canada. Ils n'ont pas tellement d'avenir en tant que minorités linguistiques : ils sont, en général, déphasés par rapport à leur milieu ambiant. Sauf, peut-être, les Franco-Ontariens de la région de Sudbury ou de Sturgeon Falls et, peut-être, les Acadiens du Nouveau-Brunswick (et encore). Ces groupes dispersés n'ont plus de statut propre et semblent en voie d'extinction sur le plan linguistique. Le pourcentage d'assimilation est là pour en faire foi. Ils ont des problèmes de Doukhobors. Ils s'éteignent lentement; hélas, cela est normal...

Inutile de dire que je ne crois pas du tout au bilinguisme, ni au biculturalisme transcanadiens. La productivité littéraire (entre autres) des groupes bilingues et isolés est presque nulle. L'accession d'un présumé Canadien français à la tête du gouvernement fédéral anglophone pourrait se comparer à l'élection d'un fondé de pouvoir du Black Power à la Maison Blanche ! Le premier ministre actuel est un exemple vivant de l'aliénation... Peut-on imaginer, par exemple, qu'un

Canadien anglais soit élu premier ministre du Québec ? Pourtant, ce serait aussi aberrant, à peine plus...

La littérature du Québec n'est pas déphasée par rapport à la littérature produite en France ou même dans d'autres pays. Maintenant que les écrivains et les artistes québécois ont pris conscience de leur identité, ils manifestent un dynamisme formel assez impressionnant. Les vieux canons de l'art éclatent et n'ont pas fini d'éclater au Québec. Et cette audace n'est pas d'aujourd'hui. Il y a déjà une tradition révolutionnaire, dans l'art et la littérature québécois, qui remonte à la publication en 1948, à Saint-Hilaire, d'un petit livre intitulé *Refus global.* Cette brochure, tirée à seulement 400 exemplaires, est l'oeuvre du peintre Paul-Emile Borduas et de son groupe. Ces pages incendiaires ont déclenché chez les artistes québécois une volonté de libération qu'on retrouve, encore toute chaude, dans les poèmes les plus récents de Chamberland ou de Miron, ainsi que dans les romans de Godbout ou dans les livres violents de Marie-Claire Blais. Il serait difficile de parler ici d'influence au sens strict du mot, car il n'est pas sûr que les écrivains que je viens de mentionner aient pris connaissance du texte même de *Refus global;* il faudrait plutôt parler de parenté secrète ou de filiation inconsciente. A preuve ce passage de *Refus global* qu'on pourrait tout aussi bien attribuer au lyrisme mordant de certains poèmes de Gaston Miron :

> *Les frontières de nos rêves ne sont plus les mêmes...*

Et encore ceci :

> *Rompre définitivement avec toutes les habitudes de la société, se désolidariser de son esprit utilitaire... Refus d'un cantonnement dans la seule bourgade plastique, place fortifiée mais trop facile d'évidement. Refus de se taire... Refus de servir, d'être utilisables...*
>
> *Place à la magie ! Place aux mystères objectifs !*
>
> *Place à l'amour !*
> *Place aux nécessités !*

Voici les phrases terminales de ce cri lancé par Borduas :

> *Que ceux tentés par l'aventure se joignent à nous.*
> *Au terme imaginable, nous entrevoyons l'homme libéré de ses chaînes inutiles, réaliser dans l'ordre imprévu, nécessaire de la spontanéité, dans l'anarchie resplendissante, la plénitude de ses dons individuels... D'ici là... nous poursuivrons dans la joie notre sauvage besoin de libération.*

Borduas a, pour ainsi dire, donné le signal d'une révolution artistique qui continue, encore aujourd'hui, de se répercuter dans les meilleures productions plastiques ou littéraires du Québec. Ce petit livre, publié en 1948, est important si l'on veut comprendre cette explosion générale qui se produit dans tous les arts au Québec. Il est le premier chaînon de cette longue entreprise de "déplafonnement". Cette littérature — jadis éteinte ou trop soucieuse de ne pas innover — manifeste déjà une plénitude et une assurance que les Crémazie, les Fréchette, les Ringuet n'ont jamais rêvé d'atteindre. Ces anciens écrivains, voilà des exemples parfaits d'une aliénation nationale et individuelle qu'ils ne savaient même pas nommer. L'innombrable est désormais nommé, décrit, analysé, vécu et archi-vécu ! Tant mieux !

On n'écrit plus à seule fin de compenser une réalité déficiente, ni pour exorciser une aliénation collective qui obnubilerait tous les Québécois. Bien sûr, l'écrivain québécois est conscient de la situation politique et sociale de son peuple; et il sait bien que son peuple combat pour se libérer totalement et véritablement de la tutelle du gouvernement d'Ottawa. Mais cette volonté partagée par un grand nombre de Québécois est source de plus d'exaltation que d'aliénation. Et quand tout éclate dans une société, il est peut-être prévisible et même normal que la littérature éclate en même temps et se libère de toute contrainte formelle ou sociale. Maintenant que Borduas est mort, le cri de libération qu'il avait lancé en 1948 s'est amplifié. Borduas a posé la première bombe sous les structures de notre société, renouant ainsi avec la révolution de 1837-1838. Cette révolution continue de gronder sous terre et dans les livres qui se préparent au Québec. Elle a des vertus libérantes qui sont quelque peu contagieuses.

[1968] Ville de Laval, Québec

LE JOUAL-REFUGE

Le joual n'est pas un faux problème, mais c'est un problème usant, stérile et, on le croirait parfois, interminable. Le joual se réfère à l'écart linguistique qui existe entre notre français et celui de France; et dans la mesure où le fond de l'océan Atlantique ne se soulèvera pas pour établir une continuité superficielle entre Gaspé et le Finistère, il me semble évident qu'un certain écart linguistique se perpétuera. L'écart est donc variable en intensité ou en extension, mais permanent dans son substratum.

Si le joual se définissait d'après ce qui sépare notre langue de l'anglais et non d'après ce qui la différencie du français, on serait en droit de penser que la langue joual atteste d'une plus ou moins grande anglicisation de ceux qui l'emploient. Mais non ! Il en va autrement : le joual est, par son origine et dans ses développements, une langue qui s'ébauche contre le français. Si le joual débouche éventuellement et acquiert le statut de langue, il figurera, dans les ouvrages de linguistique, comme un dérivé du français.

Actuellement, le joual est en genèse et ce n'est pas encore une langue; c'est une contre-langue. Il manifeste et propage une subversion contre la langue maternelle de ses tenants; on lui prête, on cherche à lui inculquer une structure linguistique indépendante du système de la langue française. Si la guerre n'est pas officiellement déclarée, les hostilités n'en sévissent pas moins. Le joual est un maquis linguistique; et il n'est pas irréaliste de prêter aux maquisards l'ambition de supplanter le français voire de l'éradiquer dans les limites du territoire québécois. Le joual est sécessionniste par rapport au français.

Une analogie apparaît entre le joual et le souverainisme. Le joual est un projet politique qui se définit contre la Confédération canadienne ou, grosso modo, contre les Canadiens anglais. Les Canadiens français sont donc le lieu d'un double rejet; celui de la langue française et celui du cadre fédéral à prédominance anglaise. Ce qui frappe le plus dans la conjonction de ces deux thèmes, c'est le rêve — même implicite — d'une parthénogénèse collective. Mais mon propos n'est pas de poursuivre une telle analyse symbolique, non plus que d'en démontrer la validité. Je constate plutôt avec effarement que l'énergie innovatrice des Canadiens français est mobilisée contre deux dominations : celle de la langue française et celle du gouvernement fédéral. Il faut donc comprendre que nous sommes doublement colonisés, mais par deux entités colonisatrices qui n'ont rien à voir l'une avec l'autre, et que nos luttes libératrices se déroulent simultanément sur deux fronts. Les forces vives de la nation, selon ce schéma, se trouveraient donc écartelées.

Si j'attaque le joual (en tant que volonté radicale de constituer une nouvelle langue, non en tant que parler français) c'est que je considère le joual comme une anémie pernicieuse : ce n'est pas seulement notre langue qui s'en trouve frappée, mais la pensée dans la mesure où la pensée ne peut accéder à l'existence que par la médiation d'une formulation verbale ou écrite. Quand la formulation devient défectueuse, la pensée se trouve disloquée, larvaire, impuissante.

Les exemples sont abondants de peuples qui, au terme d'une certaine créolisation, ont finalement adopté une langue plus pauvre et moins efficace que celle qu'ils avaient au départ. Ces phénomènes, bien sûr, ne sont pas réductibles à l'addition de choix individuels; ce sont des phénomènes collectifs qui s'accomplissent sur une période de temps excédant la vie d'un homme. Il n'est donc pas inutile de se poser le problème du joual dans la mesure où le processus d'instauration de cette "langue" vient tout juste de s'amorcer. La passivité des individus ne peut, dans ce cas, que favoriser ce passage collectif au joual.

Certains me diront que ce passage est déjà fait et qu'il est déjà trop tard; si c'est le cas, il n'y a pas de quoi s'en faire et je suis entièrement d'accord avec l'écart linguistique actuel entre la lanque pratiquée au Québec et le français de France. Je n'ai jamais rêvé de supprimer cette distance, ni d'abolir la charge québécoise que véhicule notre français; je me réjouis même que cette distance soit manifeste et que notre identité nationale ait une expression unique, reconnaissable.

Mais si telle est la situation, cela signifierait que le joual n'est qu'une désignation métaphorique du français réalisé par les Québécois; rien ne me dérange dans cette définition du joual. Je sais toutefois que les promoteurs du joual ne l'entendent pas de la même façon; selon eux, le joual constituera une langue distincte du français et de l'anglais, ayant tous les attributs pléniers d'une langue. Dans cette optique — selon Victor-Lévy Beaulieu — les oeuvres écrites en joual devront être traduites pour être distribuées sur le marché français.

Je disais, au début de ce texte, que le joual est une langue qui s'ébauche contre le français. Cela me paraît encore bien fondé; je veux quand même ajouter un autre élément à cette tentative de définition du joual. Le joual, parler français spectaculairement contaminé par l'anglais, constitue aussi une sorte d'immunisation contre l'anglicisation; il manifeste, d'une manière ambiguë, une résistance farouche contre l'anglais. Si paradoxal que cela puisse paraître, le joual est un rempart contre l'anglicisation dans la mesure où il a absorbé le poison de l'anglais; on imagine difficilement quelqu'un qui glisserait du joual à l'anglais tellement celui qui parle ou écrit joual est fortement labellisé québécois.

L'obsession de l'identité nationale va très loin chez nous, car certains Québécois se croient menacés de désidentification si toutes les composantes de l'identité nationale ne sont pas rigoureusement québécoises; en d'autres termes, ils professent que, pour s'exprimer totalement, une nation doit avoir une langue qui n'appartient qu'à elle, alors qu'en fait un peuple peut s'exprimer de façon bien originale tout en usant, pour ce faire, d'une langue dont il n'a pas l'exclusivité. Une nation peut tout aussi bien être elle-même en parlant une langue internationale, quitte à connoter celle-ci, à l'enrichir et à l'adapter.

A maintes reprises depuis quelques années, j'ai été irrité par la profusion des débats sur la question linguistique au Québec, car ces débats, selon moi, faisaient écran au problème national numéro un : le problème politique. Ces querelles d'*Hernani* linguistiques cristallisent la conscience collective à des niveaux secondaires. La question linguistique s'est substituée au problème national et la subversion verbale qu'est le joual tient lieu de combat de libération nationale. J'ajoute : la subversion verbale remplace la vraie subversion, mais ne l'appelle pas !

En même temps que nous hésitons à donner un cadre politique autonome à notre groupe, nous accentuons notre identité nationale démesurément au niveau de la parole. A force de vouloir une identité autarcisante qui doive le moins possible à ce qui nous est étranger, les Canadiens français pratiquent une subversion culturelle permanente qui n'est que l'envers d'une colonisation permanente. Le conquis, aussi longtemps qu'il se perçoit comme conquis, est enclin aux diverses modalités de la subversion; c'est un être humilié, contrarié, irritable, ombrageux. Comme il a été spolié et privé de ses droits, il s'octroie, par surcompensation, le droit à l'hésitation politique, le droit à l'indétermination, le droit aux contradictions et le droit à tous les droits. Le colonisé est profondément ambivalent : il hésite, il oscille et se sent coupable de le faire, il freine toujours ce qu'il croit être des impulsions, il redoute de poser des actes regrettables et, de cette façon, se tient toujours sur le seuil de la paralysie. Aux yeux des presque paralysés, seules la violence et la subversion sont de l'action.

Quand j'entends le ministre Gérard Pelletier donner une leçon de francité à monsieur Robert Bourassa, je réalise que ce sont les fédéralistes qui nous encouragent à considérer notre langue comme première, sacrée, prioritaire. La langue française, depuis quelque temps, a commencé de faire l'objet des initiatives de récupération et de revalorisation de la part des Canadiens anglais fédéralistes. Car, ne l'oublions pas, le français (langue seconde officielle) est la marque de commerce du Canada.

Les Canadiens anglais et les fédéralistes ne veulent pas renoncer au français. Cette langue fait partie de leur patrimoine et de l'image globale du Canada. On ne peut quand même pas leur en vouloir d'être fidèles à l'idéologie fédéraliste lorsqu'ils se font les défenseurs du français.

L'empiètement fédéral, dans ce domaine, est proportionnel à la mollesse rétractile du gouvernement québécois. Le Québec fait encore partie de la Confédération canadienne : les élections du 29 octobre 1973 ont rappelé ce détail. Il existe une relation de complémentarité de fait entre le Québec et le gouvernement central, même si le Québec s'est révélé un complément revêche du Canada anglais. Le

Canadien français se perçoit comme nécessaire au Canadien anglais et comme partie intégrante de sa réalité. C'est tout juste si le Québécois ne se mêle pas des affaires du Canadien anglais par réciprocité vindicative, tout comme le Canadien anglais s'immisce dans nos affaires.

Le lien de complémentarité Québec-Canada purifie peut-être le Canadien français de certaines de ses rancunes, mais il emprisonne aussi sa pensée dans une relativité asservissante. D'autre part, comme le gouvernement central se préoccupe, conjointement avec le Québec, de la conservation du français au Québec, le Canadien français est sécurisé; il ne redoute pas la disparition du français, ni son anéantissement au profit de la langue anglaise et le français acquiert, sous cette double protection, un statut de langue protégée.

Parlons maintenant des immigrants. On a des scrupules à forcer les immigrants à inscrire leurs enfants aux écoles françaises, alors que depuis longtemps des centaines et des milliers de Canadiens français ont été obligés de parler anglais et de vivre en silence tellement ils étaient contraints de ne s'exprimer que dans une langue étrangère. Et ces Canadiens français n'étaient pas immigrants : ils n'avaient pas choisi de s'établir dans un autre pays, ils étaient chez eux et dans leur pays. On a des scrupules à user de coercition légale pour refranciser notre pays, alors que d'autres n'ont éprouvé aucun scrupule à l'angliciser de force ! C'est un comble.

Les immigrants constituent le germe le plus vicieux de notre anglicisation. Ce ne sont plus les Anglais qui veulent nous assimiler; ce sont les immigrants qui non seulement veulent être assimilés aux Anglais, mais nous contestent le droit d'assimiler à notre culture et à notre langue qui que ce soit ! Ils ne nous résistent pas, ils nous contestent le droit de légiférer sur l'immigration au Québec et, du coup, nous font reculer plus gravement encore que cela n'avait été fait dans notre passé. Et ces immigrants, une fois assimilés, auront vite fait de se tranformer en des assimilateurs anglophones.

Les immigrants sont en train de rendre virulente et pourrie la situation linguistique au Québec. Les frictions commençaient de disparaître entre Canadiens anglais et Canadiens français; voilà qu'elles renaissent et se multiplient gravement entre Canadiens français et immigrants parce que ces derniers ignorent avec morgue les droits acquis par les Canadiens français. A la limite, je crois que les immigrants perçoivent les Canadiens français comme des immigrants — ignorant ainsi une histoire qu'ils n'ont d'ailleurs pas apprise — et qu'ils refusent avec agressivité de s'intégrer à un groupe autonome et qui se veut souverain.

En d'autres termes, les immigrants bafouent, par leur attitude, la Confédération canadienne, ce qui indique, selon moi, qu'ils sont venus s'établir non pas au Canada (dont ils refusent la réalité), mais dans un pays qui n'est que l'antichambre des Etats-Unis.

Actuellement, les immigrants faussent le jeu confédératif normal autant qu'ils freinent l'accession du Québec à l'indépendance. Ce n'est pas manifester de la xénophobie que de contraindre les immigrants à faire preuve de loyauté politique et de consistance culturelle; ce sont plutôt les immigrants qui auraient des comptes à rendre à propos de leur xénophobie, car c'est d'eux que part ce négativisme culturel qui est si destructeur pour la communauté québécoise.

Dans ce contexte, rêver d'instaurer une langue nouvelle — le joual — équivaut à capituler d'avance en nous réfugiant dans une forteresse linguistique inexpugnable et indéchiffrable.

Le joual ne peut être révolutionnaire que si le Québec reste toujours dans un état colonisé. Car après l'accomplissement de la libération nationale, le joual aurait perdu sa valeur révolutionnaire et ne serait plus qu'une déformation résiduelle de notre parler. On ne fonde pas une langue sur l'existence forcément provisoire d'un régime politique colonisateur; quand le régime en question sera renversé, la langue "combative" deviendrait un archaïsme contre-révolutionnaire.

Le joual se présente souvent comme la phonétisation laborieuse d'un français délibérément sacrifié. A tout phonétiser, on donne l'illusion de nationaliser le français (qui ne nous a jamais été imposé d'ailleurs). En réalité, on nie l'écriture et le phénomène de l'imprimerie; du coup on écarte d'un revers de la main la connaissance et la pensée ! Phonétiser tout, c'est faire comme si le lecteur n'était pas conscient de l'arbitraire de l'orthographe d'une langue et des langues en général. C'est faire comme si cela se passait entre analphabètes.

[1974]

IV

"La mort de l'écrivain maudit", "L'écrivain et les pouvoirs" et "Constat de quarantine" sont en quelque sorte des textes d'éclatement. Sous l'action des tensions et des contradictions d'un engagement aux valeurs pour le moins variables, comme dans le cas de son conflit avec la revue Liberté, *Aquin coupe brusquement tous les ponts. Marquant un temps d'arrêt, son écriture relève et détermine alors ses tensions spécifiques, prépare ses éclats. Mais "La mort de l'écrivain maudit" n'est pas encore aussi énigmatique à ce sujet que "Le texte ou le silence marginal ?", publié en 1976 dans le sillage des démêlés avec* la Presse.

R.L.

LA MORT DE L'ÉCRIVAIN MAUDIT

J'imagine que je suis ici, à cette VIIe Rencontre des maudits écrivains, à seule fin de donner un show terrible — sorte de spectacle total, comme qui dirait — mettant en vedette un écrivain mythique et non seulement maudit, ainsi que d'autres protagonistes, lecteurs, analystes, femmes maudites et hommes du monde... Il semble bien, d'après l'information théorique qui a précédé le panel, que l'écrivain maudit serait une sorte de mythe qui, par l'impact de la mise en marché et de la diffusion, serait en train de devenir périmé... ou quelque chose d'approchant : quelque chose de rétrograde... Je me suis permis de déduire de cet exposé initial ou préfiguratif que l'écrivain maudit se devait — pour être à la mode du jour — de mourir au plus vite, faute de quoi il sera frappé d'interdit... voire jeté à la poubelle...

L'écrivain maudit, qui est-il au juste ?... D'après le prospectus de ce panel, il aurait une allure de poète faustien, tragique, sombre, mais surtout inspiré... et, de par cette inspiration même, enclin à dévaloriser le travail de confection consciente de sa production...

C'est aussi, on n'y peut rien, une certaine image sacralisée de l'écrivain... On lui conférerait, selon cette imagerie, une sorte de puissance occulte, un aveuglement fulgurant assimilable à l'inspiration, une sorte de spontanéité innée à laquelle il ne peut rien et qui s'épanche quasi automatiquement de gauche à droite sur le papier...

Il me semble impérieux de désacraliser l'inspiration inconsciente comme détenant une position privilégiée; mais, je ne crois pas, pour autant, qu'il faille démythifier la production littéraire afin de rejoindre un au-delà de l'artificialité spécifique à la littérature...

Au contraire, je préconise qu'on sacralise, ni plus ni moins, cette artificialité qui, selon moi, est inhérente à tout ce qui est écrit — de telle sorte que, rendue consciente, cette artificialité révèle la propriété par excellence du produit littéraire, soit : les techniques de composition de l'écrivain...

Ainsi perçue, la littérature nous apparaît comme un échange entre le lecteur et l'écrivain — échange qui correspond au degré d'implication et de compréhension du lecteur... Alors, aussi bien disqualifier radicalement la terminologie d'"écrivain maudit"... Il vaudrait mieux comprendre que l'écrivain ne peut apparaître comme maudit que d'après la perspective du lecteur intimidé par les divers procédés et les diverses méthodes qu'il utilise... A la limite, la notion d'"écrivain maudit" recouvre un préjugé d'après lequel il faut associer la production d'oeuvres littéraires à une certaine anormalité... Dès lors, on qualifie de maudit ce qui nous semble anormal; et de là à considérer ce qui est maudit comme étant inaccessible, il n'y a qu'un pas... qui est vite franchi...

L'écrivain maudit est-il mort ?... J'ai l'impression que la seule formulation du titre de cette discussion, ce matin, indique que ses auteurs y ont répondu implicitement mais aussi de façon ambiguë... La mort de l'écrivain maudit... voilà un voeu, une sorte de conjuration à double tranchant... En effet, si le premier tranchant postule la mort de l'écrivain maudit, le deuxième tranchant postule implicitement que l'écrivain maudit est invaincu...

Si je cherche, au niveau de l'arrangement d'une phrase-titre, une signification quelconque, c'est sans doute que je crois que très peu de hasard a présidé à la présentation de cette phrase-titre... et, dès lors, je pense que je devrais trouver, derrière ce petit écran phraséologique, une intention — fût-elle vague...

L'intention cachée peut-elle échapper à une analyse méthodique ? Je ne crois pas... Et j'espère que personne ne se sent visé outrageusement par ma curiosité... Or voici ce que je découvre dans la phrase-titre :

1) premièrement : la mort de l'écrivain (j'exclus volontairement l'épithète finale);
2) deuxièmement : l'écrivain (est) maudit parce qu'il n'est pas mort...
3) en conclusion : l'écrivain est considéré comme voué à une mort spécifique et irréversible, puis — dans un second temps — il est ouvertement maudit parce qu'il ne se conforme pas au souhait exprimé dans la première partie de cette proposition...

Somme toute, cette phrase-titre contient deux postulats

dont l'un exclut l'autre et dans les deux sens : on pourrait formuler ainsi ce programme : mort ou malédiction... mais pas les deux : ce serait, en quelque sorte, trop beau...

Maintenant que j'ai, pour mon profit au moins, démonté cette image de l'écrivain maudit, je n'ai plus qu'à confesser ma position dans cette affaire... Suis-je, à mes yeux, maudit ou non maudit ?... Du moins, je peux me contraindre à me décrire à cet égard — histoire de faire acte de lucidité en pleine noirceur.

— Je me crois maudit, objet de certaines malédictions, (en toute franchise) — mais je crois comprendre que cette malédiction qui s'attache à moi, écrivain, n'est pas une condamnation unilatérale, irréversible, implacable... Oh Dieu, les choses unilatérales et simples se font de plus en plus rares de nos jours et dans notre société !!! Et tant mieux d'ailleurs... Les choses complexes et ambiguës me rassurent sur le sérieux des gens... Mais revenons à moi, comme disait l'autre... L'écrivain maudit (en 1969 au Québec) ne fait qu'incarner une vocation ambiguë du peuple québécois — lui aussi maudit et bienvenu à la fois, maléfique et bienfaisant, dangereux, terrible et accepté...

— Je me sentirais d'autant plus gêné de dire que j'incarne, en tant qu'écrivain, la vocation trouble de la nation québécoise, car je n'ai rien d'un sauveur de race... ni rien de si énorme... Au-dessus et bien au-devant de moi, je place par exemple un Gaston Miron dont la vocation exemplaire a je ne sais quoi de fracassant et d'absolument merveilleux. Lui, tel qu'en lui-même, c'est notre Christ... et je crois lui rendre hommage en disant que son seul nom constitue, de plus en plus, un blasphème extraordinaire...

— Si mes souvenirs sont bons, seul un Louis-Joseph Papineau a déjà atteint à une qualité blasphématoire aussi percutante... Mais cela fait longtemps... et ce cher Louis-Joseph Papineau — disons-le à sa décharge — vivait à une époque où les Anglais nous écrasaient avec une égale désinvolture... Homme diabolique, à la fois l'idole et la terreur de son peuple, cet homme portait un nom incendiaire, blasphématoire... En 1969, on aurait tendance (dans notre milieu) à réserver à Louis-Joseph Papineau le sort lamentable qui fut celui d'André Laurendeau, par exemple...

— En d'autres termes, la frontière maléfique s'est déplacée... et je dirais volontiers qu'elle se situe maintenant à la hauteur de Gaston Miron... Cet homme est, pour moi, un modèle et un exemple toujours vivifiant de ce qui est maudit (dans notre société édifiée, comme chacun le sait, sur la condensation nationale de l'eau bénite...).

— L'écrivain maudit est sûrement maudit, mais il n'est pas mort... Dieu merci... ou : merci Belzébuth...

— Quel que soit le message d'un écrivain québécois, quel que soit le contenu d'un livre ou d'un écrit, il se trouve — malgré lui — devant le problème suivant : inventer une nouvelle façon d'être québécois en écrivant des livres... Non pas qu'il doive se mettre en tête de représenter ou de refléter la société québécoise autour de lui (nous ne sommes pas des miroirs...); mais du fait de son enracinement, l'écrivain québécois devra vraisemblablement être manifestement québécois, créer son mode de manifestation personnel, inventer le style de sa propre épiphanie... afin d'être (dans ses livres) québécois à rendre malade...

On m'a bien compris, j'espère : je ne préconise pas une sorte de typification ou de représentativité que tout écrivain québécois doit assumer dans son oeuvre. Je dis simplement qu'il n'est pas facile d'être québécois... et que cela se vérifie dans la production littéraire québécoise, tout comme dans d'autres secteurs d'activités... Quand on est québécois avec tiédeur cela donne des résultats désastreux... à preuve les minables députés et ministres qui nous représentent à Ottawa... En littérature, aussi, les résultats sont pénibles : faut-il que je crache, au passage, sur un Pierre Trottier pour que vous compreniez d'emblée ma pensée... ?

Je maintiens, contre toute vraisemblance, que je suis un écrivain vivant et — dans la mesure où je puis donner suite à ce projet d'existence — je vais aussi continuer à écrire des variantes toujours plus inutiles du néant dont nous, les écrivains, sommes l'invincible incarnation. Notre entreprise peut se comparer à une tentative plus ou moins séduisante pour donner une forme à la vacuité intérieure que, par le fait même, nous étalons non sans quelque plaisir... en souhaitant que nos lecteurs éventuels y trouvent aussi un certain plaisir...

— Borgès, l'écrivain argentin, a déjà dit : "*Lire est, pour le moment, un acte postérieur à celui d'écrire, plus risqué, plus courtois, plus intellectuel"...*

— "Plus courtois"... le mot de Borgès me paraît bien juste pour qualifier cette opération qu'est la lecture... Selon ce schème, il devient logique d'étiqueter l'entreprise de l'écrivain comme une irrévérence, un manque de correction. Je suis enclin à abonder dans le sens de Jorge-Luis Borgès et de sa conception fumante de la courtoisie (lire) et du manque de courtoisie (écrire)... Et comme Borgès est logique, il va jusqu'à réduire souvent l'acte d'écrire à une prospection ésotérique de cette "bibliothèque totale" à laquelle nous avons tous accès, dans la mesure où nous avons assez de patience et assez de méthode pour la parcourir dans tous les sens et de façon incessante... Il est tout à fait inconvenant de s'arrêter sur une note aussi hermétique lorsqu'on a commencé de parler de LA MORT DE L'ECRIVAIN MAUDIT... Mais, je m'enferre dans les entrelacs de la prose de Borgès et je m'y complais même, adoptant ainsi, sans aucune gêne, ses postulats indémontrables et ses "indiscernables identités" (principe qu'il tient d'ailleurs de Leibniz...). L'écrivain maudit est fort heureusement celui qui manque de courtoisie, celui que toute bénédiction hérisse, celui qui conteste la validité bénéfique du goupillon... Par opposition, l'écrivain béni ressemble comme deux gouttes d'eau à l'eau bénite qui coule, depuis deux siècles et des poussières, dans nos veines de conquis...

Paraphrasant mon écrivain préféré, Paracelse (ou Auréole Philippe Théophraste Bombast von Hohenheim) qui a dit "*L'homme est une vapeur condensée*", je dirais : L'écrivain maudit n'est qu'une vapeur d'eau bénite condensée... Vous me direz Paracelse,... après tout... : eh bien, je dis solennellement et une fois pour toutes que Paracelse — plus encore que Borgès — est mon "doppelganger"...

[1969]

L'ÉCRIVAIN ET LES POUVOIRS

Jamais, thème ne m'a enchanté aussi vivement ! J'imagine, dans mon pseudo-délire, l'écrivain investi d'un pouvoir totalitaire qui l'inclinerait, pernicieusement, à l'improductivité euphorisante et lui mériterait un traitement annuel qu'on a accoutumé de considérer comme "ministériel" ! Mais, écrivain comme d'autres écrivains, je délire tant bien que mal et je continue, tout ce temps, de croupir dans le pouvoir magique du chef *poking fire* pour un traitement qui n'est même pas qualifiable d'annuel...

Les "100 000 chômeurs", sombre euphémisme du chef Bourassa, coïncident souvent avec les 100 000 polygraphes qui sont en maraude à Sainte-Scholastique en quête de commandes fermes...

Mon sérieux m'a toujours caractérisé, et cela, depuis le berceau ! Au lieu de m'alimenter aux mamelles de ma mère, je lisais, par-dessus son épaule, les romans glischroides de Marcel Prévost et les ouvrages sadophiliques de Maurice Dekobra. C'était, en quelque sorte, les saintes écritures de ma maman chérie ! Cette nourriture, pourtant anémiante, m'a tenu en vie jusqu'à ce soir — en dépit des fluctuations polyvalentes des fameux "pouvoirs" ! Comme on le sait d'un étang marécageux à l'autre, j'ai esquissé le premier jet du roman hyperpuissant (...) qui, hélas, ne sera dévoré par le public qu'après mon "départ". Voulez-vous connaître le titre de ce chef-d'oeuvre (forcément) posthume ? De grâce, ne répondez pas... Le voici : "Le biberon empoisonné".

Mais trêve de confidences...

Je vais tenter, maintenant, de formuler le message que je viens livrer, ce soir même, dans le cadre poussiéreux de la RENCONTRE DES ECRIVAINS; je me contraindrai, par politesse, à faire tenir ce message affriolant dans le plus petit nombre de mots possible !

Premièrement) Je tiens à affirmer (sans outrance langagière...) que l'écrivain, dans notre société, est considéré comme une marchandise négligeable — du moins par les pouvoirs ! Non seulement, l'écrivain est dans les mains de douces aberrations, telles que le CONSEIL FEDERAL DES

ARTS; de plus, l'écrivain est paradoxalement invité — à l'occasion — à émettre des commentaires sur son statut; et, comme son statut se résume à peu près à son aptitude à dactylographier lui-même ses livres, cela n'est pas dépourvu de piquant — comme disent les cuisiniers !

Deuxièmement) La marchandise-écrivain est un animal qui marche sur quatre pattes le matin, sur deux à midi et sur trois le soir... Vous m'avez compris ? (C'est mon côté Sphinx...) L'écrivain, disais-je, est un mille-pattes, un monstre protéiforme qui n'a pas le droit de s'enrôler dans les bataillons des sans-travail, un truc-machin à rabais qui gazouille par écrit... Pourtant, un grand nombre d'autres activités pourraient le détacher de son rectangle de velin supérieur et lui permettre de se recycler dans d'autres secteurs du marché du travail ! Mais l'écrivain est un "gars" poigné par la gestalt à deux dimensions qui, bien avant l'apparition de l'imprimerie, gestaltait le nombre incalculé des copistes qui ont sacrifié leur vie à reproduire — non sans distorsion... — les insanités de Cicéron et les redondances filandreuses de Caius Marcus Valerius (junior). Ces vulgaires copistes ne valaient même pas le prix du parchemin qu'ils couvraient de leurs onciales et de leurs cursives mal rabotées; en fait, un "graeculus" (entendez un *boy*...) se vendait aux enchères bien plus cher qu'un scribe. Cet écart d'appréciation boursière n'avait rien de métaphorique au sein de la société romaine !

Qu'on me permette de sauter quelques siècles, maintenant, et de situer de nos jours (et dans notre système capitalistique) la concurrence de valorisation entre un "graeculus" et un écrivain sérieux qui s'applique à écrire de gauche à droite : voilà un beau sujet de thèse... Mais, je ne sais trop pourquoi, même le CONSEIL FEDERAL DES ARTS FEDERAUX n'irait pas jusqu'à subventionner une recherche sérieuse (et différentielle) des divers systèmes de cotation des rubricateurs par rapport à la hausse générale de la valeur marchande des *boys !...*

Troisièmement) Depuis quelques secondes, j'ai la catastrophique impression de noyer mon message dans une accumulation aqueuse de précisions concernant les bourses de la littérature sous l'égide ("la nature a horreur du gide", disait

Cocteau...) de Dioclétien et de Constantin Porphyrogénète ! Et mon message, cher public, ne mérite pas cette plongée dans le potage séculaire qui nous tient lieu de flux historique ! Avec votre permission, je vais donc opérer un redressement brutal et revenir à mes moutons, symboles fumants des Québécois...

Quatrièmement) Je suis en quatrième vitesse, inutile de vous dire que ça se précipite ! J'annonce *hic et nunc* que je démissionne de la revue LIBERTE; je m'explique : un fossé — comblé par une surcharge de prix du Gouverneur général, de subventions odoriférantes du C. DES ARTS — s'est creusé entre certains ex-collègues de LIBERTE et moi. Je tiens à dire aussitôt que je n'incarne pas l'intolérance, disons, par comparaison aux membres du Comité de Direction de LIBERTE qui, eux, représenteraient la quintessence de la tolérance et de l'humanisme érasmien ! J'irais même me réclamer, pour un, des préceptes trop peu connus d'Erasme et de Guillaume Budé !

Mais, pour tout dire, j'ai mon voyage ! ! ! ! Non seulement le CONSEIL FEDERAL DES ARTS exerce un holding financier et idéologique sur la revue LIBERTE, les directeurs actuels ne répugnent en rien à ce que la liberté (...) soit sous la tutelle d'une institution qui émane d'un gouvernement anti-québécois !

L'idéologie fédéraliste (ou sa contrepartie) n'expliquera jamais ma démission du Comité de Direction de la revue LIBERTE. Un fanatisme insensé n'inspire pas mon acte. Il me presse donc d'en expliquer la *positivité.* La revue LIBERTE n'est plus fidèle au mandat qu'elle s'était imposé et qui lui est attribué — de par son titre même ! Du coup, la *représentativité* de cette revue se trouve faussée, voire parfois : nulle ! Une revue "libre" devrait, *a priori,* s'inspirer de tout mouvement libertaire.

Dans la dernière livraison (numéro 73) de la revue LIBERTE, mon ami Jacques Folch-Ribas a écrit, en page 33, le passage suivant : "Vous êtes un monument historique. Nous vous devons une plaque. Vissée." (fin de la citation). Cette formule percutante, qu'on le sache, a été citée sincèrement hors contexte !

A bien y repenser, j'hésiterais beaucoup avant de visser

une plaque commémorative dans la matière friable du piédestal sur lequel se tient, hautaine, la statue de la liberté...

A la LIBERTE, je crois que je préfère la tendance anarchiste. Et, sur ce point, je suis à un cheveu d'élaborer ma pensée, de l'alimenter de nombreuses citations de Bakounine de Kropotkine et de tant d'autres; mais si je m'épanche trop à ce sujet, je risque d'encourir les multiples avantages sociaux généralement offerts, par le ministère de la Justice, aux citoyens qui logent dans un immeuble de la rue Parthenais...

En 1970, j'ai refusé la somme de $2 500., correspondant au Prix du Gouverneur général (qui m'était offert pour mon roman *Trou de mémoire*). Ce soir, 29 mai 1971, j'ai rédigé cet exposé pour la rémunération, presque dérisoire, de $50. ! Afin que le geste que j'ai posé en 1970 garde la plénitude de son sens maintenant, je déclare que j'accepte le $50. de cachet pour ce soir et jure que ce $50. — pourcentage éloquent par son aspect privatif ! — est assurément la dernière somme d'argent que j'accepterai jamais en provenance du CONSEIL DES ARTS !

Ainsi, il ne me sera pas reproché (comme ce fut le cas en 1970) d'avoir refusé $2 500. catégoriquement alors que, par le passé, j'avais accepté des poussières du CONSEIL FEDERAL DES ARTS après les avoir quémandées en six copies conformes ! Qu'on me demande plutôt pourquoi, ayant accepté un salaire de chômeur en 1971, j'ai eu la consistance de refuser en 1970 un argent qui me donne la nausée !

Cinquièmement) Il me ferait de la peine de terminer mon propos, ce soir, sans dire que Paul Rose — comme il l'affirmait lui-même au tribunal — est un Québécois et qu'il est fier de l'être, avec raison ! J'éprouve, moi aussi, la même fierté et, au deuxième degré, je l'éprouve pour Paul Rose !

Son procès fut une concentration d'injustices, une litote révoltante de la bassesse des pouvoirs ! Si la justice doit prendre ce masque, il serait plus indiqué de la désigner par un terme plus approprié : l'injustice ! Rose méritait, comme tout être humain dans notre société, d'être traité avec respect et dans la justice ! ! ! Et nous, public, nous méritions autre chose qu'une parodie de procès et qu'une information viciée !

* * *

Il n'y a pas de *sixièmement...* Donc, après mon sprint elliptique, j'ai franchi en cinq points la distance qu'il me pressait d'instaurer entre la RENCONTRE DES ECRIVAINS et moi, scribe officiel. Cette distance m'est nécessaire pour respirer librement et ressentir pleinement ma fierté d'être d'abord et avant tout un Québécois !

Un exposé aussi bref incline, peut-être, ceux qui l'ont écouté à poser des questions à l'auteur. Afin de fournir de tels commentaires, je reste à votre disposition ici même, ce soir.

Merci.

[1971]

CONSTAT DE QUARANTINE [1]

Dans sa livraison vert et blanc du 28 mai 1971 (numéro 73), *Liberté* a publié les confidences intimes de certains des membres du Comité de Direction qui accèdent, selon un processus chronologique assez courant, à l'âge de 40 ans. Si je n'ai pas, moi-même, avoué dans cette livraison l'irréparable poids des âges, ce n'est pas afin de voiler aux lecteurs possibles que j'ai déjà 41 ans, mais parce que mes ex-collègues ont sans doute oublié de solliciter de tels aveux...

Un kaboukimomifié

Ceux qui n'ont pas, sous la main, le numéro 73, font mieux de se diriger a.p.s. [2] au plus proche bureau de l'Imperial Nippon Airways et de prendre place dans un "747" en direction d'Osaka. C'est bien la seule imaginable façon d'approcher des tonnes d'invendus de la revue *Liberté* qui encombrent les rues charmantes avoisinant le Grand Kabouki. La clef de *Liberté* se trouve, en quelque sorte, dans l'histoire merveilleuse des "47 ronins" [3] — laquelle n'est représentée

---

(1) L'auteur de cette rubrique s'est fourré un doigt dans l'oeil en utilisant, comme titre, ce jumbo anglicisme. A moins qu'une coquille au four se soit insérée dès le début de ce texte. Les coquilles, chacun le sait, on inspiré à André Gide, au comble de l'amertume, une étude intimiste intitulée "Mes coquilles" et qui, imprimée, était coiffée d'un titre ubuesque : "Mes couilles". Cette anecdote est en rapport de discontinuité avec l'article de H. Aquin qui, s'il avait terminé ses études secondaires, saurait qu'en bon français on orthographie "quarantaine" le vocable anglais qui désigne soit "le pavillon Q." — comme on dit au ministère de l'Immigration — ou le malheur d'avoir 40 ans... Hélas, tant que nos écrivains se contenteront d'échouer au niveau primaire, ils formeront un gai bataillon de sous-doués.

(2) Raccourci pour "au plus sacrant". Ce raccourci, dit-on, n'est jamais utilisé dans la bureaucratie du gouvernement Bourassa.

(3) *Les 47 Ronins*, c'est *l'Andromaque* (en hexamètres) du théâtre amateur québécois !

que 4 fois par jour devant une salle vide : la revue *Liberté* constitue une sorte de petit Kabouki momifié. Cette revue littéraire compte, parmi ses collaborateurs célèbres, Alain Grandbois (célèbre à cause du crochet à la mâchoire qu'Ernest Hemingway lui a infligé par erreur, à Paris : Hemingway, comme d'habitude, était parti sur une brosse, René Char Usagé à peu près inconnu, sauf dans les milieux sportifs de Brossardville), Pierre Trottier (porté disparu dans la valise diplomatique Karachi-Uplands), Michel Van Schendel (parti en claquant le peu de portes qui cloisonnaient alors les fastes du directeur contemporain), Paul-Marie Lapointe (idem), votre dévoué serviteur (idem) et j'en passe qui ne sont pas montrables... La spécificité de la revue *Liberté* est d'être surimpressionnée par des images érotiques à peine visibles à l'oeil nu. On croit lire une glose vaseuse de Luc Perrier, non, détrompez-vous, vous avez le nez sur une grosse paire de fesses ! L'humour "fescennins", vous voyez ce que je veux dire ?...

L'année sera annuelle pour les abonnés de la revue *Liberté :* ayant commencé en janvier, elle finira en janvier ! Un numéro, parfois deux numéros "mensuels" par année, cela est bien suffisant ! Il ne faut quand même pas oublier que les membres du Comité de Direction avancent en âge — comme d'autres, leurs fidèles abonnés, reculent d'horreur en secouant cette marde fuligineuse avant d'en consommer les idées. A 40 ans, on n'est plus tenu à foudroyer sans dérougir; une certaine pondération s'instaure dans les conduits, l'aplatissement tant redouté envahit le grand sympathique (souvent appelé : le grand colon), la batterie est à plat et rien de moins qu'un jumpeur ne peut faire démarrer l'engin quand il fait les 40 sous zéro... Cette dernière plaisanterie est à l'image — navrante, je le reconnais — de la quarantivité ! Olivier Guimond, notre superego, aurait dû préfacer ce dynamique numéro 73 de *Liberté;* son allant, sa vivacité, sa jubilation qui sévit depuis des dizaines d'années, voilà ce qui manque à tant de confidences d'écrivains, toutes moins intimes les unes que les autres, toutes portant sur la réticence éprouvée à franchir le Kapp de la quarantine (ou de la quarantaine), toutes écrites, il faut l'avouer, dans une langue cristalline qui est, à coup sûr, la marque incontestable de la maturité.

L'humus du pays natal

A 25 ans, on peut se permettre d'être vaseux, voire même : enfirouapé; à 40 ans, le style se délie comme les fils du destin et si l'on ne devient pas lothophage, souvent on verse dans la coprophagie. La matière qui a fait chavirer tant de fois l'âme sensible d'Anatole Lafrance ne peut être comprise que comme un substitut de l'antique *Kopros* des Grecs : Achéens, Doriens, Béotiens, Ioniens (comme les colonnes), etc. Odorante, grisante, d'une paradoxale fadeur, la matière est comparable à l'humus du pays natal (à condition de ne pas faire entrer le fumier dans cette définition réductive), cet humus grisâtre a une consistance difficile à définir et un goût âpre et viril que seuls les gens de 40 ans apprécient...

Il semble qu'à l'image d'un humain frappé de quarantine au beau milieu de sa carrière d'écrivain, j'ergote. Je me flagelle entre la phrase précédente et la suivante. Ce numéro 73 de la revue *Liberté* est tout un numéro, comme disaient mes maîtres en tautologie (discipline très prospère, en ce moment...) ! Quinte essence, cette livraison (on emploie ce terme pour les revues et les pintes de lait) est aussi une fumante quinte "existence" d'existentialisme vécu et survécu... La tasse, mesure anglaise et non métrique, évoque aux robineux avertis une métaphore perfide : est-ce trop ou pas assez ? Réginald Martelle, imprimeur de la Reine de Lettonie, affirme que la tasse déborde par définition; d'autres, audacieux, y voient l'équivalent de la ration de guerre imposée aux déserteurs. Ne coupons pas les cheveux en quatre... [4]. La tasse est la tasse ! J'incline à la percevoir comme un trente-deuxième de shot [5] ou comme le nuage de sherry australien surcuit avec quoi Saint-Denys-Garneau atteignait l'ivresse ultime ! Sa tasse, toutefois, n'égalera jamais mon vieux Tasse, le célèbre auteur de *la Divine Comédie...*

---

(4) 4 est sous-multiple de 40, je n'y puis rien.

(5) Idiotisme local signifiant trippe éclatée; d'autres auteurs me chicanent à ce sujet, mais je leur $$ % dis zut ! (Quoi ?... On ne peut plus rire ? ? ?)

Mais Liberté, que de tasses n'ont-elles pas été bues en ton nom ! Ambroisie vineuse, nectar de marque déposée, grosse molle... tant de boissons me grisent du seul fait que je m'en souviens non sans nostalgie...

Liberté a le mérite, je le reconnais, d'avoir publié 72 numéros avant le 73e ! Il commençait à être temps que les Directeurs de cette revue septuagénaire (dans sa numérotation) fassent des considérations horatiennes sur la fuite du temps — puisque les Directeurs en question n'ont pas eu l'aubaine d'un Robert Choquette d'être nommés ambassadeurs à Buenos-Aires. Il n'y avait qu'un poste à remplir à l'ambassade du Canada en Argentine; et, comme le voyage est long, il fallait y nommer l'inventeur de l'interminable ! Robert Choquette avait, à son actif, la *Suite marinée* qu'un grand comédien, toujours paqueté, serinait chaque soir à la radio, sans compter une inoubliable série dramatique dont j'ai oublié le titre et un petit caniche rose qui s'épanchait, sans déférence, au pied du monument des patriotes de 1837-1838.

Maintenant que je ne fais plus partie des *happy few* dont on cite les noms au verso de la couverture de chaque numéro de *Liberté*, je dois avouer que je me sens moins happé (...) et assurément plus fiou...

Mon mandat, en écrivant cet article, était de rendre compte loyalement [6] du numéro 73 de la revue *Liberté*. J'ai beau me chatouiller les aisselles avec une fourchette rouillée conformément au modèle incantatoire d'Alfred de Musset, je sens que la muse ne répond pas à mes sollicitations hilares; du coup, la recension que j'ai commencée me semble vouée à l'enfer des auteurs dont un texte a été refusé par le Comité directeur en séance plénière. Ma chemise cireuse rayée d'un incarnat alexandrin est toute trempée, mon coeur — je m'en aperçois — bat plus vite, j'éprouve même quelques vertiges... vais-je donc m'écrabouiller la fraise sur le clavier arabique de ma machine ou m'étaler en longueur sur la page ?

---

(6) Loyalement, adverbe archaïque.

73 canettes de bière

Quelques milligrammes de digitaline m'ont redonné un coeur grondiné; et, du coup, je me sens la force d'aller jusqu'au bout.

La vérité, la voici : je n'ai pas lu le numéro 73 de la revue *Liberté* ! Le croiriez-vous ? Et une intuition masculine me chuchote que, ce faisant, j'ai manqué (de lire) un numéro manqué — ce qui revient à établir, en fin de compte, les prémisses d'une analogie écrasante et révélatrice. Si je boucle ainsi la présente recension (qui est à l'image d'une non-recension), c'est que *Liberté 73* n'a pas besoin de se rendre au numéro 779 pour attester de sa particularité. Cette revue hautement littéraire (dont plusieurs directeurs ont reçu des prix et dont on ne saurait douter de la célébrité) a atteint un plafonnement que l'on pourrait évaluer à 73 canettes de bière empilées les unes sur les autres. Sa hauteur constitue un empêchement rédhibitoire à monter plus haut dans le ciel bleu d'encre de la gloire et de l'unicité.

[1972]

V

Textes de fuite, récits de poursuite; en l'espace de quelques années, plusieurs des vérités apparemment implacables du discours littéraire sont frappées de relativité. Tout juste avant la parution de Prochain Episode, *roman de filatures compliquées à plaisir, le récit aquinien adoptait la ligne, courbe et dangereuse, de son propre vertige; et encore ici, dans ces écrits énigmatiques, l'instance de la lecture entraîne jusqu'à la dissimulation de l'écrivain derrière ce pseudonyme : Elga von Tod — von Tod, c'est-à-dire : de la mort. A travers l'ensemble de ces textes, moins circonstanciels que les autres, et en marge des épisodes de* la Presse, *et de* Liberté, *c'est donc un virage serré que négocie Aquin. Mais, fuite ou poursuite, il s'agit encore de savoir où cette courbe peut mener.*

R.L.

ÉLÉMENTS POUR UNE PHÉNOMÉNOLOGIE DU SPORT

"Unitas, Unitatis..."

Il n'est pas de mon propos d'esquisser ici une psychologie de la consommation de spectacles sportifs. Plus modeste, mon intention est aussi plus précise, plus délimitée : je compte établir l'extraordinaire influence des mass media sur la forme même des sports-spectacles et aussi — par conséquent — sur l'attitude du public en face des sports en question.

J'ai mentionné les mass media : je pourrais plus simplement dire la télévision, car c'est la télévision principalement qui a modifié la perception des sports-spectacles et leur forme visuelle. Le petit écran a opéré une vraie révolution dans ce domaine. Les spectateurs d'une partie de hockey à la télévision savent, d'expérience, qu'ils peuvent regarder le match tout en lisant un journal ou un livre et — surtout — en gardant l'assurance de ne jamais rien perdre de ce qui se déroule sur la glace. En effet, aussitôt qu'un but a été marqué, une explosion sonore avertit le spectateur distrait qu'un incident vient de surgir : le spectateur lève alors la tête vers le petit écran et, dans les secondes qui suivent, l'écran lui présentera plusieurs reprises du jeu crucial : d'abord à la vitesse normale, puis à diverses vitesses de ralenti magnétoscopique. Ainsi, le spectateur aura rattrapé son absence et pourra revoir, grâce aux moyens techniques de la télévision, la trajectoire du disque, l'angle du lancer; et ce n'est pas tout : les prises à la caméra isolée lui permettront d'observer la manoeuvre préparatoire de l'auteur du but, la moindre erreur commise par les joueurs de la défensive et même, au ralenti extrême, le geste de surprise du gardien quand ce dernier prend conscience qu'il vient d'être déjoué.

Mais je n'ai rien dit encore, car je n'ai pas parlé du football américain qui, actuellement, est le sport des sports et le spectacle des spectacles ! Aucun lyrisme indu n'inspire mes propos : je dis, le plus nettement possible, ce qui est. Le football américain (ne pas confondre avec le "soccer" qui est le football européen) est magnifiquement potentialisé par la retransmission qui en est faite à la télévision. Son déroulement n'atteint pas la vitesse excessive (parfois chaotique...) du hockey, ce qui permet la réalisation de certaines stratégies : au hockey, la performance est parfois fulgurante, mais la stratégie presque impraticable. Le disque va toujours trop vite et même les super-joueurs ont du mal à le contrôler pendant quelques secondes : on ne compte plus les passes interceptées par le club adverse, non plus que le rôle, souvent manifeste, du hasard. De plus, les règlements imposés au hockey depuis une dizaine d'années n'ont fait que contribuer à accélérer ce jeu en le rendant continu. Au football américain, c'est l'opposé : le jeu peut, au gré des joueurs et des stratèges, être fractionné, discontinu (temps de jeu plus long) ou, si cela est avantageux, le jeu peut "manger" beaucoup de temps (temps raccourci). Une manifestation banale de cette différence entre le hockey et le football réside dans le fait que, dans une partie de hockey tout comme dans une partie de football, la partie officielle ne dure que 60 minutes : et chacun sait qu'une partie de hockey dure 2h 15 environ, tandis qu'une partie de football dure 3h 45 environ.

On m'a bien compris si l'on visualise le hockey comme une durée irrésistible et vertigineuse, le football américain comme une durée *maîtrisée*, à rythmes variés et dont les écarts d'accélération temporelle et de décélération sont possiblement très grands.

Loin de moi l'intention de proférer des propos séditieux contre notre sport "national" ! C'est pour dissiper tout soupçon de cet ordre que je vais, maintenant, tenter de définir le football américain par rapport au base-ball. Est-il besoin de rappeler que le base-ball est en baisse (en dépit des Expos !) et que d'ancien sport national américain, le base-ball a rétrogradé considérablement ! C'est tout juste si les parties de base-ball ne sont pas inscrites au programme des émissions de télévision pour les enfants. Pour un lecteur qui n'aurait jamais assisté à une partie de base-ball, je rappelle qu'elle se déroule lentement, de façon linéaire; cela revient à dire que la partie procède selon un schéma de succession temporelle et sans que, tout au long de la partie, deux mouvements se superposent. Je crois, franchement, qu'on peut observer une partie de base-ball — sans rien rater — tout en lisant *la Somme de saint Thomas;* à la limite, certains spectateurs dantesques pourraient s'offrir le luxe et le plaisir de lire le *Virgile de Florence* en vieux toscan, tout en suivant l'évolution d'une partie opposant les Expos de Montréal aux Astros de Houston...

Mais il n'en va pas de même pour le football américain : une bonne partie (disons entre les Colts et les Vikings...) a de quoi mobiliser l'attention des spectateurs tout autant que les tragédies d'Eschyle et d'Euripide plongeaient les Grecs (légendaires...) dans une transe cathartique... Ne remontons pas aux Romains qui, c'est chose connue, préféraient le cirque au théâtre, mais aux Grecs — à ces publics fiévreux qui se passionnaient pour les malheurs d'Antiope et s'identifiaient au choeur des Nymphes du Sipyle : ceux qui soudain focalisent leurs yeux sur les lignes hallucinantes du petit écran quand celui-ci diffuse des images d'une grande partie de football, risquent — par une ellipse de plus de vingt siècles — de tomber en fascination devant la folie meurtrière des Bassarides et les déplacements, souvent masqués, d'une équipe de football porteuse du ballon...

* * *

Je dois maintenant démontrer que le football américain (tel qu'il est représenté à la télévision) écrase, et de beaucoup, les spectacles de théâtre qu'on a accoutumé de valoriser hautement depuis la plus lointaine antiquité. Je postule d'emblée la popularité incontestable du football par rapport aux autres sports; mais sa représentation télégénique m'importe plus ici et je vais tenter de fournir les données fondamentales qui permettent de cerner la qualité particulière de cette représentation.

La télévision a opéré une révolution dans la vie de notre société : elle véhicule, de façon insidieuse, une reproduction hyperactive de notre réalité collective et de notre vie quotidienne; oui, elle ponctue l'existence de chacun, en y établissant des points de repère communs, en introduisant dans le mode de vie des enfants une *gestalt* nouvelle dont nous n'avons pas fini de mesurer l'importance et en se substituant au foyer mythique qui regroupait les membres d'une même famille autour du feu. S'il est un détail à rajouter à cet éloge pondéré de l'innovation formelle que la télévision instaure dans nos vies, ce serait le suivant : la télévision est irréductible à un reflet de notre société ou de nous-mêmes. Elle constitue non pas un reflet, mais une prolongation de nous-mêmes; ce n'est pas un miroir, c'est plutôt l'installation de l'électricité dans toutes les maisons !

Le football américain figure — sur le plan mimétique — le rituel le plus explosif auquel il nous est donné de participer; à cet égard, on pourrait même dire que le football américain ne reflète en rien notre existence quotidienne, il en constitue un couronnement d'autant plus riche en possibilités qu'il se révèle, aux initiés, toujours trop rare !

De plus, le football se présente comme un jeu fondé sur la maîtrise de l'intelligence et sur la volonté. Certains préjugés l'hypothèquent encore en le considérant comme le paradigme de la brutalité; mais ces préjugés ne résistent pas à une analyse loyale de ce sport-spectacle.

Parce que la télévision est un médium "froid" (image à faible définition [1]), une participation en profondeur est sollicitée des spectateurs. Inutile de dire que le mot "participation" a une connotation incendiaire, lui ! (Les plaisanteries paraîtront toujours faciles...) Le football américain, confectionné selon les préceptes les plus secrets de l'art de la mosaïque, favorise justement une attitude "co-créatrice" chez le spectateur. On pourrait même appliquer à ce sport-spectacle la terminologie de l'ouverture de l'oeuvre, si bien utilisée par Umberto Eco [2].

* * *

La télévision a magnifié la gestuaire du football grâce aux moyens magnétoscopiques dont elle dispose maintenant :

---

(1) Je réfère le lecteur aux pages brillantes de Marshall McLuhan dans *Pour comprendre les mass media*, traduction de Jean Paré, Montréal, HMH, 1969, 390 pages, pp. 257-269, l'auteur y décrit fort bien la spécificité du médium "froid" qu'est la télévision.

(2) Umberto Eco, *l'Oeuvre ouverte*, Paris, Le Seuil, 1965, 315 pages.

les reprises sont de plus en plus perfectionnées, les extraits retransmis en fin de partie ou au bulletin des sports nécessitent une sélection encore plus serrée des bons moments; les émissions spéciales constituées par des séquences enregistrées au magnétoscope et "rediffusées" n'ont fait qu'accroître l'inventaire des éléments situationnels du football américain dont nous disposons. Ainsi, chaque spectateur est familier avec les multiples passes (reçues, voilées, feintes, doublement feintes...) du football; il connaît aussi les diverses possibilités du jeu selon les règlements, les innombrables (et imprévisibles) relations qui existent entre le quart-arrière et son receveur, les manoeuvres de diversion opérées par les receveurs possibles du ballon, les prouesses échevelées de certains receveurs qui tournent sur eux-mêmes, semblent tomber, perdre l'équilibre, se diriger sans boussole, simuler des douleurs protéiformes, puis, parfois, se redresser "miraculeusement" pour recevoir un ballon lancé avec précision et attrapé du bout des doigts... Et qui n'apprécie pas encore l'intérêt fabuleux que représentent les reprises "à la caméra isolée" ? Et j'en passe...

J'en passe, car je sais trop bien que les sports croupissent encore dans une carence ontologique qui les rend indignes de toute observation académique sérieuse. Ils me font penser à cette minable paire de bottes avant que Van Gogh ne la fasse accéder à un statut supérieur du seul fait qu'il l'a représentée sur un tableau. Date illustre, selon les historiens de l'art, car elle constitue une charnière : avant, une discrimination implacable sévissait dans les arts plastiques (et la littérature...) entre les sujets nobles et les sujets triviaux : après, un tableau figurant une paire de bottes pouvait, autant qu'un portrait en pied, avoir une cote ascendante. Sa valeur marchande n'était plus plafonnée selon son "contenu" ! Il est temps, je crois, que nos esprits, déformés par des siècles de conditionnement discriminatoire, reconnaissent aux sports-spectacles le même intérêt et la même valeur qu'ils confèrent d'emblée aux tableaux non figuratifs, aux enluminures irlandaises, aux kenningar et au journal intime d'André Gide... Ce renversement des valeurs apporterait une bouffée d'air frais dans la vie intellectuelle et infuserait une seconde jeunesse aux parois trop poussiéreuses de nos cerveaux ! On oublie parfois que l'esprit ne s'encrasse pas nécessairement à procéder autrement que selon la tradition livresque, et vice versa !

* * *

Le football américain ne se réduit pas, en termes de spectacle, à une partie plus ou moins enlevée entre deux équipes aussi soucieuses, l'une que l'autre, de l'emporter; il existe aussi un paraspectacle qui se déroule pendant la mi-temps, entre la fin du deuxième quart et la reprise du troisième quart. Aussitôt que les joueurs ont évacué le terrain, une armée de majorettes, de danseuses, de danseurs, de musiciens et parfois de chanteurs ou chanteuses envahit le terrain de football.

Ce paraspectacle est plus conforme à la notion de spectacle telle qu'on l'entend depuis l'antiquité, que la lutte savante et rusée qui oppose deux équipes de football; on pourrait, à l'occasion du paraspectacle, parler de carnaval, de fête populaire, etc. Mais l'intégration de ce paraspectacle au match de football est telle qu'il serait, à mes yeux, contre-indiqué de dissocier ces deux actes d'une même pièce.

Ce paraspectacle se poursuit, en mineure, pendant la partie avec les fameuses *cheer leaders* (des agitatrices !...), ces super-majorettes dont le rôle est de souligner bruyamment les performances de leur équipe, mais, surtout, de diriger le public en le faisant manifester de façon rythmée et au bon moment !

Ces agitatrices (*cheer leaders...*) sont généralement court-vêtues, aux couleurs de leur équipe; de plus, elles exécutent leur numéro avec l'habileté de danseuses. Et comme elles doivent se déployer juste au pied des estrades, elles procèdent par bonds rythmés afin d'être vues des spectateurs situés en haut des estrades. Pour faciliter cette signalisation, elles disposent de deux baguettes munies, chacune, d'une touffe de brindilles qui obéissent bien aux secousses qu'elles leur impriment : elles battent la mesure, dirigent le public qui scande ses slogans, ordonnent la "fonction" du public. Aussitôt que, dans leur dos, le jeu va reprendre, elles font un bond final en faisant signe que tout est fini pour le moment, car le silence est de rigueur pendant la partie. Ce silence obtenu, elles tournent le dos au public et s'accroupissent, au bas des estrades, pour voir la partie se dérouler. Elles n'existent plus quand le jeu reprend; leur rôle se borne à dresser le public.

Les *cheer leaders* n'ont plus l'importance spectaculaire qu'elles avaient avant la télévision, cela est compréhensible; elles sont toujours en activité parce qu'en plus de la transmission à la télévision, le match de football se déroule dans un lieu réel et en présence d'une foule réelle ! Elles sont des reliquats, tout comme le public "réel" !

Et je ne dis pas cela à la légère. Il se peut fort bien que, dans un avenir plus ou moins rapproché, les équipes de football se rencontrent sur un terrain "neutre" et sans spectateurs. Seules les caméras de télévision seraient admises — en plus des joueurs et de leur personnel technique habituel. La chose n'est pas inconcevable : au contraire, elle serait plus normale ainsi, car le terrain ne serait pas celui d'une équipe et d'une ville, mais analogue plutôt à un vaste studio de télévision.

* * *

Il m'importe, maintenant, d'établir une distinction fondamentale entre les sports et les sports-spectacles. Selon mon point de vue, le sport-spectacle ne peut être assimilé à un affrontement physique; la forme physique des participants, si nécessaire soit-elle, n'est qu'un "prérequis" au sport-spectacle, tout comme l'agilité de l'esprit est nécessaire à un professeur qui se dirige vers une salle de cours afin d'y accomplir sa performance. Le sport-spectacle, s'il postule cette forme physique, ne fait que l'utiliser sans la magnifier.

Selon ce schème, l'affrontement physique figure le lieu métaphorique d'une rencontre entre deux équipes; mais cette rencontre implique bien d'autres facteurs et d'autres capacités. Cette dimension confère une complexité très grande à une partie de football ou de hockey; on pourrait dire : une marge d'imprévisibilité qui, précisément, définit la spécificité du sport-spectacle. Si le sport-spectacle se ramenait à un simple affrontement de force physique, il n'y aurait pas de quoi parler de complexité si grande, ni d'imprévisibilité. Mais aussitôt que l'imagination, le calcul, la lucidité (la pensée, quoi...) entrent en jeu, le tableau se complexifie. (Ce néologisme est de Teilhard de Chardin...)

On peut, à partir de ce point, comprendre que les qualifications exigées de certains joueurs de football, par exemple, justifient la valorisation financière liée à leur travail. En 1970-1971, on dit que le salaire de John Unitas a été, sans doute, d'environ $300 000, et sa présence sur le terrain a été sciemment rare ! En 1969-1970, il aurait gagné plus de $100 000 pour une apparition d'une durée de deux ou trois minutes. L'écart entre les deux chiffres montre à quel point ils relèvent de la spéculation. J'ajoute, aussitôt, que ce qui est attendu de lui est hautement valorisable : il doit penser la stratégie de son équipe quand celle-ci est porteuse du ballon (à l'attaque), il doit aussi imaginer et exécuter des jeux mystifiants pour l'équipe adverse; il doit, en quelque sorte, supporter le poids d'une défaite toujours possible ou être le pilier de la victoire. Il est compréhensible, dès lors, que la stratégie de John Unitas comporte une entropie indéchiffrable même pour les spectateurs ! A chaque saison, John Unitas doit avoir, en réserve, quelques ruses nouvelles, sans quoi il serait rapidement débouté. Ses mystifications seraient élucidées s'il ne les renouvelait pas; ainsi, sans pour autant mettre une calculatrice électronique sur ce problème, il serait facile de calculer la valeur en argent de chacune de ses passes réussies; lorsqu'il a fait, dans la saison 1970-1971, deux passes réussies coup sur coup contre les Bears de Chicago (de 76 verges chacune), il a inventé le style "victoire en fin de partie". Les Bears ont été battus 21 à 20, il ne restait plus qu'une minute et quelques poussières de jeu !

John Unitas est le quart-arrière exemplaire : il a inculqué à son jeu une initiative informelle qui jette par terre les prévisions des commentateurs sportifs. Avec Unitas, et depuis quelques années, le rôle du quart-arrière s'est transformé considérablement : la conscience qu'il a de sa propre valeur le rend d'une ruse et d'une prudence inégalées et le confine, surtout, à user de toute son imagination.

Quand on parle de sport, on fait souvent allusion,

implicitement, à la force physique, au poids, aux muscles bien exercés, à la brutalité... Cet implicite est, peut-être, bien commode pour des intellectuels qui doivent se faire une image du sport où rien d'autre que physique ne contribue au jeu !

Il existe aussi des techniques marginales qui se développent en fonction de chaque partie de football; il s'agit des systèmes de communication par *walkie-talkie*, l'espionnage avant et pendant la partie, le secret qui entoure les pratiques d'une équipe... Ce secret peut paraître excessif; il ne l'est pas si l'on considère que, lors des pratiques, une équipe déploie ses jeux les plus audacieux, ses ruses ultimes, ses tactiques propres à emporter la victoire... Les pratiques, d'ailleurs, se déroulent toujours sur des terrains clos, inconnus ou inaccessibles. Une passe de Unitas (ou d'un autre quart-arrière), rapide et surprenante, n'est parfois utilisée qu'une seule fois au cours de toute la saison : il va de soi que sa réussite repose sur son effet de surprise.

* * *

La grande diffusion des sports-spectacles a modifié leurs propres définitions. En quelques années, par exemple, les passes du football américain ont baissé (en termes d'altitude) considérablement et la partie s'est fractionnée manifestement. Au hockey, il n'y a plus de passes impunies (ou lentes) : le jeu est de plus en plus trépidant, la continuité a multiplié l'accélération et vice versa ! Somme toute, le public, si dispersé soit-il, engendre une tension à laquelle les sports-spectacles ne résistent pas; cette tension, propagée en quelque sorte mais non manifeste, traduit en termes clairs la concurrence qui régit le monde des sports-spectacles.

La concurrence, je sais, n'est pas toujours considérée comme un stimulant valable pour la production de qualité; sur ce point, les opinions se sont diversifiées depuis 1850 (hé oui !...), mais sans apporter des éclaircissements incontestés. Comme il s'agit d'une question litigieuse, je prends l'initiative d'informer le lecteur que je suis partisan du système concurrentiel, et cela, en dépit des aberrations qu'il peut parfois entraîner ! Les théories (masquant mal des rationalisations abusives !) de l'art-échec, du sport-flop, de la littérature-ennui me paraissent autant de valorisations futiles et abracadabrantes de ce qui n'a pas de valeur, ou si peu... Je sais que ma dernière assertion peut sembler injuste, voire irrecevable; mais, lecteurs ou spectateurs, n'avons-nous pas le droit de ne nous intéresser qu'à ce qui exerce positivement une attraction sur nous ? Et ne sommes-nous pas, en fin de compte, le critère désastreusement final de tout ce que nous consommons ? Voilà, à mon gré, le vrai visage de la concurrence !

J'aimerais, à ce point, aborder une question difficile à trancher, délicate pour le moins... celle du style ! Sans abuser de termes généralement réservés à la production artistique, ne peut-on pas parler du style d'une équipe de football ?

La première difficulté qui me vient à l'esprit est la suivante : s'il est d'emblée acceptable qu'un auteur ait un style saisissable dans une seule page de son oeuvre choisie au hasard, cela ne tient-il pas au fait qu'il est le créateur "personnalisé" et seul de son oeuvre ? Si l'oeuvre en question est le fruit d'une création collective, peut-on appliquer les mêmes notions de stylistique ? Cette dernière question n'a pas été envisagée, jusqu'à ce jour, dans les livres majeurs de critique et d'histoire de l'art; et cela n'arrange rien..., car je me vois réduit, moi seul, à devoir formuler une hypothèse à partir de ma seule intuition et de ma compréhension (au premier degré d'abstraction) des choses ! Pourtant, j'aurais aimé traiter, même brièvement, de ce problème du style du football et, en général, des sports-spectacles...

Le style, je sais, se réfère à la présentation qualitative d'un phénomène; j'ai essayé de prendre le problème par le biais de la qualité. Rien à faire : la création collective me retient au sol, je suis, à toutes fins pratiques, plaqué !

Il me reste une solution limite. Faisant mine d'oublier que je me préoccupe de déceler dans les sports-spectacles des connotations stylistiques, je me concentre sur le fait suivant : la communication entre le producteur et le consommateur, ou plutôt la transaction entre le producteur et le consommateur. Le style (cf. Buffon) qui confère des propriétés qualitatives à un écrit devrait, idéalement, favoriser la transaction entre le producteur (écrivain) et le consommateur (lecteur), tandis que l'absence de style nuirait à cette transaction ! A partir de cette réflexion, je peux aisément constater qu'un sport-spectacle réussi indique une transaction intense et surmultipliée entre le producteur et le consommateur... (Ceux qui, à ce point, ne sentent pas pointer le syllogisme feraient mieux de se méfier...) Inversant l'ordre style-transaction, j'en conclus que la transaction réussie suppose le style la favorisant. Donc, il serait possible, en étayant mon syllogisme, de démontrer que le sport-spectacle (football ou hockey ou boxe...) possède un style du seul fait qu'on peut démontrer que le sport-spectacle établit incontestablement une transaction réussie entre le producteur et le consommateur...

D'ici à ce qu'on m'ait confondu, qu'on me permette d'éprouver une certaine sécurité à me complaire dans les "Philadelphia" de Pergame et dans le *Superbowl* "isthmique" du 17 janvier 1971 opposant les Colts de Baltimore aux Cowboys de Dallas. Les Colts l'ont emporté par 16 à 13.

Et aussi, qu'on me laisse m'extasier sur les propriétés de la gérousie du tube vidiconique — véritable solution basale de la révolution survenue dans la vie quotidienne : je sais que la télévision a instauré dans notre société de quoi la refaire de fond en comble...

[1971]

ESSAI CRUCIMORPHE

La Place Ville-Marie est une sorte de concentration exceptionnelle de néant. Ou plutôt, elle reflète le néant urbain encore mieux que la maison unifamiliale pour familles désunies, qui prolifère dans nos banlieues.

J'aime le néant. Il me fascine et je ne me lasse jamais de le feuilleter au hasard chaque fois que j'encercle ce quadrilatère, que je plonge dans ses couloirs souterrains ou que, par une contre-plongée du regard, je découvre le ciel colonial de Montréal, minutieusement coinçé dans une étreinte d'aluminium et de verre.

Le néant polydimensionnel de la Place Ville-Marie semble émaner directement de la dialectique heideggerienne. Minéralisation de la vie, fenestration schizoïde, vide pur, le *dasein* villemariaque se définit par ce qu'il n'est pas et même par ce qui le contredit. La Place Ville-Marie n'existe pas. Elle constitue une volumineuse pétition de principe et son onomastique d'ailleurs n'est, à cet égard, qu'un agent confusionnel. En effet, il est question de la croix et aussi de Marie qui, précisément, n'a pas été crucifiée. Cela démontre assez clairement l'ambiguïté ontologique du Montréal moderne : notre ville n'est pas tout à fait à l'image de ceux qui l'habitent, ni même un reflet de ceux qui la possèdent. Nous sommes donc ici en présence de signes ambigus, de signifiés sans signifiants qui ne prennent de sens (entendez : de non-sens) que lorsqu'on les considère dans leur contexte historique : la dédicace à la Vierge Marie sonne faux puisqu'elle a été faite par des citoyens nullement enclins à la mariologie. Il faut donc chercher ailleurs sa signification, peut-être dans l'attitude du colonisateur qui, soucieux de ne pas avoir d'histoires avec la population locale, lui adresse un nom dont le contenu originaire (à différentielle historico-religieuse) a pour fonction de l'apaiser. Ce nom n'émerge pas vraiment d'un terroir indigène, ni de la nomenclature spontanée du Canadien français, mais témoigne plutôt d'un contrat non écrit entre le constructeur allogène et la population de Montréal; il témoigne d'une ambiguïté typique de notre situation coloniale. L'onomastique du centre de

Montréal est désamorcée : une construction crucifiante s'édifie sur la place de Marie, premier non-sens. Et les autres n'en sont pas moins riches d'absurdité : "La maison du livre" est la raison sociale d'une alvéole souterraine qui n'a rien de l'ontologie de la maison et qui est, tout au plus, en forme de garage. "Le café de France" est un snack, "Le carrefour des Canadiens", une rotonde, le "Club Car" mon oeil et ainsi de suite. Le dérèglement est de règle ici, sans compter le rapetissement inévitable qui accompagne un complexe urbain qui, dans sa totalité, s'annonce comme une démesure. De l'Ile Sainte-Hélène, la Place Ville-Marie est trop grande : aussitôt qu'on y pénètre, il est navrant de constater que les plafonds y sont trop bas, le dégagement dérisoire, l'espace distribué au compte-gouttes. L'ambiguïté atteint ici la démesure : l'édifice grandiose n'est plus, quand on s'en approche, qu'une agglomération incohérente de petits endroits, sans cette générosité de la dimension et de l'air qui caractérise les places de la Renaissance que les architectes sous-contractés (des indigènes) se sont faits fort d'invoquer pour valoriser cette entreprise de néant et d'écrasement dont ils étaient thuriféraires. La Place Ville-Marie a été construite en forme de ville morte : dessous sa grandeur orgueilleuse et christologique, des négociants se sont installés avec la même ferveur que les premiers chrétiens mettaient à descendre dans les catacombes.

Aussi bien l'avouer : ce qui me semble le plus scandaleux, c'est "l'effort" de francisation manifesté à toutes les strates de cette place. Tant de noms français ont de quoi éveiller les soupçons d'une population francophone qu'on a préalablement dressée aux noms anglais. C'est donc ça la francisation qu'on réclame depuis deux générations : c'est cela la récompense due aux loyaux sujets *du* Reine Elizabeth (à tort, certains zézaient graphiquement le nom de notre reine morte) ! J'ai le sentiment net d'avoir été dupe et pourtant on ne m'a donné que ce que je réclamais : des chars de noms français ! Il est fort probable — puisque lors même qu'on me les offre à plein tube je ne m'en satisfais pas — que j'avais tort de réclamer des noms.

A l'image de Montréal dont elle est le coeur artificiel, la Place Ville-Marie est un agent double, dont les modalités de dédoublement comportent certaines innovations dans le genre, sans quoi nous, les consommateurs d'ambiguïtés, aurions piqué sans gêne une autre crise nationaliste. Mais puisqu'on nous propose de manger des symboles aussi crus de notre situation embrouillée, puisqu'une certaine réflexion a présidé à l'édification de ce portrait non figuratif du néant que nous portons et que d'autres enfantent, nous ne serons pas de mauvais joueurs, ni ne nous manifesterons comme de perpétuels insatisfaits. La Place Ville-Marie est l'enfant naturel de notre biculturalisme : édifiée sur pilotis, prête déjà à s'effondrer, elle me fait rêver au spectacle merveilleux de son avalanche. Il me serait doux de voir ces quarante-deux étages de néant s'écrouler pour former une pyramide. Ambiguïté pour ambiguïté, j'aurai pris la peine, juste avant ce bel éclatement, de soustraire au massacre les jeunes filles que je veux continuer de voir déambuler, voilées par leur beauté éclatante et sombre, soeurs multiples à qui je suis lié, autant de Maries que je ne veux pas voir impliquées dans cette crucifixion alcanique.

[1963]

DANS LE VENTRE DE LA VILLE

A mesure que je vieillis, Montréal rajeunit. Oui, tandis que je décline, ma ville se développe, se multiplie, s'étend, se perfectionne. Ma genèse est chose passée, l'épigenèse de Montréal se poursuit indéfiniment.

La courbe d'extinction de mes souvenirs croise la courbe de croissance de la ville dans laquelle ces souvenirs ont leurs souches. Ces deux trajets croisés me confinent à courir après ma jeunesse dans un Montréal périmé et à vieillir dans une ville qui éclate de jeunesse.

Les promenades d'André Breton dans Paris sont des modèles de promenades urbaines. Gérard de Nerval, promeneur plus merveilleux encore, a fini ses jours comme s'il interrompait une de ses rêveries ambulatoires. James Joyce, exilé, se promenait en aveugle dans sa ville natale.

C'est en métro et en auto que je circule délicieusement dans le ventre de Montréal; ce genre d'introspection mobile me sied. Adieu surfaces ! A moi la noirceur du dedans ! A moi les indiscernables ralentis !

Byron circulait dans un Canaletto, moi j'avance dans un Vasarely. Stendhal s'entourait du Pérugin, moi je me déplace dans une ville mondrianisée. La profondeur de champ a sauté en même temps que la perspective; la belle imperfection des oeuvres inachevées me séduit tandis que, par une ironie mordante, j'achève.

Mes personnages de roman sont plus doués que moi pour parler de mes souvenirs montréalais et discourir de façon pertinente. Les narrateurs n'ont vraiment rien à dire, ce sont de simples courtiers en imaginaire. Presque rien..., car je pense justement qu'il ne peut y avoir de Vieux Montréal que si la ville, dans son ensemble, opère une continuelle réjuvénation. J'ai compris cela en visitant des villes frappées de sénilité : tout étant vieux, il ne peut y avoir de vieille ville. En outre, il n'y a pas de ville neuve. Exemple : Liège. La vétusté y a tout homogénéisé. L'ancien n'est pas valorisé; il se trouve indifférencié, en quelque sorte. Même le neuf est dépourvu de vertu contrastante. Somme toute, pour admirer des ruines, il faut encore qu'elles soient isolables et qu'elles se détachent d'une contexture générale.

Pour être conscient qu'on vieillit, il faut vieillir sur fond de jeunesse. La fin garantit le commencement, le commencement permet la fin. A mesure que je vieillis, Montréal rajeunit...

[1974]

LA TOILE D'ARAIGNÉE

MICHELLE. — Quand cela est-il arrivé ?

MERE. — Est-ce que je sais, moi ?

MICHELLE. — Mais enfin, tu devrais savoir...

MERE. — Il m'a réveillée à deux heures cette nuit; il voulait son médicament...

MICHELLE. — Une autre crise ?

MERE, *nettement ennuyée.* — Mais non... Je ne voulais pas descendre... J'ai averti Roger d'en prendre soin...

MICHELLE. — Pourquoi Roger ?

MERE. — Allons donc...

MICHELLE. — Il était bien encore hier, il allait mieux. Le médecin lui avait dit qu'en faisant attention il se relèverait en deux jours... Je voulais lui dire bonsoir quand je suis rentrée, mais je ne voulais pas le déranger, je craignais qu'il soit endormi...

MERE. — Ne me dérange pas, veux-tu. Il faut prendre des dispositions tout de suite...

La mère compose un numéro de téléphone.

MICHELLE. — Qui appelles-tu ?...

MERE. — Laisse-moi... Allô, je voudrais parler au gérant... au gérant s'il vous plaît...

MICHELLE. — Tu as fait venir le médecin ?...

MERE. — Pauvre enfant, il n'y a plus de médecin à ce moment-là... Allô, monsieur le gérant ? C'est Madame Raymond qui parle... Il s'agit... mon mari... est mort cette nuit... non, non ici... c'était le coeur... La maison est suffisamment grande ici, n'est-ce pas... Oui... monsieur Albert Thibaut, 170 ave Montréal... Je vous attends... (*Raccroche.*)

MICHELLE. — Tu vas demander le médecin...

MERE. — Pourquoi un médecin maintenant ?...

MICHELLE. — Il faut tout de même constater...

MERE. — Laisse-moi, veux-tu, je suis très fatiguée, très fatiguée.

MICHELLE. — Où est-il ?

MERE. — Qui ? Roger ?

MICHELLE, *voix étranglée par l'émotion.* — Lui... papa.

MERE. — Tu ne vas tout de même pas...

MICHELLE. — Veux-tu me dire où ? C'est mon père, je peux bien le voir maintenant...

MERE. — Il est encore dans son lit...

Pas dans l'escalier.
Transition musicale.
Porte qui s'ouvre...

ROGER, *apeuré et surpris.* — Ah ! c'est toi...

MICHELLE. — Qu'est-ce que tu fais là ?

ROGER. — Tu m'as fait peur... C'est affreux. Je croyais que c'était lui...

MICHELLE. — Qu'est-ce que tu as ?... Tu es pâle...

ROGER, *débit haletant... malaisé.* — Je n'ai pas dormi de la nuit, tu sais... A deux heures... A deux heures, je suis descendu chercher le remède... Maman m'avait dit qu'il...

MICHELLE. — Mais parle, raconte.

ROGER. — J'ai monté le remède à sa chambre... J'ai fait de la lumière, je l'ai vu alors... Il était tout en sueur... On aurait dit qu'il étouffait... Je ne l'avais jamais vu dans cet état... Il ne parlait pas, il me regardait... Ah ! non, non... je ne veux pas...

MICHELLE. — Et alors, mais dis-moi, qu'est-ce que tu as fait ?

ROGER. — Il me regardait d'une telle façon...

MICHELLE. — Mais raconte...

ROGER. — Ah ! j'avais peur... Il ne disait pas un mot, mais j'entendais tout ce qu'il voulait me dire. Je l'entendais me traiter de paresseux, de raté, de bon à rien... Il me regardait avec mépris comme si je venais de couler un examen. Oui, c'est cela. Pour lui, j'ai toujours coulé des examens !

MICHELLE. — C'est à cela que tu pensais hier quand il était déjà mourant ?...

ROGER. — Oui... et lui aussi y pensait. Il ne m'a jamais pardonné d'avoir raté... Il ne pensait qu'à cela hier. Il me reprochait tout depuis la petite école jusqu'à maintenant. Il m'en voulait. Il me méprisait comme jamais il ne l'avait encore fait. Jusqu'au dernier moment, il n'a pensé qu'à me condamner, qu'à m'écraser... Tout son mépris s'est ramassé dans les dernières minutes qui lui restaient à vivre... et il m'a regardé d'une telle façon...

MICHELLE. — Il ne t'a rien dit, tu es sûr ? il ne t'a pas dit un seul mot ?...

ROGER. — Non, rien, pas un mot, pas un seul mot... Sortons d'ici, je n'en peux plus de cette chambre et... lui, là, juste à côté de nous...

MICHELLE. — Les morts ne parlent jamais...

ROGER. — Il est immobile, durci, menaçant...

MICHELLE. — Alors, tu lui as présenté le remède, tu me disais...

ROGER. — Oui, je me suis approché...

MICHELLE. — Où ?... Où t'es-tu approché ? ici ?...

ROGER. — Non, là tout près du lit...

MICHELLE. — Tu t'es assis sur le bord du lit ?

ROGER. — Non... Je suis resté debout.

MICHELLE. — C'est impossible... Tu t'es sûrement assis, tu l'as pris dans tes bras pour le relever... comme ça !

ROGER. — Michelle, arrête... Ne le touche pas maintenant.

MICHELLE. — Il est plus lourd que je ne croyais...

ROGER. — Michelle, arrête-toi, c'est affreux...

MICHELLE. — Mais comment pouvais-tu lui verser le remède et en même temps...

ROGER. — Je te le répète, je ne me suis pas assis sur le lit...

MICHELLE. — Parle-moi, alors. Je veux savoir comment il est mort... Tu as été le dernier à le toucher, à le voir vivant, tout en sueur, tremblant, malade, secoué...

ROGER. — Mais je ne suis pas resté dans sa chambre, je suis parti tout de suite après l'avoir soigné... et ce matin, maman est montée à sa chambre et elle a découvert qu'il était mort...

La porte s'ouvre.

MERE. — Ici, Messieurs...

MICHELLE. — Tu ne vas pas l'embaumer tout de suite, maman ? Appelle d'abord le médecin...

MERE. — Je t'en prie... Ces messieurs sont autorisés à faire le constat officiel.

MICHELLE. — Je ne veux pas, je ne veux pas...

MERE. — Michelle... sois raisonnable !

MICHELLE. — Je ne veux pas qu'on l'embaume tout de

suite... (*Pleure.*) On a bien hâte de se débarrasser de ton sang pour être sûr que tu ne vivras plus, que tu ne gêneras plus personne dans la maison. Oh ! papa... on fera de toi un vrai cadavre, un vrai mort...

MERE. — Michelle, pas de démonstration comme cela... console-toi mon enfant... Allons.

MICHELLE. — Tu es si pressée ?...

MERE, *loin du micro.* — Bon, je vous laisse, messieurs... Si vous désirez un renseignement ou, je ne sais pas, quelque chose, vous m'appellerez... je suis en bas...

Murmure de voix d'hommes...

MICHELLE, *en premier plan et parlant bas.* — Et alors... à quel moment es-tu parti de la chambre ? Tout de suite après avoir rempli consciencieusement des devoirs de fils ingrat ? Tu as laissé ton père tout seul avec sa maladie...

ROGER. — Je ne savais pas qu'il était si malade...

MICHELLE. — Tu pensais à autre chose. Tu t'imaginais que ton père te reprochait d'avoir coulé un examen il y a deux ans... Et puis tu songeais à ta fiancée, sans doute ?

ROGER. — Tais-toi...

MICHELLE. — Après tout tu es fiancé ! N'est-ce pas une excellente raison pour oublier ton père sur son lit de mort !

ROGER. — Ce n'est pas le moment de parler de Françoise.

MICHELLE. — Je n'ai rien contre elle... c'est toi qui m'intéresse. Ta façon d'assister ton père...

ROGER. — Je t'ai dit que je suis sorti de la chambre après !

MICHELLE. — Non, tu ne m'as pas dit cela.

ROGER. — Tout à l'heure, je te l'ai dit...

MICHELLE, *un temps... puis : froidement insultante.* — Tu es un beau lâche, sais-tu...

MERE, *intervenant.* — C'est scandaleux ! Comment oses-tu parler ainsi alors que ton père est là...

MICHELLE. — Avait-il besoin de se coucher cette nuit s'il voyait que son père était malade... Il ne lui restait qu'à appeler le médecin. Mais non ! Monsieur est inconscient du danger. Monsieur ignore tout... Monsieur avait peur de son père !

MERE. — Je ne veux plus t'entendre... Si tu as attendu ce moment pour déverser ton fiel...

MICHELLE. — C'est cela... protège ton fils. Le pauvre enfant, il avait peur de son père agonisant. Si ce n'est pas misérable... Il est tellement sensible qu'il n'avait même pas la force d'appeler un médecin... Et puis il avait la tête ailleurs... Ce mariage, au fait, c'était pour samedi ? Il n'y a aucune raison de le retarder maintenant. On fera la cérémonie dans la plus stricte intimité et puis vous prendrez l'avion pour les Bermudes... comme si rien n'était arrivé...

Transition musicale.

On entend les cloches de l'église au loin.

ROGER. — Je n'irai pas à l'église !

MERE. — Roger, n'agis pas d'une façon aussi ridicule... Tu dois aller aux funérailles de ton père !

ROGER. — Je n'en peux plus de me faire regarder. Tous ces gens qui défilent depuis trois jours et qui me dévisagent comme si j'avais...

MERE. — Qu'est-ce qu'on penserait de toi ? Tu ne peux pas manquer à ces funérailles. C'est insensé...

ROGER. — Je ne suivrai pas le cortège, tu comprends ? Je ne marcherai pas derrière le cercueil de mon père comme un fils digne et douloureux. Il n'y a pas la moindre promesse de dignité en moi... Tu voudrais peut-être que je fasse son oraison funèbre, aussi ? que je vante ses mérites, que je rappelle ses grands mouvements de générosité... Tu voudrais sans doute que je crie à tout le monde que je l'aimais comme un père ?... que chaque fois qu'il mettait les pieds dans la maison j'avais le goût de me sauver dehors, qu'il ne m'a pas adressé la parole une seule fois en 24 ans, sinon pour me dire que j'étais un incapable...

MERE. — Ne parle pas si fort, écoute-moi un peu... Le cortège s'est formé dehors. Dépêche-toi et vas-y. Domine-toi, oublie tout ce qui s'est passé. Sois fort, Roger !

ROGER. — Fort comme mon père !

MERE. — Tais-toi.

ROGER. — Je ne serai jamais fort, moi... Regarde-moi un peu. Je n'ai pas une tête à fonder une compagnie, à diriger des centaines d'hommes... Je ne ressemble pas à mon père. C'est clair, c'est évident, c'est entendu pour toujours... Je ne serai jamais comme lui.

MERE. — Pour moi, pour moi, Roger... je te demande d'assister aux funérailles de ton père.

ROGER. — On m'attend à l'église samedi prochain pour mon mariage. Je n'y mettrai pas les pieds d'ici là.

MERE. — Ne me parle pas sur ce ton, Roger. Pas maintenant. Tu n'as pas le droit; ce n'est pas le moment de me parler de ce mariage... C'est trop affreux. Je ne veux pas y penser... Mon petit Roger, ne me fais pas cela...

ROGER, *ennuyé.* — Je t'en prie, ne m'embrasse pas comme si j'étais un enfant...

MERE. — Ne sois pas dur avec moi... Tu sais bien que sans toi, maintenant, je n'ai plus de raison de vivre. Tu ne peux plus me quitter après tout ce qui est arrivé... Tu ne me trahirais pas, Roger. Dis-moi que non. Ce n'est pas vrai, tu ne veux pas te marier... Roger...

ROGER. — J'en ai assez de tes histoires...

Pas dans le couloir... Porte qui s'ouvre...

VOIX D'HOMMES. — Madame... c'est pour le cercueil... tout est prêt ?

MERE. — Comment ? qu'est-ce que vous dites ?

VOIX D'HOMME. — On va fermer le cercueil maintenant...

MERE. — Mais allez, je vous en prie...

VOIX D'HOMME, *hésitant.* — Vous voulez peut-être... une dernière fois...

MERE. — Pourquoi me regardez-vous avec cet air-là ?

VOIX D'HOMME. — Avant qu'on ferme le cercueil, il y en a qui s'approchent...

MERE. — Faites votre métier... messieurs... vous pouvez fermer...

Musique majestueuse et sonore de la messe des morts...
On entend le prêtre en fond sonore et un peu en écho.

LE PRETRE. — De profondis...

MICHELLE, *en monologue intérieur.* — ...Te souviens-tu quand j'étais petite, tu venais m'embrasser le soir dans mon lit, je ne dormais pas, j'attendais que tu apparaisses dans l'ombre...

LE PRETRE. — ...

MICHELLE. — C'était le plus beau moment de la

journée... Tu entrais dans ma chambre lentement, sans faire aucun bruit pour ne pas m'éveiller... et moi je ne dormais pas.

LE PRETRE. — ...

MICHELLE. — Je fermais bien mes paupières, mais je te sentais tout près de moi... tu me regardais dormir. Oh ! j'aurais dû me retourner et te dire : papa, je t'aime...

LE PRETRE. — ...

MICHELLE. — Tu es parti trop vite, papa... je n'ai pas eu le temps de te dire que je t'aime... J'avais des choses à te dire encore.

LE PRETRE. — ...

MICHELLE. — L'entends-tu, elle, ma mère ? Elle est juste à côté de moi et elle pleure... Elle pleure juste assez fort pour qu'on l'entende, elle continue de jouer son rôle avec sérieux... Elle regarde le prêtre. "Si cette cérémonie d'enfer peut finir" qu'elle semble se dire... Moi je passe pour ingrate : je ne pleure pas. Mais je voudrais que les funérailles soient longues. Car ce sont nos adieux. Après il n'y a plus rien... Regarde-la pleurer. Elle ment comme elle n'a jamais menti... Elle a hâte de retourner à la maison pour faire de l'ordre, pour vendre tes meubles à l'encan et en acheter des neufs. Je la vois faisant de l'ordre autour d'elle, elle enlève tout ce qui n'est pas de son monde. Elle fait le vide... Moi, elle me considère comme un vieux meuble, comme un de tes meubles. Quand elle me voit, elle ne peut s'empêcher de resserrer les lèvres. Je la dégoûte, je le sais. Mais elle continue d'être gentille avec moi, elle veut jouer beau jeu jusqu'à la fin... C'est un peu ce qu'elle a fait avec toi.

Musique de la messe des morts.

Sonnerie du téléphone : une fois... deux fois... trois fois...

MERE. — Allô... comment ?... Ah ! c'est vous, Françoise...

FRANÇOISE, *voix tamisée. En fondu.* — Mais Roger n'y était pas...

MERE, *embêtée.* — Non... il ne pouvait pas sortir... il a été très affecté par la mort de son père... C'est affreux... Il est tellement sensible.

FRANÇOISE. — Je voudrais bien lui parler maintenant...

MERE. — Maintenant... (*Embêtée.*) Non, Françoise, ce n'est pas raisonnable... pas maintenant... il te rappellera si tu veux bien... Tu lui as parlé depuis l'événement...

FRANÇOISE. — Si peu... c'était le lendemain de la mort de...

MERE. — Cette mort doit bouleverser tous vos plans, je sais...

FRANÇOISE. — Vous comprenez, madame, tout était prêt... nous avions fait nos réservations... J'en ai parlé à mes parents encore aujourd'hui... Ils m'ont dit que le mariage pouvait se faire quand même... dans l'intimité, évidemment.

MERE. — J'en ai beaucoup parlé avec Roger... (*Hésitante.*) Je comprends très bien votre cas... c'est contrariant, je sais... mais, tu comprends, il y a des événements imprévisibles... Roger me disait... Mais ne va pas croire que je veux me mêler de cela; en ce qui me concerne, je n'ai aucune objection, cela ne me fait vraiment rien, comprends-moi bien... Mais Roger... préfère retarder. Je sais ce que tu diras, mais au fond, Françoise, ce n'est pas en retardant de quelques mois... et puis, à votre âge... Françoise ! Allô Françoise...

Elle raccroche lentement... Un temps.

MICHELLE. — Je te félicite...

MERE. — Ah ! tu m'as fait peur... (*Soudain ressaisie.*) Qu'est-ce que tu faisais là ? tu écoutes maintenant...

MICHELLE. — Dois-je transmettre les messages de Françoise à Roger ?

MERE. — Ce serait trop facile pour toi de faire croire à Roger...

MICHELLE. — Que sa mère s'occupe de son mariage avec amour... Si tu n'étais pas là pour le protéger, il commettrait l'erreur monstrueuse de se marier, n'est-ce pas ?...

MERE. — Tu es ignoble...

MICHELLE. — A nous deux, tu sais...

MERE. — Je commence à comprendre ton jeu, toi. C'est ton sale caractère qui prend le dessus maintenant. Tu es une petite intrigante, au fond. Tu es toujours derrière les portes, tu baisses les yeux mais tu écoutes tout ce qui se dit, tu fais la sourde, la muette, l'idiote et après tu tourmentes les autres, tu inventes des complications...

MICHELLE. — Je te donne cent fois raison, si tu y tiens. Je n'ai jamais sollicité ton estime, inutile de le cacher. Alors disons que je suis compliquée, fourbe, intrigante, tout ce que tu veux... Ça ne me touche pas du tout. Je suis insensible, invulnérable; je me sens protégée... depuis que j'ai une petite idée, là... oh ! presque rien, une simple hypothèse...

MERE. — Qu'est-ce que tu vas inventer encore... On dirait que toute ta bassesse ressort maintenant que ton père n'est plus là...

MICHELLE. — Tu as parfaitement raison. Depuis que papa est... mort, j'ai compris...

MERE. — Tu as compris, tu as compris. Explique-toi...

On entend des pas en haut... (Silence.).

MERE. — Tais-toi, je t'en supplie. Ne lui dis rien au sujet de...

MICHELLE. — Françoise...

MERE. — Tais-toi...

Pas qui descendent l'escalier... (Silence.).

MERE, *volubile.* — Allons, Roger. Tu ne devrais plus porter ce complet. Il est usé partout, regarde-moi ces manches... ton nouveau complet gris te fait beaucoup mieux...

ROGER. — Je porte celui-là parce qu'il est noir...

MERE. — Tu n'as pas besoin de porter le deuil, une cravate noire... tout au plus... à 24 ans, on ne s'habille pas en noir... il n'y a pas de raison.

ROGER. — Il y a une raison, une seule...

MICHELLE, *éclate de rire insolemment.*

ROGER. — Qu'est-ce que tu as, toi ? Pourquoi ris-tu ?

MICHELLE, *continue de plus belle.*

ROGER. — Qu'est-ce que tu veux insinuer ?... Tu prends toujours des airs de sous-entendus... Je ferai bien ce que je veux...

MERE. — Arrête-toi. Ne sois pas ridicule...

MICHELLE. — Soyons bons amis plutôt, vivons comme une famille modèle... Il manque quelqu'un évidemment, mais qu'importe.

MERE. — Tu es exécrable avec tes remarques...

MICHELLE. — J'ai toujours éprouvé un certain plaisir à me faire détester... C'est d'ailleurs le seul plaisir que je connaisse vraiment, car j'ignore celui d'être aimée...

MERE. — Cette conversation est vraiment irritante... Ne restons pas ici à nous regarder comme des bêtes fauves...

MICHELLE. — Un instant...

ROGER. — Quoi ?

MICHELLE. — Maman a oublié de te dire quelque chose...

ROGER. — Qu'est-ce que tu racontes-là...

MICHELLE. — N'est-ce pas, maman ? Est-ce que je conte des mensonges, moi ?

ROGER. — Parlez, enfin...

MERE. — Tu n'es pas pour écouter les histoires de ta soeur, maintenant. Allons-nous en d'ici. Tu veux tout gâcher...

MICHELLE. — Oh ! non, c'est déjà pas mal gâché...

ROGER. — Je veux savoir de quoi vous parlez...

MICHELLE. — Ta mère te le dira...

ROGER. — Alors, quoi ?

MERE. — C'est au sujet... de l'héritage de ton père... (*En s'éloignant.*) Une question sans importance...

MICHELLE. — Tu mens... Je vais te le dire, moi...

MERE. — Michelle, arrête-toi; tu me fais horreur. Je vais t'ordonner de sortir d'ici... de quitter cette maison à jamais...

ROGER. — Alors raconte !

MICHELLE. — Françoise a appelé tout à l'heure...

ROGER. — Pourquoi ne me le disais-tu pas ?

MICHELLE. — Et... il a été question de votre mariage et... il paraît que tu désires le retarder, comme ça, tout simplement... par respect pour ton père... Il faut croire que tu avais même gardé tout ton respect pour après sa mort...

ROGER. — Pourquoi as-tu dit cela à Françoise ?

MERE. — Ah ! je t'en prie, Roger, ne me parle pas sur ce ton. Je ne peux pas supporter cela entre nous...

ROGER. Mais réponds-moi... c'est tout ce que je te demande. Pourquoi ?

MERE. — Ce mariage fait à la hâte est une chose insensée...

ROGER. — J'en ai assez de tes décisions...

MERE. — Roger !

ROGER. — Je serai le seul à décider si le mariage est idiot ou pas... Je suis libre depuis qu'il n'est plus là-haut dans sa chambre. Pendant des années il m'a demandé des comptes, des explications, des motifs, des raisons. Je ne pouvais sortir seul une soirée sans m'expliquer en détail le lendemain. Il dominait tout, surveillait mes moindres gestes. Il fallait que je m'explique sur l'emploi de mon temps, le choix de mes amis, les paroles que je prononçais... C'est ça qui me rendait fou à la fin. Je n'en pouvais plus d'être à la merci de ses questions et de ses ordres... Et maintenant c'est toi qui recommences...

MERE. — Roger, comment oses-tu m'accuser maintenant...

ROGER. — Je t'accuse parce que ta présence me déplaît. Et tu es partout dans cette maudite maison; quand j'entre, je t'entends respirer à travers les murs. Tu t'inquiètes à mon sujet et tu m'imposes ton inquiétude comme une condamnation. J'ai beau changer de pièce, tu es partout, tu t'occupes de tout... Quand je viens pour faire de l'ordre dans ma chambre, c'est déjà fait; tu y avais pensé... Quand je pars, il y a toujours un complet bien pressé... Quand je rentre à une heure du matin, il y a toujours une collation sur la table... Tu y avais pensé. C'est ça que je ne peux plus supporter... Tu prévois tout, tu me poursuis, tu m'accables avec tes inquiétudes... Je te vois partout.

MERE. — Roger, ne me parle pas si fort... ne sois pas méchant pour moi...

ROGER. — Alors tu as dit à Françoise que je voulais retarder le mariage ? Tu as tout prévu, tu as probablement décommandé nos places sur l'avion ? Tu as téléphoné au presbytère pour leur apprendre...

MERE. — Je n'ai rien fait de cela, Roger... Ne m'accuse pas. Je suis une pauvre femme, je suis seule et malheureuse moi aussi.

ROGER. — Non, pas cette fois. Ne me chante pas ce refrain... Qu'est-ce que tu lui as dit à Françoise ?

MERE. — Mais rien, ce sont des inventions de ta soeur... elle veut tout brouiller ici. Elle attendait la mort de son père pour entreprendre son rôle infâme...

MICHELLE. — Ne te gêne pas pour m'accuser, si cela peut soulager tes inquiétudes...

ROGER. — Je me marierai quand je voudrai. C'est compris ? Tout de suite, demain, samedi...

MERE. — Ne fais pas cela, Roger, tu es ridicule...

ROGER. — Il n'y a plus de ridicule à partir d'un certain moment. Je vais défaire ma cravate, je vais cracher sur toi, je vais t'insulter, te battre... pour te prouver qu'il n'y a plus rien de ridicule.

Prend le téléphone.

MERE. — Roger, ne fais pas de bêtise...

ROGER. — Laisse-moi faire...

Il compose le numéro.

MERE. — Roger, tu te conduis comme un enfant...

ROGER. — Tu verras bien... Allô Françoise...

La ligne se ferme.

ROGER. — Qu'est-ce que tu as fait là ?

MERE. — Roger, je t'en supplie... ne me fais pas cela. Tu n'as pas le droit maintenant, tu vas me tuer... (*Elle pleure.*)

Roger recompose le numéro.

MERE, *continue de pleurer... (Maintenir pendant le téléphone.)*

ROGER. — Françoise... oui c'est moi. Non, ce n'était rien. Je veux te voir... Ce soir, tout de suite... Je n'ai rien... Je te dis que je n'ai rien... On ne change rien pour la date... M'entends-tu ? Samedi... Samedi... tout est prêt... oui...

Musique en fondu enchaîné.

Bruits de la rue... les autos... les klaxons... des pas.

FRANÇOISE. — Roger... Comment es-tu ?

ROGER. — Tu as de l'argent sur toi, Françoise ?... Je n'ai que de la petite monnaie... Je suis parti de chez moi en vitesse...

FRANÇOISE. — Tu ne m'as même pas embrassée... (*Un temps.*) Mais tu as la fièvre; tes joues sont brûlantes...

ROGER. — Combien as-tu...

FRANÇOISE. — Un instant... tiens, c'est tout ce que j'ai. Si j'avais su...

ROGER. — Ça va... C'est parfait. On part...

FRANÇOISE. — Mais où m'emmènes-tu ?

ROGER. — On sort ce soir... tu veux ?

FRANÇOISE. — Je te suis...

ROGER. — Tu connais des bonnes boîtes de nuit ?...

FRANÇOISE. — Aucune... mais qu'est-ce qui t'arrive ?

ROGER. — Achetons un journal, on trouvera bien...

Fondu enchaîné. Bruits de la rue avec la musique langoureuse et tamisée d'une boîte de nuit... (Maintenir.)

ROGER. — Un autre scotch pour moi... toi, qu'est-ce

que tu prends ?

FRANÇOISE. — Je n'ai pas encore fini mon verre...

ROGER. — Deux scotchs !...

FRANÇOISE. — Parle-moi, maintenant... Tu me regardes depuis tout à l'heure et tu ne dis pas un mot... Tu sais, quand on s'est vus la dernière fois... vendredi dernier. Tu te souviens, tu étais venu chez moi... Ce soir-là, il fallait que je t'arrête de parler... Tu me disais que tu ne pouvais plus attendre pour notre mariage, tu voulais m'enlever de chez moi et prendre le train cette nuit-là pour New York...

ROGER. — J'ai soif... donne-moi ton verre...

FRANÇOISE. — Ne bois pas si vite... Roger... Tiens... le garçon apporte les deux autres scotchs...

Bruit des verres déposés sur la table...

ROGER. — Merci... non, gardez...

FRANÇOISE. — Tu veux partir pour New York encore cette nuit... ?

ROGER. — C'est vrai ? Je voulais t'emmener à New York ? ? ?

FRANÇOISE. — Tu me disais qu'il y avait un train à 11.20 h et que nous avions juste le temps... de nous rendre à la gare...

ROGER. — On aurait dû s'en aller...

FRANÇOISE. — De toute façon, on le prendra bientôt ce train de 11.20 h.

ROGER. — C'est alors qu'il fallait partir... Qu'est-ce qui nous a retenus ? J'avais juste assez d'argent pour vivre quelques jours... puis après j'en aurais fait venir...

FRANÇOISE. — Deux jours après, ton père est mort.

ROGER. — New York... c'est là que je devais aller...

FRANÇOISE. — Ne bois pas si vite, Roger, tu vas te rendre malade...

ROGER. — Et qu'est-ce que je te disais à part ça ?...

FRANÇOISE. — Tu m'as raconté ton premier voyage à New York quand tu avais 17 ans...

ROGER. — C'est tout ? je ne te disais rien d'autre ce soir-là ?... Je ne t'ai pas avoué que j'avais peur ?

FRANÇOISE. — Non, tu n'avais pas peur...

ROGER. — J'ai toujours peur, toujours...

FRANÇOISE. — Tu étais avec moi et tu m'embrassais...

ROGER. — Je me souviens que j'avais peur... (*Prend une gorgée.*) C'est pour ça que je voulais me sauver à New York... Prendre le train la nuit, traverser une frontière, c'est ce qui m'aurait guéri...

FRANÇOISE. — Roger, pourquoi me parles-tu de tout cela... tu es fiévreux ce soir...

ROGER. — Il y a toujours une frontière à traverser, il faudrait que je m'échappe d'ici et que je finisse mes jours sous d'autres ciels... Je suis comme ces bandits qui cherchent un pays où on ne connaît pas leurs crimes...

FRANÇOISE. — Roger, ne bois pas trop...

ROGER. — Je ne la traverserai jamais la maudite frontière. C'est toujours la même police qui me poursuit, je ne lève pas la tête sans apercevoir quelqu'un qui me surveille...

FRANÇOISE. — Non, ne cherche pas. Personne ne t'épie ici; il n'y a que moi qui te regarde et je t'aime...

ROGER. — Allons danser, veux-tu ?...

FRANÇOISE. — Oui, je veux...

Musique de danse plus forte... envahissante... (Maintenir sous les répliques.)

FRANÇOISE. — Tu sais... j'ai bien hâte d'être avec toi... tout seuls... Le soir quand tu reviendras, je t'embrasserai... Je t'aurai préparé de beaux repas et, toi, tu me conteras des histoires.

ROGER. — C'est vendredi qu'il fallait partir, Françoise...

FRANCOISE. — Il y en aura bien d'autres vendredis comme celui-là...

ROGER. — Je t'assure. Il y avait un seul jour dans toute ma vie où je pouvais m'enfuir, et il ne se reproduira jamais... J'ai raté ma chance. Maintenant, je suis pris, je suis cerné... Tout ce monde autour de moi, je ne peux plus m'échapper...

FRANÇOISE. — Qu'est-ce que tu as, Roger... Tu me fais mal quand tu parles comme ça... Nous allons nous marier dans quelques jours. Il y a deux ans que nous attendons ce jour-là. Il n'y a plus rien entre nous maintenant, plus rien pour nous empêcher de vivre ensemble, comme nous le voulons...

ROGER. — Arrêtons... Je n'en peux plus de cette foule autour de nous... j'ai soif, terriblement soif. (*Bruit de verre... Il avale.*) Françoise... Françoise... tu t'es trompée à mon sujet...

FRANÇOISE. — Non, je ne me suis pas trompée, mon amour...

ROGER. — Oui, affreusement. Pendant que tu détournais la tête... j'ai eu le temps de changer. En une fraction de seconde...

FRANÇOISE. — Ne me rends pas malheureuse, Roger...

ROGER. — J'ai enlaidi... Regarde-moi un peu, mes yeux sont vitreux. Ce sont des yeux de bête maintenant ! tu n'as pas peur quand tu me regardes dans les yeux ? Regarde...

Un verre se brise.

FRANÇOISE. — Roger, sois raisonnable...

ROGER. — Il est bien cassé... émietté, poussière; il n'en reste plus...

FRANÇOISE. — Tu n'es plus le même ce soir, Roger... que se passe-t-il ?

ROGER. — Je veux que tu me regardes de près... approche. Tu me trouves beau encore ? C'est bien ce visage que tu aimes ?... Tu ne le trouves pas repoussant plutôt ? Non ? Ça te plaît de vivre avec un homme cicatrisé, défiguré, enlaidi...

FRANÇOISE. — Je ne t'écoute plus... tu veux me faire de la peine ce soir... et je pense que tu bois trop...

ROGER. — Je n'ai jamais aussi bien compris qui j'étais. Tiens, en cet instant précis, je me vois et je me trouve laid. J'ai des taches partout sur le corps, mon visage est difforme, tordu, ravagé... Oh ! Françoise, m'as-tu aimé un seul instant ?

FRANÇOISE. — Tu le sais bien, Roger, et...

ROGER. — Arrête-toi, c'est tout ce qu'il me faut savoir... Un seul instant, pendant un moment, une toute petite seconde, tu m'as aimé... C'est merveilleux. Et tu n'as jamais douté de moi ?

FRANÇOISE. — Non, jamais...

ROGER. — Tu ne m'as jamais trouvé lâche ?

FRANÇOISE. — Jamais, Roger... Mais ne me demande pas ces questions. Tu connais déjà toutes les réponses. Dans quelques jours je serai ta femme...

ROGER. — Françoise... (*Un temps.*)

FRANÇOISE. — Pourquoi regardes-tu toujours la porte ? Tu es nerveux comme si tu attendais quelqu'un.

ROGER. — J'ai peur, Françoise, j'ai affreusement peur...

Il faut que je guette sans arrêt. Il me semble qu'à chaque instant... on viendra me prendre...

FRANÇOISE. — Partons d'ici, Roger... Nous marcherons dehors, c'est frais... On sera bien...

ROGER. — Cette fois... (*Un temps.*)

FRANÇOISE. — Roger, qu'est-ce que c'est ? je t'en supplie, parle-moi... Roger, qui regardes-tu comme cela...

ROGER. — Attends-moi une seconde...

FRANÇOISE. — Où vas-tu ?

ROGER. — Je reviens...

On entend les pas... La musique continue toujours...
Le bruit d'un dix cents qui tombe dans une boîte téléphonique
La porte qui se ferme... La musique en plus sourd...
Roger compose le numéro...

ROGER. — Maman ?... ah ! pardonne-moi, j'ai eu tort, j'ai voulu me sauver de toi, mais je me sens terriblement seul maintenant... J'ai peur surtout. J'ai peur qu'on me prenne... Tout à l'heure j'ai vu quelqu'un qui lui ressemblait tellement... j'ai cru que c'était un avertissement... (*Voix en fondu enchaîné : devient tamisée... En premier plan sonore la voix de la mère.*)

MERE. — Roger, Roger... tu m'as fait de la peine. Tu m'as blessée ce soir... Où es-tu maintenant ?...

ROGER. — Dans un club... Mais ne t'en fais pas...

MERE. — Il y a des heures que je reste tout près du téléphone, j'attendais... je serais morte ici plutôt que de me lever...

ROGER. — Je suis malheureux maintenant, je sens que je ne suis plus le même depuis... ici.

MERE. — Attends une seconde... (*Haletante.*) J'entends du bruit en haut... (*On perçoit des pas.*)... C'est elle encore... (*Baisse la voix.*) Michelle m'a surveillée toute la soirée... je ne sais pas ce qu'elle mijote dans sa tête, mais ça me déplaît de la voir tourner autour de moi... Tu ne lui as pas parlé, j'espère ?

ROGER. — Comment ? je ne t'entends pas...

MERE. — Elle fait exprès pour m'énerver... Roger, tu vas revenir bientôt ?... Ne me laisse pas toute seule ici...

ROGER. — Parle plus fort, je n'entends rien...

MERE. — Dépêche-toi de revenir... La maison est si grande sans toi... Roger, tu es là ?

ROGER. — Mais oui, qu'est-ce qu'il y a ?

MERE. — Tu l'entends, Roger ? Elle reste immobile pendant quelques minutes puis elle recommence à marcher... On dirait qu'elle cherche quelque chose dans les chambres... Je t'en supplie Roger, reviens vite. J'ai peur d'elle... Je sais qu'elle m'en veut, elle me cherche querelle... elle me regarde parfois avec une telle haine. Je crains qu'elle ne saute sur moi... (*Un temps.*)... Roger... Elle m'appelle !...

Un temps. On entend...

MICHELLE. — Maman... (*Tamisé et en écho faible.*)

MERE, *de côté.* — Oui, qu'est-ce que c'est ? (*Un temps.*) Elle ne répond pas. Ah ! Roger, je ne vis plus, elle me fait peur...

ROGER. — N'aie pas peur pour rien...

MERE. — Pourquoi m'appelle-t-elle ? pourquoi ?... Elle veut se moquer de moi encore. Elle veut m'intimider, je la connais... (*Un temps.*)

MICHELLE, *de loin.* — Maman...

MERE. — Tu l'as entendue ? Elle m'a encore appelée. Roger, je t'en supplie, reviens, ne reste pas trop longtemps là-bas... C'est tellement insupportable d'être seule ici. Je ne me sens plus protégée... Reviens vite, Roger. La maison est tellement vide quand tu n'es pas là... (*Un temps.*) Roger, tu es là ? Dis-moi quelque chose... Mon petit Roger... qu'est-ce que tu as ?

A ce moment précis : on entend le craquement du plancher sous des pas... Musique d'atmosphère... sous les répliques.

MERE, *haletante.* — Ah ! Roger... Il me semble que ton père est ici et qu'il vient pour me menacer... (*On perçoit toujours les pas.*)

ROGER. — Qu'est-ce qui se passe ? Je ne t'entends pas... Maman... Je te quitte... Je rentrerai plus tard...

MERE. — Tu l'entends ?... (*On perçoit les pas.*)... Elle marche exactement comme son père... (*Les pas s'arrêtent. Un temps, puis...*)

MICHELLE. — Tu es là maman ? (*D'en haut.*)

MERE, *murmure à l'appareil.* — Roger, reviens...

ROGER. — Quoi ?... Parle plus fort...

MERE. — (*Un temps.)*

Raccroche le téléphone... Un temps.

MERE, *voix haute mais craintive, nerveuse.* — Pourquoi m'appelles-tu ? (*Un temps.*) Michelle, pourquoi m'appelles-tu ?... (*Temps plus court.*) Réponds-moi...

MICHELLE, *de loin.* — Je voudrais te parler...

MERE. — Alors viens me trouver...

MICHELLE. — Non...

MERE. — C'est idiot... Descends...

MICHELLE. — Non... monte l'escalier...

MERE. — Mais on parlera aussi bien ici, ou dans le salon.

MICHELLE. — Monte ici... j'ai besoin de toi...

MERE. — Qu'est-ce qu'il y a ?

MICHELLE. — Je cherche quelque chose...

MERE. — Quoi ?

Pas qui montent lentement l'escalier.

MERE, *voix qui s'approche... Un temps... Les pas s'arrêtent...* — Michelle où es-tu ?

Porte qui grince.

MERE. — Que cherches-tu dans les tiroirs de ton père...

MICHELLE, *lit une lettre.* — "Mon amour... je suis toujours très inquiète quand tu pars en voyage, même pour quelques jours seulement... Il me semble que tu ne reviendras plus jamais, qu'un accident terrible peut t'arriver... Alors je deviens triste. Sans toi je ne pourrais plus vivre..."

MERE. — Michelle, donne-moi cette lettre...

MICHELLE, *continue de lire.* — "Sans toi, je n'envisage plus rien. Reviens vite, mon chéri, je t'attends..."

Bruït de papier froissé violemment.

MERE. — Ces lettres sont à moi !

MICHELLE. — C'est merveilleux l'amour... vraiment. Je ne savais pas que ce pouvait être si beau...

MERE. — Tu n'as pas le droit de profaner...

MICHELLE. — Profaner ! ! ! Ton vocabulaire est parfait... Dis-moi maintenant que j'ai profané ton amour...

MERE. — Quelle est cette comédie ?...

MICHELLE. — La tienne...

MERE. — Que veux-tu dire ?

MICHELLE. — Tout cela est une comédie... ces lettres

enflammées dont les coins sont jaunis, tes petits mouvements de noblesse et de révolte à tout propos comme si tu avais toujours à défendre la qualité de tes sentiments... Ton amour pour papa... cela aussi est une comédie... une comédie qui finit mal ! ! !

MERE. — Explique-toi... tu es blessante...

MICHELLE. — Ah ! tu veux protester...

MERE. — Oui... j'ai aimé ton père (*Un temps.*) Comprends-tu, j'ai aimé ton père...

MICHELLE. — Et si, moi, je me mettais dans la tête de t'aimer comme tu l'as aimé... si je décidais de m'éprendre de toi comme tu as été éprise de papa jusqu'au dernier moment, ... si tout à coup je me découvrais un penchant irrésistible pour toi...

MERE, *on l'entend respirer.*

MICHELLE. — Tu es bien pâle, maman... c'est tout l'accueil que tu fais à mon amour...

MERE. — Cesse de jouer cette comédie, Michelle. C'est ridicule...

MICHELLE. — Comédie ?... Mais non, je t'aime tout simplement comme tu aimais papa... Si tu devais tomber malade ce soir, tout à fait par hasard, je veillerais sur toi, je préparerais tes remèdes toute seule... Je serais ta garde-malade, je serais patiente, douce, gentille, pleine de prévenances et pas un instant... je ne souhaiterais ta mort. Mais alors pas un seul instant...

MERE. — C'est trop fort... je m'en vais.

MICHELLE. — Non... je te garde.

MERE. — Michelle, n'approche pas...

MICHELLE. — Je veux savoir jusqu'où est allé ton amour pour papa...

MERE. — Laisse-moi partir, je t'en supplie, je n'en peux plus...

MICHELLE. — Je trouve que papa a décliné bien vite... Pour tout dire, il a décliné en une seule nuit... Roger s'est bien mal expliqué... Il ne sait pas prendre une chose en main jusqu'au bout... On ne sait pas encore exactement comme tout cela s'est passé et ça m'intrigue...

MERE, *respiration haletante.* — Si tu approches... si tu approches, Michelle... je te frappe...

MICHELLE. — Comment est-ce qu'on se sent quand on a... tué son mari ?

Pas qui descendent un escalier.

MICHELLE. — Non... ne te sauve pas, je veux savoir...

MERE. — C'est faux, c'est faux. Tu mens... je n'ai rien fait. J'étais à ma chambre quand ton père est mort... Laisse-moi partir, laisse-moi ! ! !

MICHELLE. — Tu ne trouves pas qu'il est mort un peu vite... il est parti drôlement, sans dire bonjour à personne... ce n'était pas son habitude...

MERE. — Ne me tiens pas comme cela, tu me fais mal...

MICHELLE. — Comment t'y es-tu prise pour te débarrasser de lui aussi vite...

MERE. — Je ne l'ai pas tué, je ne l'ai pas tué... Je n'aurais jamais pu faire cela. C'est trop horrible. Je ne veux pas y penser...

MICHELLE. — Menteuse. Tu voulais te débarrasser de papa depuis longtemps... c'était trop évident... Tu l'as tué de tes deux petites mains propres et toujours blanches...

MERE. — Non, non Michelle... (*Halètements et signes de douleur.*) Pas moi !

MICHELLE. — Pas toute seule. C'est ça que tu veux dire... Ah ! je te reconnais maintenant... Ton visage commence à crier la vérité malgré toi. Tes traits vont éclater, ta belle figure de veuve est affreuse... Alors c'est ça la vérité !

MERE. — Je n'ai rien dit. Non, ce n'est pas vrai...

MICHELLE. — Roger... j'ai compris ! ! !

MERE. — Non, non... c'est faux... tu sais bien, Michelle, que...

MICHELLE. — Et toi tu n'as pas trempé tes mains, pas une petite goutte de sang sur ces belles mains...

MERE. — Michelle, je t'en supplie, ne fais pas de bêtises...

MICHELLE. — Je te reconnais, toi... Il me semblait que je ne pouvais pas te détester pour rien depuis des années. C'est bien toi, comme je te voyais dans ma chair. Ton visage, tes mains, ta dignité... il me semblait que tout cela sonnait faux, cachait une âme... de meurtrière.

MERE. — Non, Michelle, je t'en supplie, ne me regarde pas comme ça... tu te trompes... c'est faux tout cela...

Pas descendant précipitamment l'escalier.

MERE. — Non, Michelle... Non, laisse-moi partir...

Musique tragique sur ces dernières répliques.

En fondu enchaîné : musique langoureuse du cabaret.

Bruit des verres...

ROGER. — Il n'y a plus rien dans mon verre...

FRANÇOISE. — Tu l'as vidé tout à l'heure... Ne manquons pas cette danse, Roger...

ROGER. — De toute façon, ce serait la dernière et je la gâcherais... (*Haut.*) Un scotch, un seul...

FRANÇOISE. — Oh ! Roger, tu es maussade... toute la soirée tu as pris ce visage sombre pour me regarder. Fais-moi plaisir, je voudrais danser...

ROGER. — Il faut que je parte...

FRANÇOISE. — Qu'est-ce que tu dis ?

Pas... Le garçon dépose le verre...

ROGER. — Tenez... merci...

FRANÇOISE. — Tu ne veux pas partir maintenant... (*Riante tout à coup.*) Non, tu blagues... Après tout il est seulement 11 h 5. Dépêchons-nous, nous avons juste le temps... La grande fuite et juste quatre jours avant le mariage... C'est merveilleux... Et rendus à New York qu'est-ce qu'on fera ? On ira encore plus loin... On prendra un bateau qui descend jusqu'en Argentine...

ROGER. — Et une fois rendu en Argentine, je serai obligé de revenir... Et même si on allait au bout du monde, une fois rendu là-bas, je reviendrais... Je l'ai raté une fois pour toutes le train de New York. Maintenant, c'est fini, je ne partirai plus jamais, je ne mettrai plus jamais les pieds dans une gare...

Il cogne le verre sur la table.

FRANÇOISE. — Roger, tu veux me faire de la peine ou bien tu te moques de moi... Je n'ai plus le goût de rire, moi...

ROGER. — Il faut que je parte... tout de suite.

FRANÇOISE. — Roger, ne sois pas si impatient... Tu agis comme si tu ne voulais plus me voir, comme si tu voulais tout gâcher entre nous, alors que dans quelques jours...

ROGER. — Ecoute, Françoise. N'en parlons plus...

FRANÇOISE. — Mais de quoi...

ROGER. — Ça fait déjà quelques mois que nous avons fixé la date...

FRANÇOISE. — Roger, ne parle plus, arrête... avant de me dire quelque chose d'affreux. Non, c'est impossible... Tu ne veux pas vraiment... Dis-moi que non...

ROGER. — Tu diras à tes parents de décommander la petite fête de samedi... Pour ce qui est des cadeaux, ils peuvent les renvoyer...

FRANÇOISE. — Roger, ce n'est pas vrai... Tu ne peux pas changer à ce point ! Tu te moques de moi en ce moment, tout cela est une comédie... (*Un temps.*) Alors, ce que nous avons projeté ensemble, toutes ces merveilleuses promesses que tu m'as faites... dis-moi que cela est encore vrai... (*Un temps. Elle pleure.*) Roger, réponds-moi... Je n'étais pas seule à rêver à notre mariage, toi aussi tu me parlais de la maison qu'on aurait un jour sur le bord d'un lac sauvage, des grands voyages qu'on ferait... et tu me disais qu'on aurait un petit garçon...

ROGER. — Non, jamais... je ne veux pas avoir de garçon... et si je t'ai dit toutes ces folies, je te mentais, je te jouais une ignoble blague...

FRANÇOISE. — Pourquoi as-tu attendu si longtemps pour me dire que tu ne m'aimes plus... Tu n'as pas le droit maintenant. Je t'attends depuis longtemps déjà, je ne vis que pour toi, j'ai appris à t'aimer... comment pourrais-je renoncer à toi ? Roger... (*Un temps.*)... il s'est passé quelque chose. Oui, c'est cela ! Tu ne voulais pas me le dire, mais tu as rencontré quelqu'un... Roger, tu m'as trompée ! Il me semblait maintenant, c'est une autre qui s'est emparée de toi... Dis-le moi maintenant, il faut que je le sache; raconte-moi tout...

ROGER. — Françoise, il faut que je parte...

FRANÇOISE. — Oh ! non, pas maintenant ! Tu me quittes pour aller ailleurs... On t'attend, c'est cela ? Françoise peut s'en aller chez elle, tu lui as dit que tu en avais assez d'elle... Mais tu oublies que tu m'as demandée en mariage, tu oublies que je porte une bague au doigt... Tu te souviens de cela... Tu te souviens de l'après-midi où tu m'avais emmenée choisir cette bague... cette bague qui est ma marque à moi, qui me rassurait quand j'étais triste et que j'embrasse chaque soir dans mon lit... Roger, Roger, comment as-tu fait pour oublier tout cela... pour me tromper, me trahir... (*Pleure.*)

ROGER. — Arrête de pleurer. C'est ridicule... Que j'aie

fait n'importe quoi sur terre, que je t'aie trompée, trahie, que je n'aie jamais arrêté de te mentir... De toute façon, je ne serai pas à l'église samedi matin ! Je sais que je suis odieux en ce moment, mais je t'ai prévenue... C'est fini avec le Roger que tu connaissais. Il n'existe plus celui-là. Il était beau, moi je suis laid. Il t'embrassait d'une certaine façon, moi je n'embrasse plus. Il mettait sa tête dans ton cou, moi je n'ai plus le droit de te toucher...

FRANÇOISE. — Non, Roger, tu peux m'embrasser encore, tu peux me caresser... je ne l'ai jamais tant désiré...

ROGER. — Alors tu désires un petit monstre, tu désires un malade, un hors-la-loi... J'ai la lèpre et je n'ai plus qu'à aller cacher ma maladie dans une prison...

FRANÇOISE. — Je suis à toi pour toujours, Roger... Je te soignerai si tu es malade, je te soutiendrai, je t'embrasserai, je ne te quitterai jamais...

ROGER, *haut.* — Et si j'étais coupable, tu me guérirais peut-être ? Et si j'avais poussé quelqu'un dans un précipice, tu me donnerais l'absolution et je n'aurais plus à y penser jamais ? Tu me rendrais l'âme que j'avais juste avant le meurtre, c'est cela ? Ton amour me ferait tout oublier... Le soir quand je m'approcherais de toi je ne penserais à rien d'autre qu'à tes beaux yeux, je ne verrais rien d'autre devant moi que ton visage... Jure-moi que tu peux tout cela et nous partons ce soir pour ne plus revenir. Jure-moi que je n'aurai jamais peur la nuit, que je dormirai sur ton épaule comme un petit enfant...

FRANÇOISE. — Mais Roger, qu'est-ce que tu as... qu'est-ce qui s'est passé en toi, tu trembles, tu me regardes comme si je t'avais fait quelque chose...

ROGER. — Alors jure-moi que tu peux tout cela. Je veux ta promesse formelle, j'ai besoin d'une garantie absolue que je ne surveillerai pas la porte de notre chambre la nuit de peur qu'elle s'ouvre et qu'une ombre apparaisse... Je ne veux plus avoir peur, Françoise, je veux dormir la nuit. Fermer les yeux à minuit et ne plus les rouvrir avant le matin... Chaque nuit, quand je remonte à ma chambre, ça recommence; j'ai beau m'enfermer à double tour, je sens qu'il reste toujours une entrée, un endroit invisible par où quelqu'un viendra se venger...

FRANÇOISE. — Oui, je te guérirai, Roger, je serai partout avec toi, je veillerai sur toi...

ROGER. — A un moment, tu ne pourras pas t'empêcher de fermer tes paupières...

FRANÇOISE. — Je dormirai, mais si peu, si peu...

ROGER. — C'est ça, tu dormiras ! tu ne veilleras pas jusqu'au bout avec moi... Alors, j'aurai peur, c'est fini, je le sais maintenant. J'aurai peur. Tu aurais beau me jurer que tu ne dormiras pas, je ne te croirai pas... Tu flancheras. Et tout sera perdu. Toute une vie de veille sera perdue, parce que pendant une seconde tu m'auras laissé seul dans le noir et menacé de tous côtés... C'est inutile. Ne parlons plus maintenant...

Bruit de chaise... Pas rapides... Musique de danse s'estompe.
Dans une auto.

FRANÇOISE. — Reste avec moi ce soir, Roger... Je ne veux pas te laisser seul. Tu as besoin de moi... et surtout, Roger, ne me fais pas souffrir, ne me raconte plus que c'est fini entre nous... Si tu me disais que le mariage n'aura pas lieu samedi matin, je ne sais plus ce que je ferais... Ne te tourmente plus, nous serons heureux, tu verras...

ROGER. — Tu t'es trompée, Françoise... C'est un autre que tu veux épouser. Moi, tu ne me connais pas et si tu me connaissais...

FRANÇOISE. — Tais-toi, tais-toi, Roger... Ah ! Roger... (*Soupirs et voix très près du micro.*)... Laisse-moi t'embrasser... Roger, je t'aime... je vais te sauver de tes tourments, je vais te réchauffer tout près de moi et tu n'auras plus ces pensées...

ROGER. — Je suis souillé, Françoise, chaque instant pendant lequel tu continues de m'aimer va te conduire au désespoir... C'est inutile, inutile...

FRANÇOISE. — Je t'aime, Roger, tu ne peux pas me repousser maintenant. Tout est presque consommé entre nous... Tu te souviens vendredi... juste avant la mort de ton père, ce que nous nous étions juré...

ROGER. — Ici, monsieur, ici, oui...

FRANÇOISE. — Qu'est-ce que tu fais, Roger...

La porte qui s'ouvre et se referme...
On entend la voix d'en dehors du taxi...

ROGER. — Tenez... et reconduisez mademoiselle...

Des pas qui courent sur le pavé.

FRANÇOISE. — Roger... Roger...

Voix en fondu enchaîné... Transition musicale...
En fondu : pas précipités dans un escalier...
Bruit de clef dans une serrure... Porte qui s'ouvre lentement...
Silence... Bruit de commutateur électrique...
Deux pas hésitants sur le plancher.

ROGER, *d'une voix hésitante et anxieuse.* — Maman...

Quelques pas qui font craquer le plancher...
Les pas s'arrêtent... (Silence profond.)

ROGER. — Maman... Maman...

Pas dans l'escalier... Musique mystérieuse en fondu et maintenir sous ce qui suit...

Porte qui s'ouvre lentement : commutateur électrique :
Porte qui se referme... Pas un peu plus rapides...
Autre porte qui s'ouvre.

ROGER. — Maman... Maman...

Porte qui se referme... Pas de plus en plus saccadés...
Porte qui s'ouvre.

ROGER. — Maman... maman, tu es là ? ? ?

Porte qui se referme... Pas saccadés... Porte qui s'ouvre... Un temps... et se referme... Pas précipités... Porte qui s'ouvre... se referme... Porte qui s'ouvre et se referme... La musique arrête net au bruit de cette dernière porte qui se ferme... (Silence profond.)... Pas très lents et plancher qui craque... Poignée de porte tournée très lentement... La porte s'ouvre aussi très lentement... Deux pas hésitants...

ROGER. — C'est toi maman ? ? ? (*Un long temps.*)... Maman ! Qui est là ? ? ? Il y a quelqu'un là ! Qui est là ? ? ? (*Fracas d'une lampe qui s'écrase sur le parquet...*) Non, ce n'est pas toi... c'est impossible. Ah ! non, je ne veux pas... ce n'est pas toi...

Bruit du commutateur électrique.

MICHELLE, *cynique.* — Qu'est-ce qui t'arrive, mon pauvre Roger ?

ROGER. — Michelle !

MICHELLE. — Oui, Michelle, moi tout entière, en chair et en os... Qui voulais-tu que ce soit ? Ta petite maman ?

ROGER. — Pourquoi es-tu venue ici, toi ? Dans cette chambre ?

MICHELLE. — Dans la chambre de mon père ? Et toi, que viens-tu faire ici en pleine nuit... ?

ROGER. — Je cherche maman...

MICHELLE. — Et tu pensais la trouver ici... C'est peut-être son habitude de venir rôder dans la chambre de son mari ?

ROGER. — Où est-elle ?

MICHELLE. — Tu veux te faire consoler ce soir ? Tu as besoin de ta petite maman ? Pauvre enfant...

ROGER. — Lève-toi... lève-toi... Tu n'as pas le droit de te coucher dans le lit même où il est mort...

MICHELLE. — J'étais fatiguée, j'avais besoin de me coucher, c'est tout... Je suis venue ici parce que j'aime les draps de son lit. D'ailleurs, on ne les a pas changés depuis sa mort; évidemment on n'a plus raison de les changer maintenant...

ROGER. — Si tu ne t'enlèves pas de ce lit, Michelle, je vais t'en sortir... Je ne peux pas te voir là à sa place... c'est dégoûtant.

MICHELLE. — Je suis bien dans ce lit, je l'aime... il y a longtemps que je voulais dormir ici, d'ailleurs. Et puis quand je suis ici j'ai l'impression que je suis avec lui, tout près de lui et je suis heureuse... (*Nerveusement.*) N'approche pas ! Tu le regretterais...

ROGER, *affolé.* — Qu'est-ce que c'est que ça ?

MICHELLE. — Ça ?... des flacons, tu vois bien...

ROGER. — Ils n'étaient pas là...

MICHELLE. — Je ne comprends pas ce que tu veux dire...

ROGER. — Où les as-tu pris ?

MICHELLE. — Dans la pharmacie, tout simplement...

ROGER. — Pourquoi ? Pourquoi veux-tu garder ces maudites bouteilles avec toi ? Pourquoi ?

MICHELLE. — J'essaie de m'imaginer dans quelle ambiance il a vécu ses derniers instants...

ROGER. — Comment sais-tu qu'il y avait ces remèdes-là...

MICHELLE. — Tu dois le savoir mieux que moi, c'est toi qui l'as soigné cette nuit-là...

ROGER. — Je les avais tous descendus pourtant...

MICHELLE, *cinglante.* — Pourquoi ?

Fracas de petites bouteilles qui vont frapper le plancher.

ROGER. — Voilà ce que j'en fais de tes maudits remèdes... et toi je n'aime pas que tu me regardes avec cet air hypocrite. Il y a longtemps que je ne peux plus te supporter. Tu rôdes partout dans cette maison, on ne t'entend jamais venir et tu es là à tout écouter...

MICHELLE. — Petit lâche... ça fait longtemps que tu veux porter la main sur moi, tu n'as jamais osé... Et tu n'oseras pas le faire aujourd'hui...

ROGER. — Tu crois ?

MICHELLE. — Parce que tu as déjà vu ces draps défaits, tu as déjà touché à ces bouteilles de remèdes, parce que tu as déjà mis ton genou sur ce lit exactement comme tu le fais en ce moment, parce que tu t'es penché comme tu te penches maintenant et que tu devais avoir le même visage de lâche...

ROGER, *sanglotant de rage et de désespoir.* — Non, arrête... je n'en peux plus...

MICHELLE. — Est-ce qu'il s'est défendu ?... Dis-moi, qu'est-ce qu'il a fait ? Il ne t'a rien dit quand tu as mis ton genou sur le lit comme ça, quand tu as posé ta main sur la table pour mieux t'appuyer ? Non ? il ne t'a rien dit ? Il était immobile, il attendait... Tu étais debout au-dessus de lui, pour une fois tu avais le dessus et lui, il attendait que tu frappes !...

ROGER, *crise de larmes.* — Non, je ne l'ai pas frappé, je ne l'ai pas touché, je ne voulais pas le toucher, il était tout en sueur...

MICHELLE. — Dis que tu avais le goût de frapper... Tu voulais lui montrer comme tu étais fort !

ROGER. — Non ! (*Larmes.*)

MICHELLE. — Parle !

ROGER. — Je lui ai versé son remède, c'est tout...

MICHELLE. — C'est tout ? ? ?

ROGER. — ... puis j'ai attendu qu'il meure.

MICHELLE. — C'est ça ! Tu l'as tué ! ! !

ROGER. — Je savais que la crise viendrait à ce moment-là... Je lui avais donné quatre fois la portion qu'il fallait... J'ai attendu. Je l'ai vu trembler de tout son corps, il grimaçait. Je le voyais grimacer comme une bête malade. Il ne se plaignait pas, il se sentait pris et il mourait en silence... Il n'était pas beau. Sa dignité, sa puissance, son orgueil... ça ne faisait plus qu'un corps misérable tout mouillé par la sueur.

MICHELLE. — Tu es un assassin...

ROGER. — Ça fait des années que j'attendais ce moment. Je n'ai jamais pu l'endurer, il était au-dessus de moi pour me dire quoi faire. Quand je le sentais dans la maison, je ne pouvais plus rien faire. J'étais sur mes gardes, j'attendais qu'il parte... Il me détestait. Il se moquait toujours de moi quand il y avait du monde... Puis il parlait trop fort. Je l'entendais de la cave quand il donnait des ordres, il n'y avait plus d'autre bruit dans la maison que sa maudite voix... Ah ! il fallait que cela arrive... Je n'en pouvais plus de lui... Quand j'ai mis les pieds dans sa chambre l'autre nuit... il m'a regardé... Il m'a semblé qu'il me regardait pour la première fois, il ne m'avait jamais vu et, cette nuit-là, il s'est aperçu tout à coup que j'étais tout près de lui. J'étais le plus fort enfin. J'étais au-dessus de lui et je le soignais. C'était mon triomphe... mais ça n'a duré qu'un instant...

MICHELLE. — Et maintenant ?

ROGER. — Et maintenant j'ai peur... je le vois encore, je le sens rôder autour de moi, j'entends ses pas dans la maison... Je ne peux plus dormir. Je n'ai pas une seconde de vrai repos. J'entends le plancher craquer sous ses pas. J'entends les portes grincer dans ma tête...

MICHELLE. — Il est quelle heure en ce moment... ?

ROGER. — Je ne vois pas très bien...

MICHELLE. — Approche-toi de la lumière, approche...

ROGER. — Deux heures...

MICHELLE. — Quelle coïncidence...

ROGER. Que veux-tu dire ?

MICHELLE. — Il y a exactement quatre jours, à cette même minute, tu étais ici, dans cette chambre, à cet endroit précis où tu es en ce moment et... tu étais un criminel.

ROGER. A quoi veux-tu en venir ?

MICHELLE. — Qu'est-ce que tu as fait immédiatement après ?

ROGER. — Je ne sais pas... je suis parti...

MICHELLE. — Où es-tu allé ?

ROGER. — ...je suis retourné...

MICHELLE. — Où est-tu retourné ?

ROGER. — A ma chambre !

MICHELLE. — Tu mens ! Où es-tu allé juste après quand tu es sorti d'ici ?

ROGER. — A ma chambre, je te dis...

MICHELLE. — Non, Roger... tu es allé à la chambre de maman !

ROGER. — Comment le sais-tu ?

MICHELLE. — Ne t'inquiète pas...

ROGER. — Comment peux-tu savoir...

MICHELLE. — Tu es parti d'ici et tu es allé voir ta mère... et tu l'as mise au courant... de ce qui venait de se passer...

ROGER. — Tout ce que tu dis là est faux... Tu délires, ma pauvre Michelle. Tu ne sais plus ce que tu dis maintenant...

MICHELLE. — Cette visite... elle l'attendait depuis déjà trois jours !

ROGER. — C'est elle qui t'a parlé...

MICHELLE. — Depuis trois jours que ta mère s'impatientait des... résultats...

ROGER. — Elle t'a tout raconté ? ? ?

MICHELLE, *cynique.* — Oh !... sûrement pas tout. Tu la connais.

ROGER. — Tu sais, maintenant...

MICHELLE. — Pendant ces trois jours, ta pauvre mère ne vivait plus... Elle attendait avec impatience que tu te décides... Chaque nuit vers deux heures son coeur devait battre follement. Elle interprétait tous les craquements dans les murs comme tes pas qui revenaient de la chambre de ton père... Chaque râlement de chat, chaque plainte du vent dans les arbres devait lui apparaître comme le dernier souffle de son mari... Il est déjà deux heures passées et tu t'attardes ici. Elle doit t'attendre encore ce soir, elle est sûrement impatiente chaque fois que deux heures sonnent... Ne la fais pas attendre plus longtemps. Cours vers elle. La porte de sa chambre doit être entrouverte... exactement comme l'autre nuit...

Les pas précipités de Roger qui se perdent dans une autre pièce. (Un silence absolu.) Il se passe un bon moment...

Puis de loin : d'une autre pièce : ...

ROGER, *hurle de loin.* — Maman...

Un moment se passe. On entend les pas de Roger.

Puis la porte qui grince.

ROGER, *haletant.* — Elle n'est pas à sa chambre...

MICHELLE. — Ah ! vraiment ? ? ?

ROGER. — Réponds-moi. Où est-elle ? ? ? Tu étais seule avec elle... Tu dois le savoir.

MICHELLE. — Ce n'est pas mon habitude de m'inquiéter de ma mère...

ROGER. — Michelle... Cette fois je ne supporterai pas ton ironie. Où est maman ? ? ?

MICHELLE. — Tu trembles, mon pauvre Roger...

ROGER. — Je lui ai parlé ce soir au téléphone... Il était dix heures.

MICHELLE. — Dix heures et demie... précisément.

ROGER. — Alors tu as passé toute la soirée avec elle... ? Vous avez parlé, c'est ça ?

MICHELLE. — Oui, nous avons causé... de choses et d'autres.

ROGER. — Et alors ?

MICHELLE. — Nous avons même échangé quelques petites confidences... Nous avons beaucoup parlé de papa... Elle m'a juré dix fois qu'elle n'y était pour rien... Tu la connais... Elle a une façon de jurer, ta mère...

ROGER. — Michelle, Michelle... qu'est-ce qui s'est passé entre vous deux ? Vous n'avez pas parlé toute la soirée ? ? ? (*Un temps.*) Michelle... (*Un temps.*)... Michelle. Tu ne l'as pas tuée ? ? ?

MICHELLE, *éclate de rire.*

ROGER. — Non... Ce n'est pas vrai. Tu n'as pas fait ça ? Arrête de rire... (*Crie très fort.*) Michelle...

MICHELLE. — Ne tremble pas... tu me fais pitié.

ROGER. — Jure-moi que tu ne l'as pas tuée...

MICHELLE. — Mais non... Tu peux te calmer... Elle est bien vivante. Elle est toute chaude, pleine de sang, d'énergie, d'amour, de projets... Elle vit, ta chère mère. Elle n'a jamais vécu avec autant d'intensité... C'est une deuxième naissance. Ça ferait une belle famille... si je l'avais tuée.

ROGER, *menaçant.* — Michelle...

MICHELLE. — Tu l'auras toute pour toi ta petite maman... Vous serez face à face pour l'éternité... Vous serez heureux ensemble. Vous pourrez repenser calmement à votre crime... On a les souvenirs qu'on peut... Vous pourrez vous parler de ces heures merveilleuses qui ont suivi ton acte héroïque, de cette extase... que tu as connue après avoir assassiné... (*Retient ses sanglots.*) ... ton père...

ROGER. — Dis-moi... où est-elle alors ? Elle n'est pas dans la maison...

MICHELLE. — Elle reviendra, ne t'inquiète pas... Elle ne pourrait pas s'empêcher de revenir. Elle t'aime. Elle viendra te retrouver, ne crains rien... Quand tu ouvriras les yeux le matin, tu la verras devant toi... Avant de t'endormir le soir, tu la verras encore près de toi... Elle t'apportera un verre de lait dans ton lit, puis le matin un jus d'orange... Même si tu n'en veux pas. Elle sera toujours devant toi. Tu connaîtras ses rides par coeur, tu pourras observer à loisir les progrès de la laideur sur son visage... Les petites verrues qu'on garde jusqu'à la mort, les lèvres qui disparaissent, le corps qui se défait...

ROGER. — Où est-elle en ce moment... ?

MICHELLE. — Tu t'inquiètes beaucoup, mon pauvre Roger...

ROGER. — Je veux savoir...

MICHELLE. — Elle est sortie... tout simplement. Je lui ai fait peur. Oh ! je le sais depuis longtemps que je la dégoûte, qu'elle me déteste... c'est une vieille affaire entre nous. Alors voilà. Ce soir, elle a cru que je voulais... la tuer.

(Elle éclate de rire sur ces derniers mots.)

ROGER. — Il s'est passé quelque chose entre vous... c'est ça.

MICHELLE. — Elle est partie tout simplement, elle craignait pour sa vie... Et Dieu sait que je ne l'aurais jamais touchée, ah ! jamais... Elle reviendra, ne t'en fais pas... Elle doit rôder dans les alentours pour guetter ton arrivée...

ROGER. — Je vais la chercher...

MICHELLE. — Mais non, attends... Tu as toute ta vie devant toi pour la retrouver, l'étudier, l'avoir à tes côtés et la détester jusqu'au moment...

ROGER. — Ah ! tu me dégoûtes... Tu es ignoble...

MICHELLE. — Toi aussi...

ROGER. — Tu n'as jamais rien inventé que pour tourmenter les autres...

MICHELLE. — Toi, mon petit ami, ne parle pas trop... Tu es coincé maintenant. Pris, cerné de tous les côtés... Tu n'en es pas sorti... Oh ! évidemment il y a cette Françoise... Tu l'aimes toujours autant, oui ?... (*Elle rit.*) Oh ! non, ne fais pas cette tête parce que je te parle de Françoise...

Le téléphone sonne une fois... deux fois...

ROGER. — C'est elle..., c'est maman ! ! !

MICHELLE. — Dépêche-toi... ne la laisse pas attendre... Elle se meurt d'impatience et d'inquiétude...

On décroche le téléphone.

ROGER, *vif et anxieux.* — ... Allô... oui ? Allô... Comment ?... (*Un long temps. Puis sa voix retombe.*)... Ah ! Françoise... Non je ne sais plus... Non... je n'attendais pas ton appel...

FRANÇOISE, *voix tamisée.* — Nous recommencerons à neuf, Roger, mais ne nous quittons plus jamais. C'est tellement merveilleux, c'est tellement rare de s'aimer... Roger !... tu es là ? ? ?

ROGER. — Oui... oui...

FRANÇOISE. — C'est toi que j'aime, Roger... Il me fallait vivre cette soirée pour comprendre à quel point je t'aime... Il n'y a rien en toi que je ne pourrais aimer; tes gestes, tes paroles, tout ce que tu fais, tout ce que tu as fait... J'étais inquiète tout à l'heure, je ne pouvais plus fermer l'oeil... je craignais que tu doutes de moi, que tu doutes de mon amour...

Pendant qu'elle parle : on perçoit le bruit du récepteur que Roger dépose sur un meuble... Elle continue... On entend des pas qui s'éloignent : la porte qui reste ouverte.

FRANÇOISE. — Maintenant nous serons toujours ensemble, Roger... Le soir tu viendras me retrouver et je t'embrasserai. Tu poseras ta tête sur mon épaule et tu dormiras. Je ne bougerai plus, j'attendrai que tu t'éveilles... Et la nuit, je te caresserai pendant ton sommeil. Oh ! Roger, j'ai hâte d'être avec toi... Je t'aime, Roger et toi aussi. Oh ! ne dis pas non. Je ne te croirais pas... je sais maintenant que tu m'aimes... Dans quelques jours nous serons ensemble, nous ne nous quitterons plus, jamais...

A ce moment : le bruit du récepteur qui tombe

sur le plancher... On entend encore la voix de Françoise .

FRANÇOISE. — Roger... où es-tu ? Roger, Roger ! ! !... Réponds-moi... qu'est-ce que tu as ?... réponds-moi... Roger, Roger... ne me laisse pas... Roger... mon amour qu'est-ce que tu as ?...

Musique finale...
Fondu enchaîné avec la voix de Françoise...

[1954]

ÉLOGE DE LA MINI-JUPE

Sur le plan sémantique, je m'inscris en faux contre ce préfixe qui ne cadre pas avec le génie de la langue française. N'est-ce pas Rivarol qui a dit — dans un moment de relâchement — : "Ce qui n'est pas grand n'est pas français" ? Enfin, si ce n'est ce proto-écrivain, qu'importe ! Comme il n'a rien écrit (le chanceux), on peut d'autant plus le citer.

Bref, si bref soit le modelé de la jupe, ce raccourci — pour ainsi dire — n'a de sens que celui de rallonger stylistiquement la cuisse. Somme toute, il sied plus à la logique de ne voir dans la mini-jupe qu'une modalité secondaire de la cuisse haute.

Vous me direz que cela, au fond, n'est qu'une façon de voir... Mais, diable, ne serait-il pas indécent d'aller au-delà de l'optique quand il s'agit du corps de la femme ? Du moins, il serait indécent — sur papier monseigneur — de laisser entendre qu'on peut effleurer le visible à demi invisible : ces cuisses presque libres que seul le vent peut caresser à souhait...

Ce qu'on voit crève les yeux; la beauté tue, c'est bien connu... Le dévoilement indiciel de la cuisse haute a fait plus de victimes que l'éruption du Vésuve au IIIème siècle avant J.-C. Et c'est peu dire. Je me suis laissé dire que la peste bubonique qui s'est abattue sur Londres jadis a fait moins de victimes que l'apparition subitement subite de la cuisse dans la brume freudienne de la Mer du Nord.

Mais, ne nous attendrissons pas sur les effets secondaires de la magna-jupe (dite "mini"); tentons plutôt d'en considérer la positivité délirante, ainsi que ses vertus hallucinogènes et son degré de toxicité. La mini-voile se définit analogiquement comme l'habitacle d'une voiture de course, soit comme une carrosserie trop légère — presque volante — posée sur un châssis monocoque à profilés tubulaires. En d'autres termes, sa réalité héraclitienne fuit, court, dérape, nous échappe infiniment et nous incite à vivre dangereusement au rythme affolant de la poursuite et de l'obsession...

[1966]

CONFESSION D'UN HÉROS

CHARLEMAGNE. — Mon passé m'apparaît ce soir comme un théorème de géométrie euclidienne. Ou plutôt comme un parfait syllogisme, c'est-à-dire comme un ouvrage de l'esprit audacieux mais solide et dont la structure complexe repose sur une prémisse indestructible : je n'aime pas mon père. Cela est d'une évidence si reposante et d'une vérité si merveilleuse que je ne cesse de me répéter à moi-même les trois propositions de mon adorable syllogisme. Et chaque fois mon plaisir est plus aigu, ma certitude mieux fondée en raison : je comprends tout, je vois clair en moi, je deviens transparent, limpide, phosphorescent comme les petits poissons volants qui suivent les navires sur l'océan. Je scintille de toute mon âme. Je deviens mon oeil et, semblable à lui, vitreux, je regarde, j'enregistre tout sur ma rétine; plus rien ne m'échappe de mon passé...

Musique. (Maintenir sous le monologue qui suit.)

CHARLEMAGNE. — Le premier objet que je perçois est un trousseau de clés, trois petites clés de cuivre, immobiles, on pourrait même dire inertes sur le coin de la table de la cuisine. Ces trois clés, je les ai repérées tout de suite quand le médecin les eut laissées tomber nonchalamment sur la table. Elles avaient fait un bruit délicieux en frappant la toile cirée; ce petit bruit fut pour moi le signal du destin, le déclic fatal qu'on rencontre toujours au début des grandes existences. L'univers s'est aboli autour de ce trousseau magique. Ainsi, ensorcelé par le charme de mon premier coup de foudre, je suis resté longtemps à le contempler, incapable de détacher mon regard de sa forme délicate et pourtant combien mystérieuse. J'étais séduit, captif moi aussi de cette chaîne qui reliait les trois clés entre elles. Soudain, après un temps de convoitise qui m'a semblé long et cruel, d'un geste passionné mais secret, car je commençai ce jour-là à dissimuler ma passion, je l'ai glissé dans la poche de mon pantalon où mes doigts l'ont tenu dans une étreinte sordide et moite. J'ai traversé d'un pas très calme toutes les pièces de la maison qui me séparaient de la sortie. Une fois sur le trottoir, j'ai sorti mon trousseau de clés comme si de rien n'était, puis j'ai essayé une des clés dans la serrure de la portière-avant de la grosse auto bleu ciel du médecin. J'ai vite compris qu'une des trois clés ne se rapportait pas à l'auto. La seconde glissa dans la serrure chromée comme un couteau dans le beurre mou ! Je pris place au volant et je fus émerveillé par la complexité du tableau de bord et le nombre de manettes à actionner. Je procédai scientifiquement à lire ce qui était gravé sous chaque manette. Avec ce sang-froid qui me caractérise, j'eus tôt fait de repérer le bouton du démarreur. Je glissai une clé, puis l'autre dans la fente du contact et, en tournant cette clé, une minuscule lampe rouge s'alluma, symbolique feu rouge m'avertissant que je commençais à enfreindre la loi ! Puis, après avoir embrayé solidement en première, je pressai le bouton du démarreur... Comme j'avais oublié d'utiliser la pédale de débrayage, l'auto partit en hoquetant comme une vieille jument, mais finalement je repris le contrôle des opérations, et pus embrayer en deuxième vitesse, puis en troisième vitesse, après l'avoir cherchée un peu... J'étais lancé, je filais à toute allure poussé par des vents favorables, toutes voiles gonflées... Les rues de mon quartier me paraissaient étranges, nouvelles, séduisantes de mon nouveau point de vue. Le monde fuyait sous la moindre pression de mon pied ou disparaissait d'un seul coup de volant... Tout était merveilleux...

Bruitage approprié.
Mauvais embrayage.
Auto en mouvement : crissement de pneus, coup de freins, puis... énorme fracas d'accident !

CHARLEMAGNE. — Le médecin qui était venu à la maison pour soigner l'angine de mon père n'a jamais revu son auto. Ce fut mon premier accident. A vrai dire je ne peux pas comprendre comment cela a pu se produire; mais je suis certain que je n'ai pas fait de fausse manoeuvre et que c'est l'autre qui était dans le tort. De toute façon, mon père a payé les dégâts, sans compter mes trois mois d'hospitalisation au Children's Memorial, car, je dois l'avouer, j'avais treize ans... Je me suis laissé dire que mon accident avait aggravé sa maladie, mais qu'importe puisque moi, Charlemagne Lesage, je venais de découvrir un sens à ma vie...

Musique. (Maintenir sous le monologue qui suit.)

CHARLEMAGNE. — Après ce premier triomphe, dont j'ai gardé une cicatrice assez plaisante sur la joue, j'ai vécu la vie de tous les garçons bien élevés de mon milieu : cours chez les jésuites, culture gréco-latine, les fables de La Fontaine, les romans de Psichari, les morceaux choisis de Flaubert, l'apologétique, la chimie organique, la formation classique quoi ! J'ai passé mes examens brillamment, en trichant, comme tout le monde d'ailleurs... Après, je suis entré en Droit, ce qui m'a permis de ne rien faire pendant trois ans avant de rater superbement mon examen de licence, au printemps dernier... Mais pendant ce temps des études, derrière cette façade impassible que j'offrais au monde, j'ai vécu des heures divines au volant de toutes sortes d'autos que j'ai volées pour une escapade d'une heure ou deux et que j'ai ramenées sagement à leurs propriétaires, sans jamais me faire prendre à ce jeu.

Auto qui arrive et qui freine brutalement.
Portière qui s'ouvre...

CHARLEMAGNE. — Platon, tu viens faire un tour avec moi ?

PLATON, *accent grec facultatif.* — Encore ce soir ? Je dois aller chez des amis à moi, des Grecs. Alors, tu comprends ?

CHARLEMAGNE. — Allons viens, tu les verras une autre fois...

PLATON. — C'est gênant, quand même...

CHARLEMAGNE. — Platon, je te le répète, tu perds ton temps avec les Grecs; tu ne peux quand même pas passer toutes tes soirées avec les Grecs, cela paraîtrait suspect à la fin...

PLATON. — Tiens, tu as raison, je monte avec toi...

Portière fermée. Départ avec crissement de pneus...

PLATON. — ... et puis, au diable les Grecs...

CHARLEMAGNE. — Moi tu sais, les Grecs... sauf toi évidemment, Platon, parce que tu sais apprécier les belles choses !

PLATON. — Ne sois pas xénophobe, quand même.

CHARLEMAGNE, *après un temps et un bruitage d'embrayage brutal.* — Tu vois ça ? Je peux me rendre jusqu'à cinquante milles en deuxième... C'est éblouissant...

PLATON. — C'est quoi comme auto ?

CHARLEMAGNE. — Coventry, 2 500 cc, huit cylindres inclinés, double carburateur, 6 500 révolutions, une suspension d'amour... Regarde-moi aborder le prochain virage...

Bruit de voiture sport puissante. Crissement de pneus.

CHARLEMAGNE. — Tu as vu ?

PLATON. — Oui, j'ai vu, seulement...

CHARLEMAGNE. — Mais quoi ?

PLATON. — Oh ! presque rien, Charlemagne...

CHARLEMAGNE. — Elle ne te plaît pas ?

PLATON. — Si tu permets : je trouve que tu as commis une petite erreur en prenant ton virage. Il me semble que tu as embrayé trop vite en deuxième, ce qui t'a fait déraper inutilement avant même d'être au plus creux de la courbe...

CHARLEMAGNE. — Tu es amer ce soir, Platon... parce que j'ai parlé contre les Grecs !

PLATON. — Mais non, je t'ai fait une remarque désintéressée...

CHARLEMAGNE. — J'en doute. Selon moi, tu as voulu m'humilier parce que j'ai dit je ne sais plus quoi au sujet des Grecs...

PLATON. — Tu peux dire tout ce que tu veux des Grecs, cela m'est égal car je suis Turc...

CHARLEMAGNE. — On dit ça...

PLATON. — Une chose est certaine : tu n'as pas tout à fait réussi ton dernier virage.

CHARLEMAGNE. — D'accord, Platon, d'accord. N'en parlons plus... Tu verras bien si je vais rater celui-ci...

PLATON. — Sois prudent quand même, à cause de la police. C'est un coin surveillé...

Virage de la même voiture sport...

PLATON. — Beaucoup mieux...

CHARLEMAGNE. — Tu avais raison, Platon. J'en conviens, je suis obligé d'en convenir. Décidément tu es très fort. On aura beau dire, les Grecs...

Bruit de voiture sport en virage, ou qui s'éloigne...

CHARLEMAGNE. — Cher Platon, il ne résistait jamais

au plaisir de se balader la nuit dans une auto volée. Platon est un vrai théoricien de l'auto. C'est à croire que l'esprit cartésien a été inventé par les Grecs... Il est rationnel, tout simplement rationnel, tellement que cela est sublime. C'est lui qui m'a appris ma science : si je sais débrayer sans perdre mon élan, déraper habilement, scier un virage, je le dois à Platon. Avant de le connaître, je faisais des cabrioles au volant, je conduisais en amateur, j'improvisais. Platon m'a enseigné les dures exigences de la raison : il m'a communiqué le secret du chiffre d'or que j'essaie de réaliser, la nuit, à chaque virage et qui me hante comme une poussée impérieuse et obscure vers l'absolu. Qu'importe l'auto dont je me sers, elle n'est jamais qu'un outil, qu'un instrument plus ou moins docile. C'est ma main qui doit dessiner les courbes, tracer d'un trait génial les ellipses et les spirales dont je couvre les rues de Montréal depuis dix ans... Au fond, je poursuis sans cesse un archétype d'escapade en auto, une forme platonicienne de vitesse que je ne réussis jamais à rattraper, mais que je chasse désespérément, comme une ombre, au volant de toutes mes autos...

Auto qui démarre de façon fringante...

LOULOU. — C'est excitant. Je ne suis jamais montée dans une auto comme celle-là... C'est une quoi ?

CHARLEMAGNE. — 609.

LOULOU. — 609 quoi ?

CHARLEMAGNE. — 609, c'est son nom...

LOULOU. — Elle est sensationnelle, ta 609... Où m'emmènes-tu, Charlemagne. ?

CHARLEMAGNE. — Nulle part, beauté...

LOULOU. — Pourquoi vas-tu si vite, alors ?

CHARLEMAGNE. — Ah ! Loulou, ne dis pas de sottises. Tu ne comprends donc rien à la vie ?

LOULOU. — Attention, Charlemagne. Devant toi... Ah ! (*Cri aigu.*)

Virage. Crissement de pneus. Klaxon.

LOULOU, *après un soupir.* — J'ai eu tellement peur que je n'ai pas pu me rendre jusqu'au bout de mon acte de contrition...

CHARLEMAGNE. — Confidence pour confidence : moi

aussi j'ai eu peur. C'est ce qui me plaît dans l'auto : la peur me fouette les sangs et me porte à plus d'audace...

LOULOU. — Charlemagne, va moins vite, je t'en supplie...

Changement de vitesse. Crissement de pneu.

CHARLEMAGNE. — Qu'est-ce que tu dis, Loulou ?

LOULOU. — Ne détourne pas la tête pour me parler. Regarde devant toi, pour l'amour de Dieu...

CHARLEMAGNE, *à lui-même.* — Tiens, elle fait un curieux de bruit quand on passe en quatrième. C'est peut-être l'effet de la démultiplication. Bizarre...

LOULOU. — Voici l'autoroute... Tu m'emmènes dans le nord ? C'est cela, quittons la ville. J'aime rouler sur une route déserte, surtout par une nuit de pleine lune...

CHARLEMAGNE. — Loulou, tu me déçois...

LOULOU. — Qu'ai-je fait encore ?

CHARLEMAGNE. — "Rouler sur une route déserte au clair de lune..." Mais, je n'en ai aucune envie. Je ne veux pas quitter Montréal, moi. J'adore Montréal la nuit; j'adore surtout frôler les taxis, faire des queues de poisson aux camions, doubler une auto dans un virage, me faufiler indemne entre les obstacles...

LOULOU. — Allons chez moi : j'ai une petite chambre très jolie qui donne sur la montagne. Tu verras, c'est mignon : et je l'ai meublée moi-même. J'ai tout acheté chez les disciples d'Emmaüs... Et puis, chez moi, nous serons tranquilles, mon grand...

CHARLEMAGNE. — Ta main, Loulou !

LOULOU. — Je te ferai un bon café. Puis je mettrai un disque de Billie Holiday, un blues très très... (*Elle fredonne un début de mélodie en prononçant :*) *I've got the jelly beans blues...* Nous danserons, si tu veux...

CHARLEMAGNE. — Loulou, ta main, s'il vous plaît...

LOULOU. — Ça danse bien chez moi : je n'ai pas de tapis...

CHARLEMAGNE. — Loulou, enlève ta main sur mon bras. Comment veux-tu que je conduise sérieusement. Ah ! décidément, nous ne sommes pas faits pour nous comprendre...

Auto qui s'éloigne.
Fondu enchaîné avec musique.

Musique de jazz. (Maintenir sous le monologue qui suit.)

CHARLEMAGNE. — C'est connu : les femmes ne comprennent rien à la mécanique. Aussitôt montées dans une auto, elles ne pensent qu'à une chose : s'arrêter !... Comme si le mouvement était péché; comme si une auto n'était qu'un moyen de transport, alors qu'en vérité l'auto n'est pas un moyen, mais une fin. Son mouvement est la négation philosophique de son apparente raison d'être qui serait d'aller d'un point à un autre. Dieu merci, il n'y a pas de but à atteindre. La course d'une auto se suffit à elle-même. Elle n'est ni une transition, ni un passage, mais un mouvement autarcique qui se justifie par sa beauté immanente... de la même façon que Vénus n'a d'autre raison d'être que l'épicycle qu'elle trace dans le ciel. Loulou, il faut bien le dire, ne comprend pas plus le mouvement des astres que celui des autos. Elle considère l'auto comme une antichambre, alors que pour moi l'auto que je conduis m'est une chambre et que les chambres, celle de Loulou y comprise, me semblent toujours des antichambres d'une auto. Demeurer m'est douloureux, sinon dans une chose en mouvement. Ce qui me fascine, c'est l'immobilité de mon corps sur le siège d'une auto que je conduis à 90 à l'heure. Mon immobilité physique se trouve ainsi étrangement proportionnelle à la vitesse de l'auto; et je réalise, par ce paradoxe grisant, la synthèse charnelle de la philosophie antique qui cherchait en vain à concilier ce qui fuit et ce qui est. Je suis ce qui fuit. Mon essence est fuite, c'est-à-dire existence. Une chose ne peut pas, à la fois, être et ne pas fuir. Ce qui fuit est : il n'y a pas d'être en dehors de la fuite, car l'être fuit tout en étant immuable dans son essence qui est la fuite. Donc le néant ne peut exister puisqu'il ne fuit pas...

Crissement aigu de pneus dans un virage...

CHARLEMAGNE. — Tiens, ce crissement de pneus me trouble. Pour moi, toutes les courbes sont sonores; j'évalue chaque coin de Montréal à la musique que je puis en tirer avec les pneus. Mais voilà, ce bruit que je viens d'émettre en dérapant dans le virage-épingle-à-cheveux de McGregor à l'avenue des Pins avait un son inconnu, étrange, presque surnaturel... L'espace d'un instant, je me suis cru un autre. Ce virage à angle obtus m'a soudain détaché de ma pauvre identité et, par une brusque sublimation, je me suis identifié à Fangio. Je me suis rappelé qu'à Sebring, Fangio prenait à grand angulaire, sans marge et à folle allure, le virage le plus traître...

Superposition des bruits de Sebring. Virage aigu.

CHARLEMAGNE. — Oh ! Juan Manuel Fangio, te souvient-il encore de ce virage en spirale sur la piste cimentée de Sebring ?

Bruits de Sebring. Grand Prix.

CHARLEMAGNE. — Les quatre pneus de ta Maserati, requin chaussé de caoutchouc brûlant, glissaient sur le béton en criant comme quatre enfants écrasés...

Sebring. Grand Prix.

CHARLEMAGNE. — O musique cruelle et concrète, chant de sirènes qui t'entraînait, toi Ulysse, à la bordure même de la piste, là où l'herbe tendre marque la frontière infinitésimale entre la vie et la mort...

Sebring. Grand Prix.

CHARLEMAGNE. — Qu'il faisait beau ce jour-là à Sebring...

Sebring. Grand Prix.

CHARLEMAGNE. — Ta main tremblait sur le volant incertain, Fangio, ton pied hésitait à pousser plus à fond l'audace. Le soleil de Floride flambait dans le ciel, mais toi, astre pur, tu rayonnais à toute vitesse, tu gravitais sur la piste chaude comme un satellite divin qui aurait perdu son centre...

Sebring. Grand Prix.

CHARLEMAGNE. — J'aurais voulu être couché à tes pieds, comme un rat de course, pour admirer à cet instant sur ton visage la pétrification sereine de la peur et du courage...

Sebring. Grand Prix.

CHARLEMAGNE. — O tombeau ouvert, fuite vivante, Fangio, c'est toi mon père. Tu m'as engendré dans une courbe à Sebring par un après-midi torride... Je suis d'origine divine, puisque ton sang coule à toute vitesse dans mes veines, Dieu argentin, mon créateur, mon père. Depuis longtemps, il faut l'avouer, j'ai renié mon autre père, je veux dire celui qui meurt d'angine depuis toujours et qui n'a jamais réussi à obtenir son permis de conduire...

Sebring. Grand Prix.

CHARLEMAGNE. — O temps, fuis. Ne t'arrête pas.

Allons, prends ce virage encore une fois, dérape follement de tes quatre roues... N'écoute plus les poètes : ne suspends pas ton vol si parfait. Fuis encore, va trop vite, cours, risque tout pour l'amour d'une courbe, comme Fangio l'a fait...

Sebring. Grand Prix.

Fondu enchaîné avec jazz...

Fondu enchaîné : ambiance intérieure d'une auto en marche.

PLATON. — Ce qui m'étonne, Charlemagne, c'est ta technique...

CHARLEMAGNE. — Je conduis assez bien, il est vrai...

PLATON. — Il ne s'agit pas de cela... Je parle de ta technique pour voler les autos. Chaque nuit, tu en prends une différente. Tu m'as si bien habitué à ce régime que j'en finis par oublier que chaque vol d'auto est en soi un miracle. Allons, raconte, comment fais-tu ?

CHARLEMAGNE. — N'exagérons rien, Platon. C'est fort simple.

PLATON. — Loin de là. Ne vole pas une auto qui veut. J'en sais quelque chose : j'ai fait six mois de prison à Corinthe, enfin...

CHARLEMAGNE. — Je vais te dire, Platon : pour voler une auto, je me sers de trois instruments : un passe-partout qui, de fait, ne passe pas partout... Puis, des ciseaux et, enfin, du diachylon. J'entre; je coupe deux fils avec mes ciseaux, je les réunis avec le diachylon... et voilà : le contact est mis, l'auto m'appartient. En général, je peux faire ma petite cérémonie en deux ou trois minutes, avec calme, cela va de soi, ce qui réduit d'autant les chances de me faire pincer. Une fois parti, j'en ai pour la nuit à évoluer savamment dans les rues de Montréal, à faire peur aux gens, à fuir au hasard mais très vite. Puis, à l'aube, je laisse l'auto n'importe où et je rentre chez moi à pied, ce qui est très bon pour la santé...

PLATON. — Tu ne t'es jamais fait prendre ?

CHARLEMAGNE. — Jamais. Par précaution évidemment, je porte des gants... et puis, que veux-tu, la police ne peut m'assimiler à un voleur. Je suis un artiste. En apparence, je vole une auto par nuit; mais en réalité, je détourne les autos... comme on détourne des mineures !

PLATON. — Satyre, va.

CHARLEMAGNE. — Tout le monde sait que l'amour

n'existe que sous la forme du viol. Je ne fais rien d'autre qu'aimer une auto, l'espace d'une nuit...

Sirène de police.

PLATON. -- La police nous suit. Tu as dû griller un feu rouge...

CHARLEMAGNE. — Très fâcheux...

PLATON. — Qu'est-ce qu'on fait ? On est pincés. Charlemagne...

CHARLEMAGNE. — Sois calme, Platon. Je n'ai pas dit mon dernier mot...

Embrayage brutal. Moteur qui force.

CHARLEMAGNE. — Je vais lui échapper. Qu'en dis-tu ?

PLATON. — Essaie toujours. Nous n'avons rien à perdre...

Sirène de police qui se rapproche...

CHARLEMAGNE. — Ces chameaux-là vont plus vite que moi... Ils croient peut-être qu'ils ont affaire à n'importe qui. Tiens, je vais me dévoiler, leur révéler ma véritable identité...

Virage strident.

PLATON. — Assez bon ce virage, Charlemagne... Mais la police est toujours derrière, tu sais...

CHARLEMAGNE. — Ce qui me fait de la peine, c'est qu'ils vont probablement capoter au prochain virage s'ils cherchent à me suivre... Ce serait dommage...

Virage suraigu... Toujours la sirène...

PLATON. — Non, ils ont tenu le coup... mais en montant sur le trottoir. Cette fois tu as une bonne avance, Charlemagne.

CHARLEMAGNE. — Décidément, on ne peut plus se balader en paix dans Montréal. Aussitôt qu'on fait plus que 30 milles à l'heure ou qu'on passe un arrêt, on est considéré comme un tueur d'enfants. Nous vivons dans une société qui punit le mouvement et glorifie les arrêts : la ville est couverte de feux rouges, d'arrêts, de limites de vitesse, d'interdictions. J'ai l'impression de croiser dans des eaux minées. Comment ne pas être refoulé quand la cité tout entière nous refoule... Il n'est pas étonnant que ces gens-là ne comprennent rien à la poésie...

Auto qui s'éloigne. Fondu enchaîné avec musique.

CHARLEMAGNE. — Ainsi chaque nuit, je conteste la

société, je la remets en question, je l'attaque par le seul fait que je la parcours à des vitesses illégales. Je hante ma ville comme un veilleur fugace, insaisissable... je circule comme un sang chaud et amoureux dans ses artères sclérosées, mortes, inhabitées... Parfois, la rue Saint-Denis me conduit à Monza ou à Nurburg, insensiblement...

Bruit de Sebring. Grand Prix.

CHARLEMAGNE. — Je fais de la vitesse non pas pour franchir une distance entre deux points géographiques donnés, mais pour en créer une entre moi et l'univers. La vitesse ne supprime pas la distance, elle l'engendre. C'est là son rôle. Je roule vite pour m'isoler de tout et non pour me rapprocher de quoi que ce soit, car tout lieu fixe est un point mort... La vitesse m'est une tour d'ivoire d'où j'aperçois des fragments du réel : des rues en perspective, des maisons fugitives, des autos, des feux rouges, des murs, oui des murs à n'en plus finir. De mon poste privilégié, Montréal m'apparaît comme un sombre labyrinthe que j'ai renoncé à fuir, mais non à aimer...

Fondu enchaîné et musique de jazz.

CHARLEMAGNE. — Je ne sais pas ce que c'est que l'amour, mais s'il existe, il doit ressembler à la vitesse. Cette course continuelle et dangereuse, cette fuite délirante, ce doit être cela l'amour... La vitesse, je le sens maintenant de toute mon âme et jusque dans ma chair, est un acte d'amour; c'est la séduction fugace d'une partenaire absolue, couchée sur le sol et noire comme les pavés de ma ville. Ainsi quand je suis au volant, aliéné par mon extase multiple, je prends sournoisement possession de ma ville, je la parcours comme un frisson, je glisse sur sa peau en l'effleurant, et je dessine sur son corps obscur la courbe d'une épaule, la ligne infléchie de son dos et de sa cuisse, le dessin ovale, circulaire ou ellipsoïdal d'une grande forme féminine... Je mourrai captif de ma toile d'araignée. Oui, je veux finir en dessinant à toute vitesse l'arc parfait d'un virage. Je mourrai dans le fracas de l'extase, en plein mouvement, dans une courbe trop belle. La prochaine, peut-être, qui sait ?

Bruit d'auto qui prend un virage (Pas d'accident ! ! !)
Fondu enchaîné avec musique.

[1961]

LE PONT (VIII)

Hans, ce grand cochon, ne va pas à la cheville de Wolfgang von Tripps s'engageant dans la courbe parabolique une dernière fois ! Hans peut toujours courir : une bave chamanique le fait adhérer au sol comme une glue, chien mort en plein milieu de la route sur laquelle je roule, mot à mot, depuis le début de ce récit. Mon tombeau supersonique est ouvert comme une bouche avide : je ne cesse de courir chaque chapitre comme on brûle les étapes. J'avance; mais vers quoi ? Avec quel adversaire lyrique que je cherche en vain à rattraper ?... Bien sûr, cela crève les yeux : c'est Hans qui me devance et m'obsède, c'est lui le *Ciampionissimo* qui semble s'évaporer à chaque virage, c'est lui, Hans, l'ombre fugace que je chasse avec tant d'ardeur que mes pneus, exemptés de la glissance, font de la lévitation; c'est lui le mobile absolu, mon être-pour-le-crissement démultiplié dangereusement comme une boîte à vitesses qui est sur le point d'exploser après tant de révolutions dont aucune n'est nationale !

* * *

Non, ce n'est pas possible. Je ne peux pas continuer ce récit circulaire sans faire un aveu au lecteur. Tous les mystères de ce récit : tout ce brouillage de piste, de course folle recommencée à chaque chapitre et sous différents pseudonymes; tout cela m'est devenu intolérable ! J'ai conféré un semblant de réalité à ces auteurs fantômes, mais si peu, en fin de compte, qu'ils révèlent — ces auteurs impayables — qu'ils se ramènent tous à moi, l'auteur mis à nu — et moi, je ne suis rien ! Moins que rien ! J'ai beau tricher, mentir sous prétexte de faire de la fiction; j'ai beau m'affubler de noms impossibles comme Belleau, Godbout, Pilon et tutti quanti, je ne réussis pas à traverser le mur de la vraisemblance. L'évidence finale de mon élucubration, c'est que je ne suis pas ces auteurs indéfinissables, non plus que je ne suis à l'image du grand Hans qui a un tour d'avance sur moi. A vrai dire, je ne suis rien : je ne suis même pas un homme, mais une femme ! Eh oui ! Et c'est peu dire : je suis une hypo-femme puisqu'un déterminisme cruel me condamne à l'inexistence vénérienne. Je n'ai jamais joui comme on dit; ni même éprouvé les frissons prémonitoires que d'aucunes valorisent autant que ledit orgasme final.

Puisque je suis rendue assez loin, je suis aussi bien de tout raconter sans coquetterie, d'avouer que j'ai souvent mimé les voluptés aiguës que les Hans trop rapides attendaient de mon être féminoïde. Et j'ai mimé les folles complaisances que les lesbiennes disent ressentir. Cela m'a découragée; il serait trop simpliste de me considérer comme un prototype de la patate froide. Je suis une femme morte, une revenante funèbre; et je vous prie, cher lecteur nécrophile, de considérer mes épiphanies, écrites sous des noms d'hommes, comme autant de cris d'outre-tombe. Si j'éructe ce dernier aveu comme le souffle agonistique, c'est que, derrière tant d'auteurs incohérables, derrière des personnages lancés sur le papier comme des engins de mort et tant d'efforts de fiction, une seule réalité émerge : la volonté mortuaire qui emplit mon âme de morte ! Morte je le suis, car j'ai décidé de me tuer, minutieusement, à la japonaise. Sans d'autre motivation que le plaisir de planter le cimeterre entre mes deux cuisses et de le relever d'une main morte mettant ainsi, à la portée de tous, mes grandes tripes d'écrivaine qui a quelque chose au ventre ! Caresse ultime d'un clitoris éteint, vision hédonique du fer dans la plaie et après, toutes entrailles sorties, j'accéderai au spasme éternel que von Tripps a atteint, pour la première fois, en quittant la piste incinérante, à Monza, par un beau jour d'été.

Elga von TOD

[1964]

DE RETOUR LE 11 AVRIL

Quand j'ai reçu ta lettre, j'étais en train de lire un roman de Mickey Spillane. Comme j'avais dû interrompre ma lecture à deux reprises, j'avais déjà de la difficulté à suivre l'histoire. En reprenant ce livre une troisième fois — après avoir lu ta lettre —, je ne me souvenais plus si le héros travaillait pour une sous-agence du C.I.A. et qui était ce dénommé Garder dont il était constamment question. Et puis, je peux bien te le dire, je lisais pour tuer le temps. Et ça ne m'intéresse même plus de tuer le temps.

Tu sembles ne rien savoir de ce qui est arrivé au cours de l'hiver. J'aimerais bien, moi aussi, pouvoir nier ce long hiver qui n'en finit plus, par sa froide agonie, de me rappeler les mois neigeux que j'ai vécus sans toi, loin de toi. Quand tu es partie, la première neige venait tout juste de tomber sur Montréal. Elle encombrait encore les trottoirs, le toit des maisons et formait des grandes nappes blêmes au coeur de la ville. Le soir même de ton départ, j'ai roulé sans but dans les rues désertes et j'ai contourné la montagne, qui se tenait comme un fantôme. Toute cette blancheur m'impressionnait beaucoup. Il me souvient d'en avoir ressenti une certaine angoisse. Peut-être, croiras-tu que j'exagère un peu et que je me complais à établir des corrélations, au passé, entre ton départ et mes états d'âme ou à combiner mes souvenirs pour qu'ils paraissent préparer ce qui a suivi cette première tempête et ton départ. Il n'en est rien, crois-moi. Mais cette neige blafarde sur Montréal, il m'est difficile de la dissoudre dans ma mémoire, autant qu'il m'est impossible de n'avoir pas traversé cette longue saison blanche, de ne pas me rendre aux approches cruelles du printemps.

Il fallait bien que tu l'apprennes; je te le dis crûment. Et je prends même la peine de te prouver que j'existe encore, hélas, pour te faire savoir que j'ai tenté de m'enlever la vie !

Oui, c'est cela; et je te le dis sans passion et sans grande émotion. En fait, je suis plutôt déçu d'avoir manqué mon coup et, depuis, je récapitule les erreurs qui m'ont conduit à cet échec. Mais surtout, je m'ennuie, je me laisse couler sous la glace comme le courant d'hiver...

As-tu changé, toi ? Portes-tu les cheveux longs comme avant ? As-tu vieilli de quelques mois depuis novembre ? Et comment te sens-tu après tout ce temps et loin de moi ? J'imagine qu'une femme de vingt-cinq ans a d'autres souvenirs de voyage que des cartes postales. Tu as rencontré d'autres femmes ou un homme; tu t'es sans doute attachée à quelqu'un et libérée de moi. En disant cela, je sais bien qu'une certaine logique veut que, pour se libérer de quelqu'un, il suffise de le tromper. Sans doute, cela est-il partiellement vrai ? Et dans ce cas, tu as bien fait de t'envoler un jour vers l'aéroport d'Amsterdam afin de te libérer de ma noirceur et de ma tristesse et tu as bien fait de mettre fin à notre liaison en la rendant encore plus relative, pareille à d'autres, égale en importance à toute liaison amoureuse, humaine trop humaine, comparable...

Je constate que de t'imaginer ainsi avec d'autres me plonge dans cette neige aveugle qui a recouvert Montréal en novembre dernier. Comme alors, je me sens désemparé; j'ai beau me répéter que nul événement n'est survenu, nulle rupture entre nous, j'ai conscience que ma tristesse nous submerge et nous confine à la solitude. Je vois encore les rues enneigées de novembre que je parcourais sans raison comme si ce déplacement incessant compenserait ta perte; mon errance me reconduit au port déserté que nous avons si souvent visité ensemble.

Le soir de ton départ, c'est là que je me suis rendu; une mince couche de neige crissait sous les pneus, tandis que le fleuve glacé continuait de se mouvoir secrètement. Pendant que j'expérimentais ma solitude discordante, toi, tu volais en DC-8 vers l'Europe, peut-être même ton avion s'était-il posé en douceur sur la piste verglacée de Schiphol après avoir manoeuvré lourdement au-dessus de la mer du Nord et des étendues immobiles du Zuiderzee. Moi, pendant ce temps, je dérapais lentement le long des quais; je suis rentré du port en fin de soirée, j'ai pris le courrier dans notre boîte postale avant de monter à l'appartement. J'ai mis quelques disques et je me suis mis au lit sans conviction, en lisant un Simenon que tu m'avais laissé avant de partir. Si je me souviens bien, ce roman — *l'Affaire Nahour* — se passe dans un Paris couvert sous la neige (ce qui est rare) et, l'espace d'un chapitre ou deux, à Amsterdam. J'ai dû m'endormir aux petites heures du matin.

Le lendemain mon hiver commençait; j'ai fait comme si de rien n'était et, la mort dans l'âme, je me suis rendu au trente-troisième étage, Place Ville-Marie, et je me suis acquitté tant bien que mal de mon travail de bureau. Dans le courant de la journée, je me suis rendu à la pharmacie du centre d'achats, je lui ai demandé du phénobar ! "Il faut absolument une ordonnance." Je ne te dirai pas tous les arguments tactiques que j'ai utilisés pour lui prouver qu'il pouvait me ravitailler en toute sécurité et sans déroger à son éthique professionnelle. En quittant cette pharmacie — plutôt dépité —, je n'avais appris qu'une chose : il me fallait à tout prix une ordonnance et des renseignements plus précis quant au dosage et à la présentation des barbiturates que je voulais me procurer.

Pour ce qui est des renseignements, cela ne fut pas tellement difficile; je me suis rendu à la Librairie médicale rue McGill et j'ai prospecté les rayons "Pharmacie" et "Pharmacologie" systématiquement. J'y ai repéré un *Précis de Thérapeutique et de Pharmacologie* de René Hazard et un *Vademecum international* qui est une sorte de répertoire de tous les produits mis en vente sur le marché. C'est facile de se procurer ces livres; je n'en revenais pas. Et le soir, une fois seul, je me suis lancé dans la lecture de mes livres et, même une fois couché, ce n'est pas un Simenon ou un Mickey Spillane que je tenais, mais ce fameux *Vademecum* que j'ai lu presque d'une couverture à l'autre, en ayant soin de prendre des notes diverses sur les multiples composés barbituriques et les pages du livre où leurs effets mortels sont habilement décrits. Mon problème n'était toujours pas réglé : je n'avais pas d'ordonnance, ni aucune autre façon de m'en procurer. Je me suis endormi, le livre en main, en ressassant cette difficulté majeure. Le lendemain matin, j'étais plutôt mal réveillé à dix heures, abruti... mais nullement découragé puisque je savais à qui je m'adresserais pour obtenir une ordonnance. Ça faisait plutôt longtemps que j'avais rencontré Olivier L., mais comme les médecins sont toujours occupés à ne plus savoir où donner de la tête... J'ai fini par le rejoindre au téléphone et, comme je l'avais prévu, il s'est mis aussitôt à pester contre cette profession qui ne lui laissait plus le temps de voir ses amis. Sur ce point, j'ai dû le refroidir un peu... car je lui ai aussitôt demandé une consultation. Et comme il n'y avait rien de particulièrement grave, j'ai dit que je passerais à son bureau en fin de journée...

Après un échange désordonné de souvenirs communs, je lui ai dit carrément que je ne dormais plus. Il a éclaté de rire et m'a dit comme ça : "Est-ce qu'elle te trompe... ?" Je n'ai pas été capable de lui dire que tu te trouvais maintenant en Europe et que, vraisemblablement, tu... Je suis resté muet, presque hébété : j'avais le goût de fondre en larmes. Il y a eu un long silence, Olivier a pris un bloc et s'est mis à griffonner quelques mots illisibles. Il a détaché le papier et me l'a tendu en souriant aimablement : "Tu sais, m'a-t-il dit, il ne faut pas s'habituer à ces produits-là; je te prescris une douzaine de capsules et, normalement, au bout de douze jours tu devrais avoir retrouvé ton sommeil normal... Tu prends ça une vingtaine de minutes avant le coucher." J'ai replié l'ordonnance et l'ai glissée dans mon porte-monnaie, pendant qu'Olivier me racontait je ne sais plus quoi au sujet de sa femme qui se plaint qu'il n'est jamais là. "On a tout de même le temps pour un bon scotch : qu'est-ce que tu dirais d'un VAT 69 ?" J'ai dit oui et Olivier s'est éloigné, me laissant seul dans son bureau. Il m'a fallu quelques secondes pour détacher quelques feuilles de son bloc d'ordonnance; j'étais honteux comme un voleur et fier en même temps d'avoir réussi ce coup que je n'avais nullement prémédité. Olivier est revenu avec une bouteille de VAT 69, deux grands verres et un pot d'eau. Et nous avons bavardé comme ça, de choses et d'autres; cette fois, c'est moi qui le faisais parler, car je ne voulais plus qu'il me fasse avouer quoi que ce soit à notre sujet, au sujet de ton séjour en Europe, de notre rupture, de mon désespoir...

De retour à l'appartement, j'ai analysé sa propre ordonnance pour 12 capsules d'amobarbital sodique et puis je me suis exercé sur du papier blanc à faire une ordonnance médicale libellée à peu près de la même façon et portant les mêmes symboles, les mêmes détails, les mêmes mots latins, les mêmes abréviations. Une fois bien rodé, je me suis fait des ordonnances avec son papier à en-tête. J'avais dix feuilles.

Avec trois d'entre elles, j'ai réussi deux ordonnances impeccables de 20 capsules d'amobarbital. Je me suis endormi sur ma réussite.

En quelques jours, j'avais accumulé assez de capsules d'amobarbital à coups de fausses ordonnances. Ce fut beaucoup plus facile que je croyais. Et j'avais appris, par le *Vademecum*, que la dose *quoad vitam* (c'est-à-dire : mortelle) est de 25 capsules de zéro point deux grammes. Mais il m'en fallait plus, toujours plus. Et de cette façon, je retardais le grand moment; mais j'avais acquis une sombre certitude : celle de pouvoir me tuer sans préavis. Quelques jours se sont écoulés comme ça, des jours étranges, car tout en accroissant mes réserves d'amobarbital sodique, je me trouvais relativement sûr de moi, presque en harmonie avec la vie. En quelque sorte, je savais que j'allais mourir au moment voulu et je devais m'accommoder de ce projet funèbre tout en attendant — qui sait, un mot de toi, une lettre, ton retour... Plusieurs fois par jour, j'allais ouvrir la boîte postale, le coeur battant, dans l'espoir que j'y trouverais la raison inespérée de t'attendre...

Et quand j'ai reçu ta lettre du 14 novembre, cela m'a abattu complètement. Tu m'avais écrit quelques mots sur papier à en-tête de l'hôtel Amstel, mais l'enveloppe portait le tampon de la poste de Bréda : tu t'inquiétais de moi et tu me demandais des nouvelles de moi, de mon travail à Montréal. Et quoi encore ? Tu semblais bien attentive, soucieuse aussi de ce qu'il advenait de moi à Montréal ou gênée de t'être éloignée de moi... Mais que faisais-tu à Bréda ? Comment t'es-tu rendue d'Amsterdam à Bréda (il doit bien y avoir une centaine de kilomètres) et avec qui ? Avec quelqu'un qui voulait te montrer un peu de campagne hollandaise et sa ville natale ? Un autre "collègue européen" comme tu les appelles, qui fait de la décoration intérieure lui aussi et avec qui tu as déjeuné et dîné en route dans une petite auberge ? Tu n'as rien dit sur Bréda, ni rien sur Amsterdam où tu demeurais depuis plus d'une semaine; et tu ne m'as rien dit de ces gens que tu as forcément rencontrés... Il faut dire aussi que ta lettre était bien brève, enlevée, presque joyeuse donc, car tu avais laissé tous nos souvenirs dans la neige sale qui inaugurait ce sombre hiver. J'ai déchiré ta lettre.

Puis j'ai continué de faire quelques fausses ordonnances pour remplacer les capsules manquantes, celles que j'avais prises après ton départ pour affronter les nuits interminables...

Le 28 novembre je n'avais toujours reçu de toi que cette lettre postée à Bréda, rien d'autre. Les jours avaient une amplitude de plus en plus courte, les nuits d'hiver défilaient presque sans interruption. Pour moi, la nuit finale allait commencer — une seule et même nuit qui ne finirait plus, une longue nuit qui mettrait un terme à notre histoire désordonnée, à la longue hésitation, à ta sincérité embrouillée et à tes intermittences — tout cela de toi qui n'avait été cruel que dans la mesure où j'en avais souffert.

Ce jour-là, j'ai fait quelques appels pour me décommander et j'ai mis de l'ordre partout dans l'appartement. C'était un vendredi. Le soir venu, j'ai pris un bain très chaud. Après, j'ai mis mon pyjama neuf, ma robe de chambre en soie et j'ai mis quelques bons disques sur l'appareil : Duke Ellington, Ray Charles, Nana Mouskouri. J'ai écouté Nana Mouskouri plusieurs fois : j'étais étendu dans le fauteuil écarlate, buvant un grand verre de Cutty Sark, et je regardais devant moi ce vide absolu qui m'attendait et qui me fascinait. Puis, je me suis décidé : j'ai avalé les capsules bleu ciel par groupes de trois ou quatre, en m'aidant d'une grande gorgée de Cutty Sark. Je me suis resservi du scotch pour terminer l'opération capsules, après quoi je me suis défait de ma robe de chambre et je me suis glissé dans le lit. De ma main gauche, j'ai ouvert la radio qui se trouve sur notre table de chevet; le poste était syntonisé à CJMS. Je l'ai mis à volume moyen afin de couvrir la respiration stertoreuse qui, selon mes livres de référence, ne manquerait pas de se manifester avec le coma. L'important était de ne pas alerter des voisins, ou Dieu sait qui, par cette respiration bruyante qui dure aussi longtemps que le coma dans les cas d'intoxication aiguë; c'est pourquoi CJMS, ouvert 24 heures par jour, me convenait parfaitement...

Franchement, je n'étais pas triste, mais impressionné comme celui qui part pour un long voyage. J'étais ému, tout simplement ému. Comment te dire ? Je pensais à toi, mais si faiblement : tu évoluais très loin, dans une brume funéraire. Je voyais encore tes jupes colorées, je te voyais entrer dans l'appartement, en sortir : je t'imaginais pleine de paquets et de valises à l'aéroport, tu bougeais tout le temps, tu t'en allais, tu m'envoyais la main, tu me souriais, tu revenais à la hâte et tu repartais aussitôt. Tu ne t'approchais plus de moi et plus je sombrais, moins tu me regardais; tu souriais dans d'autres directions, tu regardais d'autres personnes, tu parlais avec des ombres qui formaient un cercle autour de toi, tu éclatais de rire, tu tournais sans cesse, tu étais bien vivante, bien animée, toujours en mouvement. Et moi je ne bougeais plus : j'étais comme figé sur place, engourdi dans mon corps immobile, presque enseveli... Je ne donnais plus prise à la mélancolie, ni à la tristesse, ni à la peur; en fait, j'étais comme solennel, j'étais recouvert par ma propre solitude, mortuaire déjà sans être mort encore. Puis après, je ne sais plus trop ce qui est arrivé : l'oblitération a dû s'aggraver doucement, sans doute à la manière de l'ensommeillement. Et après, je ne sais plus. Je ne me rappelle plus rien : je me suis anéanti à la vitesse ralentie du coma. J'ai cessé de te voir au loin, j'ai cessé d'entendre la musique diffusée par CJMS, j'ai cessé de sentir mon corps et d'apercevoir les murs assombris de notre appartement...

Je comprends que ceux qui utilisent une arme à feu ou la violence traversent la frontière entre la vie et la mort avec grand fracas. Leur initiative transforme en drame ce qui pour moi s'est opéré comme un glissement hypocrite dans un sommeil trop profond. La différence entre ceux-là et les gens qui procèdent comme moi, ne fait que mettre en évidence ma lâcheté, voire même une timidité navrante. Je n'ai pas osé quitter la vie en grande pompe, je me suis laissé induire dans une transe comateuse; j'ai flanché tout simplement, et s'il n'y avait d'autres signes accablants, celui-là suffirait à prouver ma faiblesse vitale — cette espèce d'infirmité diffuse que nulle science ne peut qualifier et qui me détermine à tout gâcher sans cesse, sans répit, sans exception...

Bien sûr, si je peux te le dire aujourd'hui, c'est que j'ai survécu à cette longue nuit sans rêve. Je me suis retrouvé encore vivant, dans une salle blanche du Royal Victoria, encerclé par tout un réseau de sérums en perfusion qui me clouaient au lit, et sous le regard d'infirmières toutes bien costumées qui s'affairaient autour de moi. Je sentais mes lèvres gelées; j'avais les lèvres d'un cadavre et, de temps en temps, une infirmière appliquait une sorte de baume sur mes lèvres.

Dehors, il neigeait à nouveau, comme à la veille de ton départ : les gros flocons blancs descendaient lentement et c'est eux que je regardais par la fenêtre, tandis qu'infirmières et médecins me voyaient émerger du coma et que je prenais conscience que j'étais encore vivant, affreusement vivant. La neige tombait dehors; je vivais, mais toi où étais-tu ? En revenant à la conscience, je me suis rappelé à nouveau que tu circulais quelque part aux Pays-Bas ou en Europe, mais où exactement, je ne savais plus, je ne savais pas encore. Je t'imaginais en voiture louée, avec des gens, avec un autre peut-être, sur des petites routes que je n'ai jamais vues et que je ne connais pas. Je t'imaginais en mouvement, et moi je ne bougeais plus, j'étais cloué sur place, au lit, presque mort, enseveli dans une neige blanche qui décolorait tout. Y a-t-il de la neige en Hollande ? Devais-tu porter tes bottes de daim, celles que tu as achetées avec moi, quelques jours seulement avant que tu prennes l'avion ?

Ces pensées en désordre me prouvaient que j'étais ressuscité, mais je ne comprenais ni pourquoi, ni comment. J'étais encore vivant, emmitouflé encore dans mon coma, mais juste assez lucide pour comprendre que je respirais encore et que mon coeur devait battre et qu'on alimentait ce filet de vie par tout un système d'intrusions. Il m'était pénible de supporter cette aube que je n'avais pas prévue, et que mon projet de nuit s'était déroulé défectueusement... Et toi, à ce moment-là, tu circulais d'une ville à l'autre et tu as passé l'hiver en Europe sans jamais savoir ce qui s'était passé à Montréal entre la première neige et la seconde tempête. Et si je prends la peine de te l'avouer aujourd'hui, c'est parce que je n'ai rien à faire et, sans doute, que je continue de m'adresser à toi et que tu es la seule personne au monde à qui je peux encore parler...

L'ironie du sort a voulu que ton télégramme de Bruges soit l'instrument de ton intervention tardive sur mon corps mourant. Le message a dû m'être adressé par téléphone d'abord. Mais je n'ai pas entendu la sonnerie du téléphone et, du coup, la compagnie Western Union a fait livrer le message écrit à domicile. Comme le concierge de notre immeuble n'a pas accès à la boîte postale qui se trouve dans le hall, il a pris sur lui de le monter lui-même et de me le remettre. Il suffit que le mot "télégramme" soit imprimé sur un pli pour qu'il devienne prioritaire, urgent — et cela quel que soit son contenu et quelle que soit l'heure du jour ou de la nuit. On ne laisse pas attendre un télégramme; on imagine toujours qu'il est porteur d'une annonce tragique ou qu'il signifie qu'il y a de la mort dans la famille ou qu'un grand drame est survenu quelque part dans le monde. On n'est pas encore habitué aux télégrammes anodins ou amoureux. On n'imaginerait pas que le texte peut se lire comme suit : TEMPERATURE MAGNIFIQUE RIEN RECU DE TOI ECRIS MOI. BAISERS. C'est exactement ce qu'il contenait, ton télégramme de Bruges : quelques mots plus ou moins bien choisis pour me communiquer ton inquiétude et une pointe de tendresse...

Le concierge a dû frapper à plusieurs reprises à la porte, il se croyait vraiment porteur d'un message de mort ou quelque chose du genre. Il a dû croire que je dormais encore trop profondément (mais, non pourtant) : il a plutôt pensé que je n'étais pas là pour le moment et que je devais trouver ce pli de la Western Union en revenant. Alors, il a utilisé son passe pour déposer le télégramme sur le tapis de l'entrée. Le reste est facile à reconstituer : la musique diffusée par CJMS lui a laissé croire à ma présence, il s'est approché, il a frappé à la porte mitoyenne. Il m'a appelé peut-être; et puis, il m'a vu, étendu sur mon lit de mort, respirant comme un trépassé, livide comme un fantôme. Il m'a raconté plus ou moins cela, bien après, quand on m'a ramené de l'hôpital, mais j'ai oublié les détails de la variante du concierge et, d'ailleurs, peu importe : à peu de choses près, cela revient à ce que je t'en raconte aujourd'hui. Le concierge s'est affolé, il a fait venir le médecin qui demeure au douzième étage et, sur ses conseils, il a téléphoné au Royal Victoria qui a dépêché une ambulance. Et je me suis réveillé dans une chambre blanche, entouré d'infirmières qui prenaient mes différentes pressions ou replaçaient les aiguilles conductrices dans les veines...

Le hasard...

Combien de jours avaient passé ? Plusieurs, si j'ai bien

compris : oui, je suis resté plusieurs jours dans le coma et sous une tente d'oxygène. J'ai même subi une trachéotomie : au cas où tu ne le saurais pas, il s'agit d'une incision chirurgicale de la trachée, suivie de la mise en place d'une canule trachéale. Les choses allaient plutôt mal, comme tu vois, mais je n'en savais rien et moi, pendant tout ce temps immémorial, je me prélassais dans un coma à toute épreuve qui, théoriquement, est le prélude bienheureux à la mort. Il se trouve que, dans mon cas, le prélude a mal tourné et que je me suis trouvé vivant, capable, du coup, de supporter tous les traitements qu'on a mis au point pour ranimer un homme malgré lui. J'aurais eu mauvaise grâce de me plaindre illico ou de me défaire brutalement de toutes les aiguilles qui m'ensemençaient, goutte à goutte, de liquide vivace. Et d'ailleurs, en avais-je la force ? Même pas; j'étais impuissant, non pas tellement ranimé que prolongé dans mon agonie, perpétué dans ma faiblesse et mon impuissance, je valais tout juste mon prix net en viande dégénérée, plus la facture d'hôpital. Déjà — par principe — j'avais juste assez de caractère pour comprendre que les premiers soins allaient m'être injustement facturés et pour me révolter en silence à cette idée...

Et toi, pendant que je survivais si péniblement, tu t'inquiétais de ne pas recevoir de lettre en réponse à ton télégramme de Bruges. Tu n'en continuais pas moins ton périple, en me consacrant une demi-heure par jour d'inquiétude : le temps d'aller à la poste restante de toutes les villes où tu m'as dit que je pouvais t'écrire ! Et, la demi-heure passée, tu te remettais à courir les boutiques, à visiter des musées, à faire des promenades au hasard et, peut-être, tout en faisant la conversation avec un partenaire... Tu as eu des vertiges, par moments, quand tu prenais conscience que nous ne vivions pas ensemble, que je n'étais pas là le soir quand tu rentrais et que tu n'avais plus à discuter avec moi pour me prouver que j'étais inutilement accablé ou triste ou sombre... C'est peut-être dans un de ces vides que tu as rédigé le télégramme à Bruges, mais juste après, qu'as-tu fait au juste ? T'en souviens-tu seulement ? Tu as dû te rendre à un dîner dans la vieille ville ou sur les remparts; il paraît que c'est très beau, Bruges, que la ville est ancienne et construite comme un petit port juste en bordure de la Mer du Nord... En fin de journée, tu devais repenser à notre dernière conversation, la plus désolée de toutes, après quoi il a été convenu que tu passerais tout l'hiver en Europe et que tu ferais comme si nous n'étions pas liés et que, de mon côté, je ferais de même...

Cet hiver a été bien long. J'ai observé quelques tempêtes de neige par une fenêtre de l'hôpital; puis, vers le début de décembre, les médecins ont jugé mon état satisfaisant, suffisamment en tout cas pour que je m'installe à l'appartement. J'avais changé : mes costumes flottaient sur moi et j'avais un teint cadavérique. Et j'ai dû affronter la nuit sans ma provision bleu-suicide et j'avais gaspillé toutes mes feuilles d'ordonnance en blanc; donc pas question de prendre les moyens de m'induire chimiquement en un sommeil bienfaisant. Je ne dormais pas. Je regardais notre plafond, l'eau-forte qui pendait au mur et les rideaux à embrasse qui faisaient on ne peut plus romantiques. J'avais les yeux grands ouverts et je restais étendu ainsi jusqu'à l'aube; l'hiver a passé comme une longue nuit blanche. J'ai reçu quelques lettres de toi, cela m'a rendu triste de te savoir à Paris ou à Rome, inconsciente, tout occupée à vivre loin de moi. Quand j'ai reçu ta dernière lettre, j'étais en train de lire un roman de Mickey Spillane. J'ai laissé tomber ce roman de Spillane; mais je n'en retrouve pas pour autant le goût de vivre et je n'attends plus rien de ton retour. Tu me dis d'aller t'attendre au quai de la Holland-America Line et que tu arriveras à Montréal à bord du Massdom le 11 avril. Mais tu ne sais pas encore que j'ai tenté de me tuer au cours de l'hiver et que je n'attends plus rien du printemps. Si je me rendais au port le 11 avril, pour t'accueillir à la douane, je serais sans doute ému de te revoir, moi aussi. Tu m'embrasserais. Et tu me montrerais tes achats, en prenant bien soin de m'offrir un cadeau original ou amusant. Et tu me dirais, le plus simplement du monde : "Et toi ?..."

Je ne saurais comment te répondre; c'est pourquoi je t'écris cette longue lettre que j'adresse à Amsterdam et que tu auras tout le temps de lire sur le bateau. De cette façon, tu sauras que je suis mort une première fois cet hiver et que j'ai longtemps porté une petite cicatrice bleue au-dessus de mon noeud de cravate. Tu sauras aussi que j'ai passé tout ce temps à lire à la chaîne et indistinctement tous les romans policiers ou d'espionnage que j'ai pu trouver à Montréal.

Tu crois peut-être que je t'en veux d'avoir contrarié, bien involontairement — par ton télégramme de Bruges — ma première T.S. (comme tu vois, je suis même au courant des abréviations médicales... T.S. pour Tentative de Suicide...). Eh bien non, je ne t'en veux pas. Et si je ne conçois nul ombrage de cette "interruption", c'est qu'elle est à l'image de notre amour... et aussi que je vais recommencer. Oui ! Je vais me couvrir de nuit et, dès lors, cette lettre devient ma lettre d'adieu. Je t'épargne, cette fois, le détail des préparatifs. Sache que, entre la phrase précédente et celle-ci, j'ai avalé plus de capsules qu'il n'en faut pour mourir. Ne sens-tu pas d'ailleurs que ma main tremble, que mon écriture se dilate soudain et que je vacille déjà ? Les silences entre les mots sont autant de pores par lesquels j'absorbe mon propre néant... J'ai encore pour une dizaine de minutes de lucidité; mais je sens déjà que mon esprit est entamé, ma main errante, ma vue assombrie. Il neige en moi doucement, sans arrêt, de plus en plus, et j'ai froid. Mon amour, j'ai froid... Et cette fois, rien, absolument rien ne viendra me rejoindre au milieu de ma nuit, car je me suis réfugié dans une chambre d'hôtel, insonorisée et luxueuse comme un cercueil géant.

[1969]

VI

Pendant ce temps-là, à la Presse...

R.L.

POURQUOI JE SUIS DÉSENCHANTÉ DU MONDE MERVEILLEUX DE ROGER LEMELIN

M. Roger Lemelin,
Président et Editeur,
La Presse

Je crois fermement que la franchise et le respect des autres sont préférables à toutes les parades, à toutes les forfanteries, à toutes les duplicités stratégiques, à toutes les ententes implicites dont le principal avantage réside dans l'ambiguïté de ce qui est entendu, à tous les plastronnages, à tous les clins d'oeil et à cette pléthore de stratagèmes auxquels vous avez habitué votre public pour mieux le manipuler et, disons les choses telles qu'elles sont, pour fourrer vos interlocuteurs.

Veuillez croire, monsieur Lemelin, que si j'en arrive aujourd'hui à commencer une lettre de cette façon, c'est que je suis désenchanté du "monde merveilleux de Roger Lemelin" ! (L'expression est de vous). Cette vaste entreprise de spéculation, d'agiotage, de coupage de gorges, on aurait pu croire qu'elle déboucherait sur une construction dynamique, génératrice, saine; il n'en est rien ! Avec tout le capital humain, culturel et financier que vous contrôlez, vous n'aspirez pas à créer mais simplement à régner. Tout se pétrifie sous votre action. La cour qui vous entoure me fait l'effet de personnages ahuris qu'on avait conviés à l'existence et qui, sans comprendre, sont tous réduits à l'aphasie bureaucratique, avec allocation automobile et petits comptes de frais.

Pour tout dire, vous paupérisez d'une façon princière vos gracieux protégés et j'imagine que, par cette opération réitérée chaque jour, vous intensifiez la conscience que vous avez de votre richesse. Car en fin de compte, la richesse ne s'apprécie qu'en relation avec la non-richesse d'un certain nombre de personnes qu'on voit régulièrement. De plus, vous avez même trouvé la façon d'échapper aux pièges inhérents à ce jeu en renouvelant sans cesse votre stock ancillaire. Somme toute, quand les dépendants ont fait deux ans dans votre entourage et qu'ils sont éligibles à une certaine lucidité, vous préférez les mettre au vestiaire et recommencer avec d'autres qui sont vierges.

Depuis que je suis entré aux Editions La Presse, j'ai tout fait pour mettre sur pied une maison d'édition québécoise et cela, en stricte conformité avec les directives que vous m'aviez données en m'engageant. ("Une N.R.F. québécoise", me disiez-vous.) En cours de route, j'ai frappé des résistances énormes qui m'apparaissent, rétroactivement (et preuves à l'appui), comme autant d'obstacles fleuris que vous avez placés sur ma route. La liste des projets d'envergure en édition québécoise qui ont été écartés du revers de la main par vos fondés de pouvoir est impressionnante en cela au moins que les Editions La Presse ont investi par moi et en moi considérablement dans ces projets auxquels je me suis consacré et qui se sont fait torpiller à une cadence assez irrégulière pour que je ne parvienne pas tout de suite à comprendre que vous m'encouragiez, monsieur Lemelin, au cours de dîners fins, à continuer mes efforts, sachant très bien que vos adjoints, mandatés par vous, les bloqueraient. Incroyable mais vrai ! Il n'était pas fatal que je démasque votre système tant mon intérêt de paupérisé était de bien soigner celui qui avait su royalement instaurer ma dépendance financière, mais j'ai compris ! Certains amis qui m'ont suivi, ces derniers mois, savent par quels déchirements je suis passé et quelles crises j'ai traversées. Dans ce "monde merveilleux", monsieur Lemelin, tout le monde perd, sauf vous, car vous ne défalquez jamais le capital humain investi. Ne compte pour vous que le numéraire; le capital humain est, selon votre inavouable philosophie, indéfiniment rachetable, donc réductible à sa valeur marchande.

Je dénonce l'action que vous exercez sur la culture québécoise. Elle est destructrice. Vous nous colonisez de l'intérieur. Vos tractations avec Hachette indiquent à quel point notre situation collective de colonisés vous sied (n'avez-vous pas déclaré, monsieur Lemelin, dans *Perspectives*, le 5 juin 1976 : "...je ne dis pas "notre littérature", je dis la littérature. Il n'y a pas de littérature québécoise; il y a une littérature d'expression française en Amérique du Nord"). Quand on dirige un complexe d'information et de culture aussi important que *la Presse* et ses compagnies connexes, c'est faire de la destruction culturelle que de le gérer avec cette désinvolture qui fait votre charme et d'en confier l'intendance, quand cela vous convient, à une équipe composée de Guy Pépin, Guy Pépin et Guy Pépin qui, en quelques mois, a instauré une ambiance sinistre dans votre entourage. Les journalistes de *la Presse* seraient surpris d'apprendre (mais peut-être pas tellement, au fond) que même la direction de l'information reçoit des ordres de Guy Pépin et qu'en dépit des cloisonnements qui doivent protéger la liberté de l'information, monsieur Guy Pépin, ombre de la Power Corporation, a préséance sur tout le monde.

Monsieur Lemelin, tel que vous êtes : coincé entre Guy Pépin, votre fondé de pouvoir et Paul Desmarais, président de la Power Corporation, qui êtes-vous, sinon l'homme de paille de Paul Desmarais ? J'ai mis du temps avant d'arriver à concevoir ce que j'énonce dans la dernière phrase, mais cela est normal puisque j'ai longtemps résisté à me percevoir, à mon humble niveau, comme la caution québécoise de Roger Lemelin. Je vous prêtais trop de bonne foi pour m'utiliser de cette façon. Mais la vérité m'éclabousse aujourd'hui.

Mettons cartes sur table. Power Corporation a gagné sur toute la ligne en réussissant à m'obnubiler sur le rôle qui m'était dévolu aux Editions La Presse, sur la liberté souveraine de Roger Lemelin, camouflant ainsi à mes yeux sa machine anti-québécoise sous le couvert de deux écrivains québécois. La réalité est bien différente, bien affligeante aussi.

Vous avez bien démérité de la patrie, monsieur Lemelin, en offrant à Power Corporation, moyennant un gros salaire, d'enrober toute l'opération dans votre style Place Royale.

Votre obsession de l'argent, monsieur Lemelin, a quelque chose de pathologique car, au fond, vous n'avez pas les caractéristiques habituelles d'un vrai directeur d'entreprise. Vous dirigez *la Presse* dans une improvisation gestionnaire dont la réussite immédiate recouvre une véritable dilapidation de l'actif humain et financier de l'entreprise. Vous êtes l'homme de l'encaisse. Le capital, pour vous, est réductible à une masse de liquidités; l'actif complexe, socialisé, cumulatif et intraduisible en liquidités d'une entreprise, ne pèse pas lourd pour vous et vous ne faites aucun effort de rationalisation sur le rendement de l'actif global, tout obsédé que vous êtes par la mousse tangible et encaissable qui germe dessus. Cet argent, monsieur Lemelin, il est bon de vous le rappeler, ressemble au salaire de la trahison. Je m'empresse de dire, et placidement, qu'on peut être un traître à la nation sans que celle-ci soit engagée dans une guerre. Monsieur Lemelin, vous avez fait beaucoup pour trahir et vous m'avez même embarqué dans cette entreprise anti-québécoise à seule fin de surmultiplier votre trahison par ma présence à vos côtés.

A ceux qui sursautent devant le terme de trahison, je suggère de référer à l'opposition dialectique traître versus patriote.

Faire de la colonisation culturelle comme vous le faites, monsieur Lemelin, sous l'égide et au profit de la Power Corporation, mérite d'être dénoncé. L'édition québécoise (c'est l'expérience que j'ai vécue aux Editions La Presse) est contrée dans la mesure même où elle se veut québécoise. Tout ce qui tend à valoriser le Québec comme entité politique indépendante ou comme culture nationale — et cela même au niveau des productions scientifiques — a été depuis quelques mois brutalement rejeté par vos émissaires. Et je sais pertinemment qu'ils recevaient leurs directives de vous. Ce texte que je vous adresse aujourd'hui, monsieur Lemelin, n'est pas d'abord une lettre, mais plutôt l'analyse d'une situation et de l'expérience consternante que j'ai vécues — celle-ci d'autant plus douloureuse qu'accompagnée d'une prise de conscience qu'au début je suspendais (comme on fait abstraction d'un préjugé) pour finalement me rendre à l'évidence et voir clair dans cet univers de chausse-trappes. En vous adressant cette lettre, monsieur Lemelin, je vous décris mon cheminement vers l'évidence mais si j'ouvre la lettre avant que vous ne la receviez vous-même, c'est pour faire comprendre en quoi et pourquoi j'ai été dupe individuellement d'un piège qui fonctionne bien au niveau collectif et aussi pour exposer en public ce que j'ai découvert, et cela en dépit de l'humiliation que je peux ressentir à cet étalement.

Avant d'en arriver à cette lettre ouverte, vous n'êtes pas sans savoir que j'ai multiplié les lettres, les coups de téléphone et les mémoires afin d'éclaircir la situation aux Editions La

Presse et de procéder à un assainissement. Vous êtes resté muré dans votre pouvoir et n'avez même pas daigné discuter de ce problème, ce qui me paraît d'autant plus insensé que c'est vous-même qui m'avez fait entrer à La Presse et que vous m'aviez exposé, dans les premiers mois, vos préceptes de franchise, de loyauté et de sincérité dans nos relations. En conclusion, je vous informe que je ne démissionne pas parce que je considère de mon devoir de défendre les valeurs auxquelles je crois et de combattre vos positions ouvertement.

[1976]

VII

S'agit-il enfin de l'affirmation ou de la disparition de l'écrivain ? Depuis les "Propos sur l'écrivain" (1969) jusqu'à "La disparition élocutoire du poète" (1974), le sort de cette question reste indécis, entre les pôles : la tentation du silence, le risque d'écrire.

"On n'en sort pas et c'est pourquoi j'y reste.
J'y reste en attendant la fin d'une fuite sans fin." *

R.L.

---

* "Le texte ou le silence marginal ?", *Mainmise*, novembre 1976, numéro 64, page 19.

PROPOS SUR L'ÉCRIVAIN

J'ai le sentiment, de plus en plus, que l'écrivain ne peut trouver grâce — aux yeux du public — qu'à condition de justifier, preuves à l'appui, son existence autrement que par la seule production littéraire. Cela est un état de fait : nous n'y pouvons échapper quel que soit notre tirage — du moins ici au Québec et au Canada...

Certains se font polygraphes pour la télévision, d'autres professeurs (j'en suis); mais je n'en connais pas qui osent être écrivains jusqu'au bout et sans faire de concessions au système social qui est le nôtre : je veux dire, sans travailler à la télévision, sans occuper quelque fonction importante dans un ministère à Québec ou à Ottawa, sans conserver (comme on dit) quelque bibliothèque ou enseigner dans un collège ou une université... Et ceci est monnaie courante; en France aussi, je sais, sauf — bien sûr — les super-vedettes de la littérature qui battent tous les records de tirage possibles (Sartre ou Françoise Sagan...).

Ceux qui me lisent (en ce moment) sont peut-être enclins à trouver que je me plains de cela; or, justement, je décris cette situation, mais je ne la dénonce nullement. Paradoxalement, la société qui semble mesquiner avec ses écrivains ne fait que les obliger à s'enraciner plus encore qu'ils n'auraient tendance à le faire s'ils étaient nantis de façon confortable. N'allez pas croire que je préconise une sorte de pénalisation institutionnelle des écrivains afin de leur faire donner le meilleur d'eux-mêmes; je suis même tenté de penser le contraire. La rentabilité littéraire me paraît être le meilleur stimulant à la productivité.

Mais, le problème est là (ou tout près de là...). La rentabilité ne peut être truquée : elle doit être vraie, réelle, suffisante... Et cela n'est pas encore le cas. Du moins, on n'a pas trouvé ni au Québec, ni au Canada de véritables réservoirs de population lectrice capable de consommer des oeuvres littéraires à ce point qu'elles rapportent à leurs auteurs de quoi vivre de leurs droits d'auteurs. D'autre part, le Québec et le Canada ont également mis au point des mécanismes institutionnalisés de compensation financière : des bourses, des subventions, de l'aide à la création, des prix multiples...

Or, l'écrivain le plus modeste — le moins apte à persuader la population lectrice de le lire — est encore éligible à un nombre très grand de bourses qui, en quelque sorte, lui procurent l'illusion que la société lui accorde beaucoup d'argent et lui confère, du coup, un grand mérite. Véritable paradoxe, cette situation — d'allégeance "socialiste" — se révèle un simple adjuvant capitalistique destiné à maintenir l'écrivain subventionné dans une certaine position euphorique et conformiste à l'égard de la société. Il suffit, pour certains écrivains, de se dépolitiser pour avoir ce genre de faux bénéfices qui (de fait) ne correspondent pas à sa vraie valeur, non plus qu'à son emprise sur le public. Je n'irais pas jusqu'à dire que le système des subventions aux créateurs est un mauvais système; loin de moi, de tels propos... Je crois seulement que les écrivains, ainsi soutenus, ne sont, en vérité, que maintenus en surface artificiellement. Les bourses et subventions reçues ne remplaceront jamais la véritable et solide popularité qui rapporte...

Et quand je dis popularité, je ne confine pas l'écrivain au succès de ses écrits seulement, mais à l'évaluation de sa personne, de sa présence *réelle*, de ses diverses capacités de porter la parole à d'autres et sous diverses formes. L'écrivain n'est assurément pas un spécialiste de la grammaire, mais bien plutôt un spécialiste de la parole. Sa valeur est étroitement liée à la valeur de ce qu'il formule — par écrit ou oralement — pour d'autres ou devant d'autres; cette formulation, même, constitue l'activité maîtresse de l'écrivain. Il écrit, formule, rapporte, désigne, définit, joue avec les mots, les morceaux de la réalité qui l'intéressent, manipule constamment des petits ou grands ensembles de mots et de phrases, de sens et de non-sens. Car si la formulation le définit, il ne faut pas conclure que la formulation le contraint à la signification constante : loin de là, il peut tout aussi bien se mouvoir dans l'irresponsable splendeur des mots et l'inconséquence gratuite de la fiction. Rien, dans la loi, n'oblige celui qui parle ou écrit à le faire selon un schéma certain de signification ! Rien, par exemple, ne m'oblige à finir en beauté ce que j'ai commencé... non plus que rien n'oblige, par contre, le lecteur à me suivre jusqu'au bout dans l'infiltration sinueuse de mon élucubration. Et ce point de jurisprudence attribue une immunité complète et extensible rétroactivement à tout ce qui s'écrit, se dit, se formule, se lit couramment... La fiction la plus monstrueusement décollée de la vérité historique (si tant est qu'on puisse parler de vérité historique...) n'est jamais punissable : et cela me fait revenir à mon point de départ. Toute formulation doit être considérée comme une émanation réelle de la personne même de celui qui formule. La popularité dont je parlais plus haut ne serait qu'une sorte de puissance diffusive très grande de ce phénomène émanationiste.

Vous me direz que, en énonçant des postulats aussi étranges, je suis sur le point de vous persuader — en même temps — de ma folie indicielle ou de ma "glossolalie" ! Trop facile à dire; il faudrait encore le prouver. Car, peut-être, suis-je — au fond — un grand timide ? Ou, encore, une sorte d'homme d'affaires en train de faire une transaction basse avec des mots ? Ou, encore pire, peut-être ne suis-je que l'ombre d'un farceur sinistre qui se serait mis en tête de m'imiter et, ce faisant, de me faire passer pour dingue à vos yeux... ? Troublant... Suis-je authentique ? Suis-je seulement cet écrivain affreusement québécois qui déblatère inlassablement contre le cheveu qu'il coupe en quatre alors même que le pauvre cheveu se laisse docilement couper en petites tranchettes égales et huileuses... ?

A vous d'en décider péremptoirement, cher lecteur, oui à vous de prononcer le verdict qui décidera de mon sérieux et de mon authenticité. Je devrais sans doute dire : à vous, plutôt, de prononcer ma sentence de mort écrite (peine capitale, s'il en fut jamais une...) !

Mais, cette fois, je suis enclin à terminer cette exposition déraisonnante en queue de poisson et sur une note discordante, vous laissant ainsi espérer qu'une autre fois je manifesterai une tendance à la hausse, conférant ainsi à ce que je fais ici, en public, une valeur plus grande...

[1969]

"LA DISPARITION ELOCUTOIRE DU POETE" (MALLARME)

"L'oeuvre implique la disparition élocutoire du poète, qui cède l'initiative aux mots..." (Oeuvres complètes, p. 366).

Ce texte écrit (que je tiens dans mes mains) a été fait pour être lu par son auteur. En cela, au moins, il diffère de ce qu'on appelle généralement la littérature. En effet, en littérature, le texte écrit est fait pour être lu par un autre, et cet autre est le lecteur.

Il me paraît important d'insister sur l'altérité du lecteur, car cette altérité du lecteur atteste que l'écriture est une réalité vectorielle. L'écrit est toujours adressé à quelqu'un, à une personne collective, à un lecteur souvent improbable et imprévisible. L'écriture, si insensée soit-elle à certains égards, a toujours un sens. Elle est dirigée vers un lecteur-juge qui confère de la valeur à ce qu'il reçoit et condamne au néant ce qu'il rejette.

L'invention de l'écriture, c'est bien beau; mais l'invention de la lecture, c'est démentiel ! Il a fallu des siècles pour que les gens de lettres redoutent plus d'être lus que d'écrire... Mais nous avons atteint ce point. Trêve de vérité, je reviens à mon texte...

L'écriture est une lecture inversée et la lecture, une écriture inversée. Donc, l'écriture est l'inverse de la passive lecture et la lecture, l'inverse passif de l'écriture.

L'écriture : une lecture inversée, cela veut dire, dans la pratique, que je suis préoccupé jusqu'à l'obsession par le lecteur. En écrivant, j'imagine que je me lis par les yeux de cet inconnu et je voudrais que son plaisir de lire mon texte ne soit pas uniforme, constant, prévisible en quelque sorte, mais avec plusieurs seuils d'intensité, enrichissant, capable de le surprendre, voire de l'ébranler et difficile à prévoir. Quand j'écris, je pense au lecteur comme à la moitié de mon être, et j'éprouve le besoin de le trouver et de l'investir. Une écriture totale est celle qui est tout entière tournée vers la possible lecture qui en sera faite par le destinataire. Les recherches élocutoires de l'écrivain, ses figures, ses truquages, ses stratégies verbales sont autant d'éléments relationnels et non d'abord expressifs, car ces éléments reposent sur un rapport projeté entre l'auteur et le lecteur.

La littérature comporte deux versants : un versant intentionnel qui est celui de l'écriture et un versant manifeste correspondant à la lecture. Il arrive parfois, dans l'étude de la littérature, qu'on isole ni plus ni moins le versant intentionnel des auteurs (comme dans une certaine psychocritique, par exemple); cela a pour conséquence de rendre inintelligible une intentionnalité dont on néglige le sens et le terme.

Le rapport écriture/lecture est constitutif du phénomène littéraire. L'écriture est le négatif qui, passé au révélateur de la lecture, imprime une image dans la conscience. Sans révélateur, le négatif est condamné à rester opaque; et sans négatif à imprégner, le révélateur ne révèle rien.

La tension de tout écrit vers son terminus exerce une pression morale sur l'écrivain et l'incline à ce que Mallarmé appelle "l'omission de soi" ou, en termes plus enchanteurs, "la disparition élocutoire du poète". Je ne me fais pas ici commentateur de Mallarmé, je ne fais qu'utiliser une convergence de pensée. Je trouve que l'*ego* de l'écrivain doit évacuer au maximum l'écriture. L'écriture a fait l'objet, hélas, de tous les investissements égocentriques imaginables, à tel point que cette écriture surchargée et porteuse de n'importe quoi a fini par se substituer à la littérature, et qu'elle empêche, à la limite, la communication tellement ce qu'on y a déposé la rend inconductible. L'écrivain doit se sacrifier un peu, comprendre que l'écriture n'est pas un objet en soi et qu'elle n'a de valeur que si elle est effectivement inversée par l'opération de la lecture. Ecriture n'égale jamais littérature.

Aux yeux de certains, l'écriture serait un exutoire de l'inconscient ou un instrument pratique d'introspection. Je doute beaucoup des avantages que présente l'écriture à cet égard quand je la compare aux techniques d'introspection de la psychologie et de ses dérivés, comme je mets en question son pouvoir d'expressivité quand je songe aux autres arts d'expression, plus spectaculaires et plus généreux. L'écriture a plutôt une fonction communicative à laquelle on ne peut se soustraire. Elle véhicule des messages, articule le discours de façon à lui donner plus d'impact sur un possible lecteur. Elle peut transmettre une vaste gamme d'états d'âme, énoncer avec précision les idées, mais, dans tous les cas, elle communique à un destinataire collectif ou individuel sa charge affective et intellectuelle. Quand l'écriture a rempli son rôle elle s'est transmuée en lecture. La littérature jaillit, pour ainsi dire, de cette union entre un écrivain et un lecteur. Au mieux, cette rencontre ressemble au coup de foudre, à un accouplement fulgurant qui dure le temps de la lecture. Cette conjonction revêt un caractère sacré. C'est l'événement originaire de la littérature, le choc instaurateur de joie, d'exaltation, de pensée.

L'aspect contingent, aléatoire de cet événement me conduit à me poser certaines questions — que je me permets de proposer à votre attention.

- — Qu'est-ce qu'un lecteur recherche en abordant un roman ou une suite de romans ?
- — Le cinéma et la T.V. ne fournissent-ils pas les mêmes plaisirs, les mêmes émotions moyennant un effort moindre de sa part ?
- — Dans un autre ordre, quelle est donc la motivation de certaines personnes à écrire des romans ?
- — Les grandes innovations littéraires portent-elles sur l'écriture ? Dans ce cas, est-ce pour la dynamiser vers le lecteur ou pour la magnifier, la disloquer, la surchiffrer — l'éloignant ainsi de plus en plus de son terme ?
- — L'écriture, devenue désécriture, est-elle encore une lecture inversée ? N'est-ce pas plutôt une manifestation d'orgueil de l'écrivain confiné au désespoir de son isolement social ?

Je viens d'énumérer quelques avenues qui s'ouvrent à ma prospection personnelle. Ce sont des questions sincères; je ne cherche pas, par une feinte interrogative, à masquer mes propres incertitudes.

Le lecteur est un *désoeuvré*, non pas qu'il n'ait rien à faire (bien que cette caractéristique soit valable...), mais parce qu'il attend qu'on lui propose une oeuvre. Son désoeuvrement appelle une oeuvre. L'ouvrier et le désoeuvré se trouvent donc en instance de communiquer l'un avec l'autre par la médiation d'un livre. Dans et par la lecture, l'écrivain et le lecteur se trouvent unis l'un à l'autre et ils participent, dans un synchronisme extra-temporel, à une célébration muette. Ainsi, la littérature existe pleinement non pas quand l'oeuvre est écrite, mais quand un lecteur remonte le cours des phrases et des mots pour devenir, par ce moyen, cocréateur de l'oeuvre.

Le lecteur tient le rôle d'officiant dans cette célébration; il officie en lisant le texte écrit, en se l'appropriant et en lui donnant — dans son for intérieur — un sens nouveau, une connotation et une dimension peut-être uniques.

Chaque nouvelle lecture d'un livre en constitue une célébration nouvelle et ajoute au livre un peu plus de valeur; en quelque sorte, chaque nouvelle lecture rejaillit sur l'oeuvre. Cet accroissement de la valeur n'a rien à voir avec les préceptes non écrits de la distribution commerciale; pour les éditeurs, les livres qui se vendent beaucoup valent plus cher, je sais... Mais ce que je tente de formuler ici concerne la valeur incomptable des oeuvres qui ont polarisé beaucoup de lecteurs. En cela, chaque nouvelle lecture d'une oeuvre corrobore la force polarisante de l'oeuvre. De plus en plus, je crois que les oeuvres incorporent la durée extérieure dans la mesure où les oeuvres qui ont subi avec succès l'épreuve du temps se révèlent être aussi les plus riches et les plus valables. C'est peut-être là un truisme; mais il fallait que j'arrive par moi-même à en mesurer la portée.

L'expérience de la lecture fait vivre au lecteur une sorte de condensé de la vie. A l'intérieur d'un complexus imaginaire, au fond du livre, le lecteur — je l'imagine toujours tremblant... — fera l'expérience de la catharsis. Dans le passé, il s'identifiait à des héros et vivait, dans leur peau, leurs nombreuses péripéties. Maintenant que les romans se sont départis de leurs anciens procédés narratifs objectifs et qu'ils offrent, en guise d'aventures, leurs propres genèses littéraires, le lecteur fait porter sur le livre ou sur l'auteur son investissement; et il assume l'innovation formelle des romans actuels comme s'il s'agissait d'une épreuve antique — l'énigme de la Sphinx, disons. Si le romancier sort vainqueur de l'épreuve, le lecteur s'approprie avec raison son triomphe puisque le lecteur a triomphé de la complexité formelle; le triomphe du romancier entraîne celui du lecteur tout comme dans une chaîne qu'on tire, le premier maillon entraîne le deuxième. La complexité formelle pourrait donc être considérée comme une épreuve devant laquelle écrivain et lecteur sont en situation de héros légendaires.

La lecture ne dure pas que son propre temps de performance. Elle continue après la dernière page et, quand cela se produit, prolonge le temps intérieur de la célébration.

Remarques finales :

Dans les livres contemporains québécois et autres, j'ai trouvé que l'auteur est décidément surprésent. Le livre se trouve, en fin de compte, contaminé par la présence de son auteur à tel point que le jeu, quand on lit, consiste à aimer ou à détester la personne même de l'auteur. J'en viens à préconiser une pratique de l'absence de telle sorte que les livres ne deviennent pas indiscernables à force d'être englués. A la limite, je me demande si la grande innovation littéraire ne serait pas de revenir à l'anonymat... A lecteurs anonymes, auteurs anonymes...

Il est bien possible que, parce que je me suis insurgé contre la surprésence des écrivains, l'on me considère comme un spectre. Que répondre à cela ? Il est bien difficile de disparaître et que cela ne soit qu'élocutoire, je sais... Disparaître, c'est mourir un peu. Mais il ne me sied pas de mourir un peu...

[1974]

LE TEXTE OU LE SILENCE MARGINAL ?

"Toute spécialisation atrophie" (T.W.)

Michèle,*

Il me presse de te faire part de ce texte que tu m'as demandé pour *Mainmise.* "Faire part" n'est pas une expression choisie au hasard puisque mon texte est mort en chemin et je n'en finis plus d'en ramasser les débris chaque fois que je me penche. Tu ne peux pas savoir.

Au tout début, je rêvais de produire une glose énorme et affriolante sur l'ennui, mais, mine de rien, l'ennui conjure les raccourcis et contraint à une sorte d'étirement longitudinal dont la progression me semble en contradiction formelle avec l'idéologie de *Mainmise.* Et quel labeur après tout ! Pourquoi mettre une telle énergie digitale à n'exprimer que soi ? Pourquoi ne pas se relâcher et devenir les autres tout simplement ? Ce serait tellement plus simple, plus facile et, sait-on jamais ?, plus exaltant. On ne dénoncera jamais assez le prix exorbitant de l'individuation.

Tu viens de comprendre ou plutôt de deviner, Michèle, que je voulais situer mon texte dans la problématique de l'individu et du collectif. En effet, je rêvais de toucher du bout de mes doigts pensants cette jointure entre le moi et le néant, et de dessiner la frontière aqueuse qui sépare le moi de l'autre, l'individu de sa propre et grisante dissolution dans le groupe.

Mais soudain me frappe l'analogie entre cette opposition de l'ego et de l'infini et celle, typographique, du texte au silence marginal qui le presse, le cerne et bientôt le dévorera. Le texte ne remplit pas la page, pas plus que l'être humain n'occupe la plénitude de son champ existentiel. Pense à toute l'étendue stressante qui étrangle chaque caractère imprimé,

---

* Il s'agit de Michèle Favreau, de *Mainmise,* où ce texte fut d'abord publié. Le titre est de *Mainmise.* (R.L.)

chaque mot, chaque sanglot de Musset, chaque phrase interminable et divinement embrouillée de Proust. En fin de compte et somme toute, c'est le néant qui différencie l'être et non pas l'être le néant. La vie n'émerge vraiment que de son contraire absolu. Le néant distingue, tout comme la marge invente le texte.

L'existence est une interpolation.

"Je ne suis pas ce que je suis" (O.S.)

Cette dernière phrase, il faut bien l'admettre, confine au meurtre, à moins qu'elle n'en masque un — celui de l'un par le collectif.

C'est pour te retrouver que je pars et pour te réinventer que je fais semblant de te perdre. Rideau.

....

Deuxième acte. Oui, il y a une suite. Et je comptais, Michèle, attaquer la deuxième partie de mon texte en démontrant que le collectif agrandit le moi et transforme la perception du réel. Cela paraît simpliste, ainsi formulé, et pourtant il faut reformuler l'équation un nombre incommensurable de fois pour éprouver ce vertige de l'intellection. Imagine un pauvre type investi soudain par le multiple : d'un seul coup ses sensations privilégiées se dissolvent, ses pensées originales s'émoussent, ses goûts subtils s'évaporent. Plus rien. Une fumée déguisée en roseau pensant. Viande avariée pour végétariens. Christ de christ de christ.

Pis encore, Michèle, imagine que l'être personnel ne transcende jamais le hasard, et que cette entité aléatoire qui domine et corrompt tout est nombre. Ça recommence encore à ressembler à cette omniprésente et omnivoyeuse marge qui finalement est la seule structure décelable de tout texte imprimé. A force d'être imprégné par la marge qui le guette, le texte écrit ne fait plus figure d'insertion, mais d'exsertion. On peut toujours décentrer un peu plus ou un peu moins vers la gauche ou vers la droite, mais si le texte est excentration, il ne tient donc qu'à sa propre marge.

Le texte s'écrit continuellement dans le texte ou le long des marges d'un autre texte. Le moi est un intertexte, la conscience du moi un commentaire désordonné — marginalia parfois indiscernable mais pourtant toujours formante, instauratrice. Le fini est bordé délicatement par son propre infini; c'est comme si une ombre lumineuse enveloppait la lumière assombrissante de l'intelligence.

Il faut parfois se taire, mais je continue de laisser libre cours à cette parole superflue. Le superflu est le signe indélébile de la pauvreté et je me sens démesurément pauvre.

Ce que je voulais te dire, en fin de compte, Michèle, c'est que l'histoire individuelle est indissociable de l'aventure cosmique et que le sens mystique se glisse précisément à la charnière du moi et du collectif... Les mutations de la perception qu'on peut attribuer à l'imprégnation du moi par le collectif ne sont rien à comparer à la révolution opérée par la résurgence du mystique dans l'existence individuelle. Saint Paul a dit : "*Heureux le monde qui finira dans l'extase.*"

Entre cette notion paulinienne de l'extase et l'hypertrophie de l'idée contemporaine de l'orgasme extatique, il y a une différence non pas de nature mais d'intensité. Extase, selon saint Paul, est synonyme de douceur; rien de moins orgastique que cette joie inondante, rien de moins trippatif que ce voyage ralenti vers le *nucleus* du moi.

Dieu seul est devant et autour. Et, comme le dit Schiller, "*le milieu est plus consistant que les centres*". On n'en sort pas et c'est pourquoi j'y reste. J'y reste en attendant la fin d'une fuite sans fin.

[1976]

BIBLIOGRAPHIE

Bibliographie de l'ensemble des titres composant l'oeuvre d'Hubert Aquin. Les écrits réimprimés dans ce volume sont marqués d'une croix, et les inédits d'un astérisque.

LES ROMANS

Prochain Episode, Cercle du Livre de France, Montréal, 1965, 176 p.
Trou de mémoire, Cercle du Livre de France, Montréal, 1968, 208 p. Prix du Gouverneur général (refusé).
L'Antiphonaire, Cercle du Livre de France, Montréal, 1969, 256 p. Prix de la Province.
Neige noire, Editions La Presse, Coll. "Ecrivains des deux mondes", Montréal, 1974, 256 p. Grand Prix de la Ville de Montréal.

LES COLLECTIONS DE TEXTES

Point de fuite, Cercle du Livre de France, Montréal, 1971, 164 p.
Blocs erratiques, Editions Quinze, Coll. "Prose entière", Montréal, 1977.

Hubert Aquin a reçu le Prix David en 1972 pour l'ensemble de son oeuvre.

ARTICLES DE JOURNAUX ET DE REVUES; AUTRES TEXTES.

+ "Les fiancés ennuyés", *le Quartier latin*, * vol. 31, nº 20, 10 décembre 1948, p. 4.
+ "Pèlerinage à l'envers", *Q.L.*, vol. 31, nº 30, 15 février 1949, p. 3.
"Envers de décor", *Q.L.*, vol. 31, nº 33, 25 février 1949, p. 3.
+ "Eloge de l'impatience", *Q.L.*, vol. 32, nº 14, 18 novembre 1949, p. 3.
"Discours sur l'essentiel", *Q.L.*, vol. 32, nº 20, 9 décembre 1949, p. 1.
+ "Le jouisseur et le saint", *Q.L.*, vol. 32, nº 24, 24 janvier 1950, p. 1.
+ "Pensées inclassables", *Q.L.*, vol. 32, nº 24, 24 janvier 1950, p. 2.
+ "Tout est miroir", *Q.L.*, vol. 32, nº 32, 21 février 1950, p. 7.
"Le corbeau", *Q.L.*, vol. 32, nº 33, 24 février 1950, p. 4.
+ "L'équilibre professionnel", *Q.L.*, vol. 32, nº 38, 14 mars 1950, p. 1.
+ "Le Christ ou l'aventure de la fidélité", *Q.L.*, vol. 32, nº 40, 21 mars 1950, p. 4.
"Sermon d'avant-garde", *Q.L.*, vol. 33, nº 3, 10 octobre 1950, p. 3.
"Son témoignage", *Q.L.*, vol. 33, nº 4, 13 octobre 1950, p. 1.
"Sur le même sujet" ("L'écrivain est-il responsable ?"), *Q.L.*, vol. 33, nº 6, 20 octobre 1950, p. 3.
+ "Le dernier mot", *Q.L.*, vol. 33, nº 7, 24 octobre 1950, p. 2.
"Mise au point avec le *Haut-Parleur*", *Q.L.*, vol. 33, nº 8, 27 octobre 1950, p. 1.
"L'Assomption 'Vérité implicitement révélée' ", *Q.L.*, vol. 33, nº 11, 7 novembre 1950, p. 1.

* Pour *le Quartier latin*, le sigle *Q.L.* sera utilisé.

"Précision sur une note du *Devoir*", *Q.L.*, vol. 33, nº 12, 10 novembre 1950, p. 1.
"Massacre des 5 innocents", *Q.L.*, vol. 33, nº 14, 17 novembre 1950, p. 3.
"Mais tout de même", *Q.L.*, vol. 33, nº 16, 24 novembre 1950, p. 3.
"La science ou l'amour ?", *Q.L.*, vol. 33, nº 21, 12 décembre 1950, p. 3.
"Europe 1950" et "Une recherche de la fraternité", *Q.L.*, vol. 33, nº 23, 19 décembre 1950, pp. 1 et 3.
"*Le Quartier latin*, premier coureur", *Q.L.*, vol. 33, nº 24, 19 janvier 1951, p. 1.
"Drôle de bilinguisme", *Q.L.*, vol. 33, nº 25, 23 janvier 1951, p. 1.
"J'ai la mer à boire", *Q.L.*, vol. 33, nº 26, 26 janvier 1951, p.1.
"Procès de François Hertel", *Q.L.*, vol. 33, nº 26, 26 janvier 1951, p. 3.
"Enfin, l'aide fédérale", *Q.L.*, vol. 33, nº 30, 9 février 1951, p. 1.
"Rendez-vous à Paris", *Q.L.*, vol. 33, nº 32, 16 février 1951, p. 4.
"Recherche d'authenticité", *Q.L.*, vol. 33, nº 36, 2 mars 1951, p. 4, p. 6.
"Nos feuilles de chou", *Q.L.*, vol. 33, nº 38, 9 mars 1951, p. 1.
"Complexe d'agressivité", *Q.L.*, vol. 33, nº 39, 13 mars 1951, p. 1.
"Les miracles se font lentement", *Q.L.*, vol. 33, nº 40, 16 mars 1951, p. 1.
"Les rédempteurs", *Ecrits du Canada français*, vol. 5, Montréal, 1959, pp. 45-114.
"Qui mange du curé en meurt", *Liberté*, vol. 3, nº 3-4, mai-août 1961, pp. 618-622.
+ "Comprendre dangereusement", *Liberté*, vol. 3, nº 5, novembre 1961, pp. 679-680.
+ "Le bonheur d'expression", *Liberté*, vol. 3, nº 6, décembre 1961, pp. 741-743.
"Préambule", *Liberté*, vol. 4, nº 21, mars 1962, p. 66.
"Problèmes politiques du séparatisme", extraits d'un

discours prononcé en mars 1962 au Colloque de l'Hôtel Windsor. (Archives du R.I.N., Bibliothèque nationale.)

+ "L'existence politique", *Liberté*, vol. 4, n° 21, mars 1962, pp. 67-76.

"Pour un prix du roman", *Liberté*, vol. 4, n° 22, avril 1962, pp. 195-197.

"Les Jésuites crient au secours", *Liberté*, vol. 4, n° 22, avril 1962, pp. 274-275.

+ "La fatigue culturelle du Canada français", *Liberté*, vol. 4, n° 23, mai 1962, pp. 299-325.

+ "Essai crucimorphe", *Liberté*, vol. 5, n° 4, juillet-août 1963, pp. 323-325.

"Les jeunes gens en colère" et "Nous voulons nous séparer", *la Gazette littéraire*, vol. 166, n° 204, Lausanne, 31 août-1er septembre 1963, p. 15.

"Critique d'un livre écrit par un ami", *Liberté*, vol. 6, n° 1, janvier-février 1964, pp. 73-74.

"Commentaires I", dans "Littérature et Société canadiennes-françaises", *Recherches sociographiques*, vol. 5, n° 1-2, janvier-août 1964, pp. 191-193.

"Profession : écrivain", *Parti pris*, vol. 1, n° 4, janvier 1964, pp. 23-31. Repris dans *Point de Fuite*, Cercle du Livre de France, Montréal, 1971, pp. 47-59.

+ "Le corps mystique", *Parti pris*, vol. 1, n° 5, février 1964, pp. 30-36. Repris dans *le Jour*, vol. 1, n° 8, 25-31 mars 1977, pp. 39-40.

"Le basic bilingue", *Liberté*, vol. 6, n° 2, mars-avril 1964, pp. 114-118.

+ "Le pont — VIII", *Liberté*, vol. 6, n° 3, mai-juin 1964, pp. 214-215. (Pseudonyme : Elga von TOD.)

"Présentation", *Liberté*, vol. 7, n° 1-2, janvier-avril 1965, p. 2. (Signé : Liberté).

+ "L'art de la défaite", *Liberté*, vol. 7, n° 1-2, janvier-avril 1965, pp. 33-41.

+ "Calcul différentiel de la contre-révolution", *Liberté*, mai-juin 1965, vol. 7, n° 3, pp. 272-275.

"Préface à un texte scientifique", *Liberté*, vol. 8, n° 1, janvier-février 1966, p. 45.

"L'originalité", *le Cahier*, (Supplément au *Quartier latin*), vol. 11, nº 14, 3 février 1966, p. 3, Repris sous le titre "Compendium", dans *Québec français*, décembre 1976, pp. 24-25.

+ "Eloge de la mini-jupe", *Liberté*, nº 45, mars-juin 1966, p. 184.

"Next Episode", *Maclean's Magazine*, vol. 79, juin 1966, pp. 16-17, 66.

"Trou de mémoire" (extraits), *Liberté*, vol. 8, nº 5-6, septembre-décembre 1966, pp. 46-56.

"Théâtre supérieur", *les Lettres nouvelles*, Paris, décembre 1966-janvier 1967, pp. 8, 177, 188.

"Une rencontre dans la nuit", *Un siècle de littérature canadienne*, Editions HMH, Montréal, 1967, pp. 458-462.

"Nos cousins de France", *Liberté*, nº 49, janvier-février 1967, pp. 76-78.

"Un Canadien errant", *le Magazine Maclean*, vol. 7, nº 4, avril 1967, pp. 20, 52, 54, 56, 58.

"Hubert Aquin raconte comment il a été expulsé de Nyon", *le Jura libre*, vol. 19, nº 868, 31 mai 1967, p. 15.

"Prochain épisode" (extraits), *Maintenant*, nº 68-69, 15 septembre 1967, p. 266.

"Un âge ingrat", *Liberté*, nº 54, novembre-décembre 1967, pp. 66-68.

"Notes de lecture", *Liberté*, nº 55, janvier-février 1968, pp. 72-73.

* "A writer's view of the situation (in) Québec", (Inédit), Texte d'une conférence donnée à Buffalo le 23 mars 1968.

"L'affaire des deux langues", *Liberté*, nº 56, mars-avril 1968, pp. 5-7.

"Notes de lecture", *Liberté*, nº 56, mars-avril 1968, pp. 68-69.

"Quelle part doit-on réserver à la littérature québécoise dans l'enseignement de la littérature ?", *Liberté*, nº 57, mai-juin 1968, pp. 73-75.

+ "Littérature et aliénation", *Mosaic*, vol. 2, nº 1, Winnipeg, automne 1968, pp. 45-52.

"La littérature québécoise; Michel Brunet", *Liberté*, n° 59-60, septembre-décembre 1968, p. 84.

"Trou de mémoire" (extraits), *Québec '68*, vol. 5, n° 14, Paris, octobre 1968, pp. 107-109.

+ "Un ancien officier du R.I.N. regrette sa disparition", *la Presse*, n° 258, vol. 84, 5 novembre 1968, p. 4.

"Introduction", *Histoire de l'insurrection au Canada*, suivi de *Réfutation de l'écrit de L.-J. Papineau*, par Sabrevois de Bleury, Leméac, Montréal, 1968, pp. 9-31.

"Dictionnaire politique et culturel du Québec", *Liberté*, n° 61, janvier-février 1969, pp. 23, 43, 44, 46, 53.

(+) "De retour le 11 avril", *Liberté*, n° 62, mars-avril 1969, pp. 5-21. (Repris, dans une version quelque peu différente, dans *Point de fuite*, Cercle du Livre de France, Montréal, 1971, pp. 145-159.)

"Refus d'Aquin...", *la Presse*, vol. 85, n° 103, 3 mai 1969, p. 32.

+ "La mort de l'écrivain maudit", *Liberté*, mai-juin-juillet 1969, n° 63-64, pp. 33-34, 35-36, 38, 42-43.

"Notes de lecture", *Liberté*, n° 65, août-septembre 1969, p. 65.

* + "Propos sur l'écrivain", 1969.

"Un fantôme littéraire", *le Devoir*, 11 octobre 1969, p. 13.

"Table tournante", *Voix et Images du Pays II*, Editions Sainte-Marie, Montréal, 1969, pp. 143-194.

"Aquin : 'Une joie profonde' ", *la Presse*, 7 février 1970, p. 30.

"Considérations sur la forme romanesque d'*Ulysse*, de James Joyce, " *l'Oeuvre littéraire et ses significations*, PUQ, Montréal, 1970, pp. 53-66.

* "Conférence" (Inédit), Texte d'un discours prononcé à Drummondville, 1970.

"24 heures de trop", *Voix et Images du Pays III*, PUQ, Montréal, 1970, pp. 279-336.

+ "L'écrivain et les pouvoirs", *Liberté*, vol. 13, n° 2, mai-juin-juillet 1971, pp. 89-93.

"Les séquelles de la IXe rencontre des écrivains. Pourquoi j'ai démissionné de la revue *Liberté*.", *le Devoir*, 3 juin 1971, p. 12.

+ "Eléments pour une phénoménologie du sport", *Problèmes d'analyse symbolique*, Coll. "Recherches en symbolique", n° 3, PUQ, décembre 1971, pp. 115-144.
+ "Constat de Quarantine", *Point de mire*, vol. 3, n° 14, mai 1972, pp. 34-36.
"De Vico à James Joyce, assassin d'Ulysse", *le Devoir*, 10 novembre 1973, p. 22.
"Résistance contre la tristesse" (extraits de *Prochain Episode*), *Anthologie du roman canadien-français*, de Gérald Moreau, Montréal, Lidec, 1973, pp. 211-213.
"Présentation", *Notes d'un condamné politique de 1838*, de F.X. Prieur, et *Journal d'un exilé politique aux terres australes*, de L. Ducharme, Editions du Jour, Montréal, 1974, 245 p.
+ "Le joual-refuge", *Maintenant*, n° 134, mars 1974, pp. 18-21.
+ "La disparition élocutoire du poète (Mallarmé)", *Cul.-Q*, été-automne 1974, n° 4-5, pp. 6-9.
+ "Dans le ventre de la ville", *le Devoir*, 24 août 1974, p. 10.
"Présentation", *la Rébellion de 1837 à Saint-Eustache*, de Maximilien Globensky, Editions du Jour, Montréal, 1974, pp. 7-9.
"Hubert Aquin et le jeu de l'écriture", interview d'A. Gagnon, *Voix et Images*, vol. 1, n° 1, septembre 1975, pp. 5-18.
"Lettre à Victor Lévy Beaulieu", *la Presse*, 30 septembre 1975.
+ "Pourquoi je suis désenchanté du monde merveilleux de Roger Lemelin", *le Devoir*, 7 août 1976, p. 5.
+ "Le texte ou le silence marginal ?", *Mainmise*, n° 64, novembre 1976, pp. 18-19.
"Compendium" et "Après le 15 novembre 1976", *Québec Français*, décembre 1976.
"Réflexion à quatre voix sur l'émergence d'un pouvoir québécois", Revue *Change*, (collectif), Seghers/Laffont, mars 1977. Ecrit en collaboration avec Michèle Lalonde, Gaston Miron et Pierre Vadeboncoeur, pp. 5-10.
"Le Québec : une culture française originale" (à paraître), *Forces*, n° 38, juin 1977.

LES OEUVRES RADIOPHONIQUES [1]

* + *La Toile d'araignée*, radio-théâtre, diffusé le 29 juillet 1954. (45 min., 34 p.)

* + *Confession d'un héros*, diffusé le 21 mai 1961. (30 min., 16 p.)

Don Quichotte, le héros tragique, diffusé le 8 septembre 1966.

De retour le 11 avril, diffusé le 11 août 1968.

Borduas et le Refus global, diffusé le 18 octobre 1968.

Nietzsche, texte écrit pour la série "Philosophes et penseurs"; ne fut jamais présenté.

* (1) Nous remercions M. N. Bisbrouk, du Service des dérivés et des transcriptions de Radio-Canada, d'avoir recherché et reproduit pour nous ces textes inédits.

UNE COMEDIE MUSICALE

Ne ratez pas l'espion, en collaboration avec Louis-Georges Carrier et Claude Léveillée. (Jouée au théâtre de la Marjolaine, à compter du 1er juillet 1966.)

LES TELETHEATRES

Le Choix des armes, (jamais diffusé). Publié dans *Voix et Images du Pays V*, PUQ, Montréal, 1972, pp. 189-237.

Passé antérieur, présenté le 28 septembre 1955.

Dernier Acte, présenté le 29 mai 1960, sous un pseudonyme : François Lemal.

On ne meurt qu'une fois, en collaboration avec Gilles Sainte-Marie; présenté en trois volets les 5, 12, 19 juillet 1960.

Oraison funèbre, présenté le 3 novembre 1962.

Faux Bond, présenté le 22 janvier 1967.

Table tournante, présenté le 22 septembre 1968. Publié dans *Voix et Images du Pays II*, Montréal, Editions Sainte-Marie, 1969, pp. 143-194.

24 heures de trop, présenté le 9 mars 1969 et le 15 mars 1970. Publié dans *Voix et Images du Pays III*, Montréal, PUQ, 1970, pp. 279-336.
Double Sens, présenté le 30 janvier 1972.

FILMS PRODUITS POUR L'O.N.F.

A l'heure de la décolonisation, (Participation à la réalisation).
A Saint-Henri, le 5 septembre, (Hubert Aquin, réalisateur).
La Fin des étés, en collaboration avec Anne Claire Poirier.
L'Homme vite, (Hubert Aquin, producteur).
Jour après jour, (Participation à la réalisation).
Le Sport et les Hommes, (Hubert Aquin, réalisateur).

Bibliographie établie par
René LAPIERRE

TABLE DES MATIERES